# Mi primera gran enciclopedia

## El libro que lo sabe todo

# Mi primera gran enciclopedia

## El libro que lo sabe todo

p

Queen Street House, 4 Queen Street,
Bath BA1 1HE, RU

Edición creada por
Starry Dog Books

Asesor de edición
Brian Williams

Autor y editor
Neil Morris


Traducción del inglés: Nuria Caminero
para Equipo de Edición, S.L., Barcelona
Redacción y maquetación:
Equipo de Edición, S.L., Barcelona

Impreso en India
Printed in India

ISBN 1-40543-470-8

# Contenido

# Introducción

**Este gran libro del saber contiene información de todo tipo y se divide en seis capítulos: la Tierra y el espacio, ciencia, el cuerpo humano, animales, hace mucho tiempo, y tierras y culturas. Cada uno de estos capítulos ofrece amplia información sobre la materia, dividida en diecinueve temas.**

La información se presenta de forma visual e interesante. Este libro incluye cientos de fotografías, ilustraciones y dibujos, acompañados de textos explicativos.

Un completo índice ayudará a los lectores a encontrar la información que buscan. También se incluye un vocabulario muy útil, donde se explican las palabras difíciles o los términos técnicos.

Además, al final de cada capítulo hay un entretenido cuestionario. Las respuestas a todas las preguntas se encuentran en el libro, en la página que se indica entre paréntesis junto a cada pregunta.

Como interés añadido, cada capítulo incluye sencillos proyectos. En cada caso, una fotografía muestra el resultado final de la actividad y motiva a los niños. Unos son divertidas manualidades, mientras que otros son sencillos experimentos. Por encima de todo, este libro pretende generar interés, entretener y divertir. Su consulta es fácil y amena, para que los jóvenes lectores no se cansen de hojearlo una y otra vez.

# Cómo usar este libro

**Cada página de este libro está repleta de información sobre temas que disfrutarás leyendo.**

La información se proporciona tanto en fotografías e ilustraciones como en textos. Todas las imágenes van acompañadas de leyendas que explican la ilustración y aportan más detalles.

Los DIBUJOS que amenizan las páginas de este libro no deben tomarse en serio. Aunque seguramente te harán reír, la información del texto que los acompaña es real.

El TEXTO PRINCIPAL es una introducción al tema. Cada vez que pases la página, encontrarás un nuevo tema.

Las LEYENDAS incluyen datos interesantes sobre las ilustraciones. La flecha apunta a la ilustración correspondiente.

BONITAS FOTOGRAFÍAS cuidadosamente seleccionadas dan vida a cada tema.

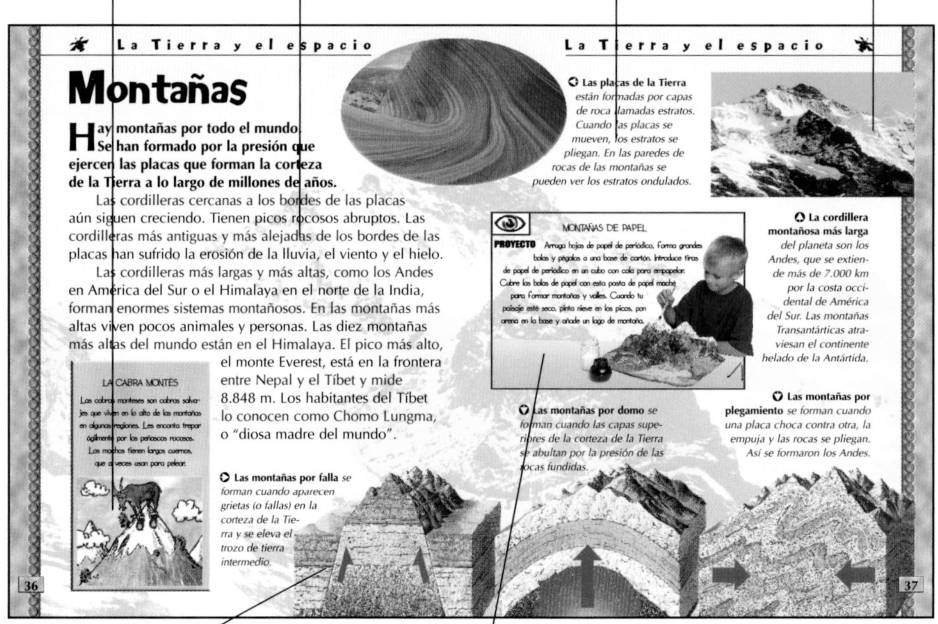

La Tierra y el espacio

## Montañas

**Hay montañas por todo el mundo. Se han formado por la presión que ejercen las placas que forman la corteza de la Tierra a lo largo de millones de años.**

Las cordilleras cercanas a los bordes de las placas aún siguen creciendo. Tienen picos rocosos abruptos. Las cordilleras más antiguas y más alejadas de los bordes de las placas han sufrido la erosión de la lluvia, el viento y el hielo.

Las cordilleras más largas y más altas, como los Andes en América del Sur o el Himalaya en el norte de la India, forman enormes sistemas montañosos. En las montañas más altas viven pocos animales y personas. Las diez montañas más altas del mundo están en el Himalaya. El pico más alto, el monte Everest, está en la frontera entre Nepal y el Tíbet y mide 8.848 m. Los habitantes del Tíbet lo conocen como Chomo Lungma, o "diosa madre del mundo".

LA CABRA MONTÉS

Las cabras monteses son cabras salvajes que viven en lo alto de las montañas en algunas regiones. Les encanta trepar ágilmente por los peñascos rocosos. Los machos tienen largos cuernos, que a veces usan para pelear.

**Las montañas por falla** *se forman cuando aparecen grietas (o fallas) en la corteza de la Tierra y se eleva el trozo de tierra intermedio.*

36

La Tierra y el espacio

**Las placas de la Tierra** *están formadas por capas de roca llamadas estratos. Cuando las placas se mueven, los estratos se pliegan. En las paredes de rocas de las montañas se pueden ver los estratos ondulados.*

MONTAÑAS DE PAPEL

PROYECTO Arruga hojas de papel de periódico, forma grandes bolas y pégalas a una base de cartón. Introduce tiras de papel de periódico en un cubo con cola para empapelar. Cubre las bolas de papel con esta pasta de papel maché para formar montañas y valles. Cuando tu paisaje esté seco, pinta nieve en los picos, pon arena en la base y añade un lago de montaña.

**La cordillera montañosa más larga** *del planeta son los Andes, que se extienden más de 7.000 km por la costa occidental de América del Sur. Las montañas Transantárticas atraviesan el continente helado de la Antártida.*

**Las montañas por domo** *se forman cuando las capas superiores de la corteza de la Tierra se abultan por la presión de las rocas fundidas.*

**Las montañas por plegamiento** *se forman cuando una placa choca contra otra, la empuja y las rocas se pliegan. Así se formaron los Andes.*

37

Las ILUSTRACIONES son claras y simples. A veces están cortadas para que puedas ver las cosas por dentro.

Los RECUADROS DE PROYECTOS describen actividades relacionadas con el tema. Pueden ser manualidades o experimentos sencillos. La fotografía es un estímulo que ayuda a saber qué hacer. Algunas actividades pueden ensuciar, así que no olvides cubrir primero la mesa con papel de periódico viejo. Usa siempre tijeras de punta redonda y pide ayuda a un adulto si tienes cualquier duda o necesitas una herramienta afilada.

# La Tierra y el espacio

**Nuestro hogar, la Tierra, es uno de los nueve planetas que giran alrededor de nuestra estrella, el Sol. Y el Sol no es más que una estrella normal, como los millones de estrellas que hay en el universo. Los científicos tienen un gran conocimiento sobre el universo y el espacio, pero todavía quedan muchas cosas más por aprender.**

En la Tierra hay cosas muy interesantes, desde las montañas rocosas hasta los profundos océanos, desde los bosques frondosos hasta los desiertos de arena. Algunas de las actividades cotidianas de los humanos amenazan con estropear nuestro planeta, pero todos podemos colaborar para hacer del mundo un lugar mejor.

# Nuestro planeta

**Vivimos en el planeta Tierra. En nuestro planeta hay montañas altas, desiertos cálidos, océanos inmensos y regiones heladas.**

Un manto de aire envuelve la Tierra. Este aire nos permite respirar y vivir. Más allá del aire, nuestro planeta está rodeado por el espacio. Muy lejos en el espacio hay otros planetas y estrellas.

La mayoría de los planetas tienen satélites, o lunas, que giran a su alrededor. Nuestra Luna está a unos 385.000 km de la Tierra.

**Desde el espacio,** *la Tierra es un planeta básicamente azul y blanco. Se ve azul porque el agua cubre la mayor parte de su superficie. Los remolinos blancos son las nubes. Y las zonas marrones y verdes son la tierra. Nuestro planeta tiene un diámetro de 12.700 km, casi cuatro veces más grande que la Luna.*

**La Luna** *da una vuelta alrededor de la Tierra cada mes. Desde la Tierra se van viendo diferentes porciones de su cara iluminada por el Sol, por lo que parece que cambie de forma.*

*La Luna también gira sobre sí misma, por lo que siempre vemos el mismo lado. Hasta que una nave espacial la rodeó, ninguna persona había visto la otra cara de la Luna.*

**La superficie de la Luna** *tiene cráteres, unos agujeros provocados por fragmentos de rocas espaciales que impactaron en la Luna. Los científicos llamaron "mares" a las zonas llanas, pero en la Luna no hay agua, ni aire.*

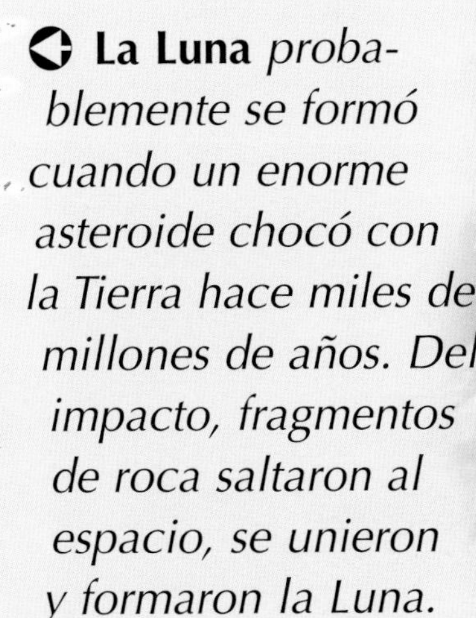

**La Luna** *probablemente se formó cuando un enorme asteroide chocó con la Tierra hace miles de millones de años. Del impacto, fragmentos de roca saltaron al espacio, se unieron y formaron la Luna.*

# El sistema solar

**Nueve planetas, incluida la Tierra, giran alrededor del Sol. Junto con lunas, cometas y fragmentos de roca, forman el sistema solar.**

Este sistema es como el barrio de la Tierra en el espacio. Todo el sistema está conectado al Sol por una fuerza que no podemos ver. Esta fuerza se llama gravedad.

El planeta más grande, Júpiter, es como más de 1.300 planetas Tierra juntos. El planeta más pequeño, Plutón, es incluso más menudo que nuestra Luna.

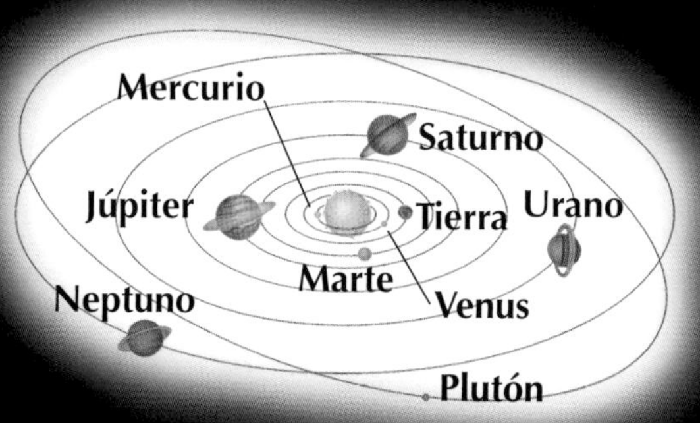


**Los planetas** *tienen diferentes órbitas alrededor del Sol. En un hueco entre Marte y Júpiter, hay miles de planetas diminutos, llamados asteroides. Plutón suele ser el más alejado del Sol, aunque a veces su trayectoria se cruza con la de Neptuno. Mercurio, un pequeño planeta rocoso, es el más cercano al Sol; da seis vueltas a su alrededor en un año.*

**Entre los planetas** *hay cuatro gigantes: Júpiter, Saturno, Urano y Neptuno. Todos tienen un pequeño núcleo rocoso, rodeado por una gruesa capa de hielo o líquido, con gas por fuera. Estos planetas junto con Plutón son los planetas exteriores.*

Mercurio

Venus

Tierra

Marte

## PLANETAS CON NOMBRES DE DIOSES ROMANOS

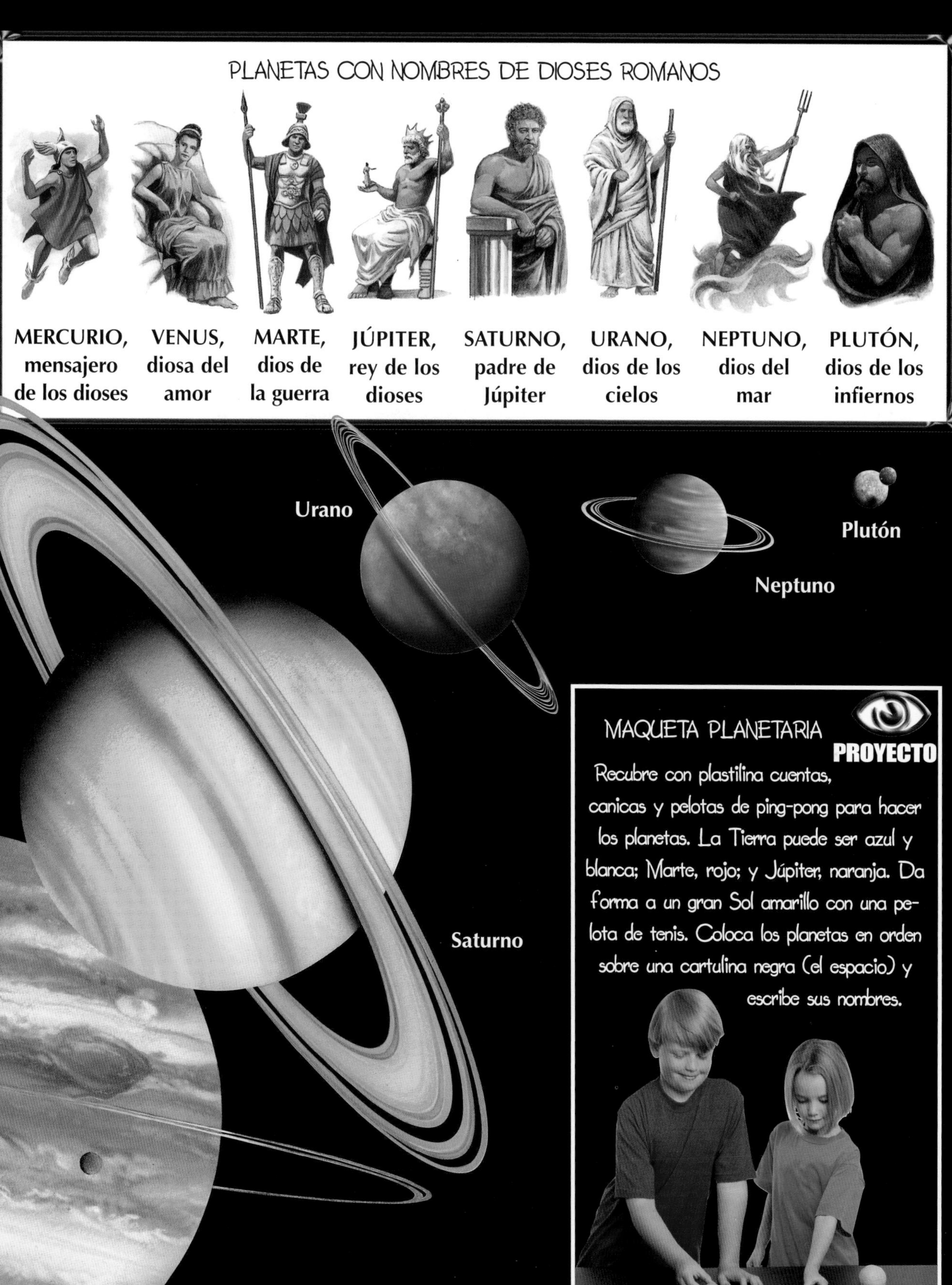


**MERCURIO,** mensajero de los dioses

**VENUS,** diosa del amor

**MARTE,** dios de la guerra

**JÚPITER,** rey de los dioses

**SATURNO,** padre de Júpiter

**URANO,** dios de los cielos

**NEPTUNO,** dios del mar

**PLUTÓN,** dios de los infiernos

### MAQUETA PLANETARIA

**PROYECTO**

Recubre con plastilina cuentas, canicas y pelotas de ping-pong para hacer los planetas. La Tierra puede ser azul y blanca; Marte, rojo; y Júpiter, naranja. Da forma a un gran Sol amarillo con una pelota de tenis. Coloca los planetas en orden sobre una cartulina negra (el espacio) y escribe sus nombres.

# Nuestra estrella

**Nuestro sistema solar tiene una estrella, el Sol. Esta estrella incandescente emite la luz que nos da vida, la luz solar.**

El Sol es una enorme bola ardiente de gases. La parte más caliente del Sol es el núcleo, donde se produce la energía. El Sol está siempre ardiendo; su energía proporciona calor y luz a la Tierra. No podríamos vivir sin la luz del Sol, que tarda unos ocho minutos en llegar hasta nosotros. Nunca mires directamente al Sol: su luz es tan fuerte que te haría daño en los ojos.

**protuberancia**

**Las estrellas se agrupan** *en galaxias. El Sol es una de los miles de millones de estrellas que hay en nuestra galaxia, conocida como la Vía Láctea. Se llama así porque, desde la Tierra, parece una cremosa hilera de estrellas en el cielo.*

**Las estrellas parecen formar dibujos** *conocidos como constelaciones. Las constelaciones de los "signos del zodiaco" se usan en los horóscopos, aunque los científicos no creen que las estrellas tengan relación con el carácter o el futuro de las personas.*

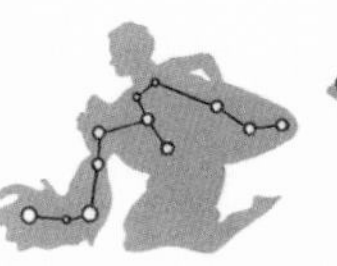

**Acuario, el aguador, 20 ene.- 18 feb.**

**Piscis, los peces, 19 feb.- 20 mar.**

**Aries, el carnero, 21 mar.- 19 abr.**

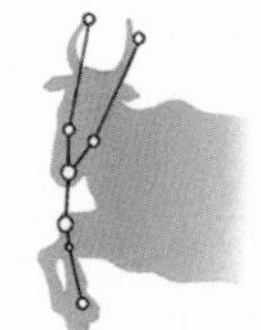

**Tauro, el toro, 20 abr.- 20 may.**

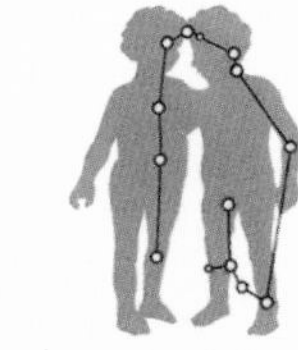

**Géminis, los gemelos, 21 may.- 21 jun.**

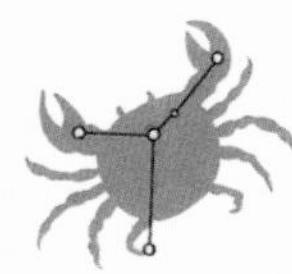

**Cáncer, el cangrejo, 22 jun.- 22 jul.**

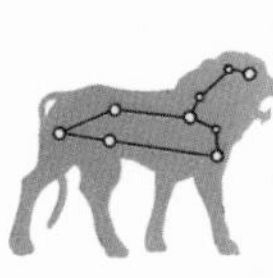

**Leo, el león, 23 jul.- 22 ago.**

**Virgo, la virgen, 23 ago.- 22 sep.**

núcleo

mancha solar

fotosfera (superficie del Sol)

zona radiactiva

zona convectiva

**El calor del núcleo** *emerge hacia la superficie del Sol, la fotosfera. Las manchas solares son puntos oscuros más fríos. Las protuberancias son chorros de gas que brotan de la superficie.*

Libra, la balanza, 23 sep.- 23 oct.

Escorpio, el escorpión, 24 oct.- 21 nov.

Sagitario, el arquero, 22 nov.- 21 dic.

Capricornio, la cabra, 22 dic.- 19 ene.

## CENTELLEA, ESTRELLITA

Desde la Tierra, parece que las estrellas centelleen. Su luz pasa por bandas de aire frío y caliente, y eso la hace parpadear. En el espacio, el brillo de las estrellas es fijo.

# El universo

**Nuestra dirección en el espacio es: la Tierra, sistema solar, galaxia de la Vía Láctea, universo. El universo es lo más grande que se conoce e incluye todos los espacios vacíos que hay entre las estrellas.**

La mayoría de los científicos creen que el universo empezó con una gran explosión ("Big Bang") hace miles de millones de años. Desde entonces, ha crecido en todas las direcciones, creando un espacio cada vez mayor.

**formación de galaxias**

**Los científicos creen** *que millones de años después del "Big Bang", los gases se agruparon en nubes. Estas nubes se unieron para formar galaxias. Los planetas se formaron después a partir de nubes de gas, polvo y rocas. A medida que el universo crece, las galaxias se separan.*

**En el universo** *hay miles de millones de estrellas. A veces, una estrella muy vieja explota. Es lo que llamamos supernova. Constantemente se forman nuevas estrellas de diferentes tamaños.*

**nubes de gas**

**El Sol** *es una estrella amarilla normal. Es mucho más grande que una estrella enana roja, que es la mitad de caliente. Una gigante azul es al menos cuatro veces más caliente que el Sol. Una supergigante roja es 500 veces más grande que el Sol.*

**gigante azul**

**estrella amarilla (como el Sol)**

**el "Big Bang"**

**enana roja**

**supergigante roja**

GLOBO UNIVERSAL

Pinta formas de galaxias blancas en un globo azul grande. Deja que se seque la pintura e infla el globo poco a poco. Verás cómo se separan las galaxias en el globo, igual que ocurre en el universo.

# Días y estaciones

**La Tierra tarda un año en dar una vuelta completa alrededor del Sol. En ese tiempo, la Tierra da 365 vueltas sobre sí misma, lo que supone ese mismo número de días. Al mismo tiempo, la Luna da 12 vueltas alrededor de la Tierra, lo que supone ese número de meses.**

En su viaje alrededor del Sol, la Tierra también gira como una peonza. Da una vuelta completa sobre sí misma cada 24 horas, lo que da lugar al día y la noche. En la parte de la Tierra que está de cara al Sol es de día. Cuando esa parte se aleja del Sol, se hace de noche.

Tenemos estaciones porque la Tierra está inclinada. Cuando la mitad norte de la Tierra está inclinada hacia el Sol, allí es verano. Al mismo tiempo, en la mitad sur del planeta es invierno, porque está más lejos del calor del Sol.

junio

primavera

verano

**En junio** *la mitad norte de la Tierra está inclinada hacia el Sol. Entonces ahí es verano, con largos días soleados y noches oscuras cortas. En diciembre ocurre exactamente lo contrario: el Sol brilla más directamente sobre la mitad sur de la Tierra, donde hace más calor.*

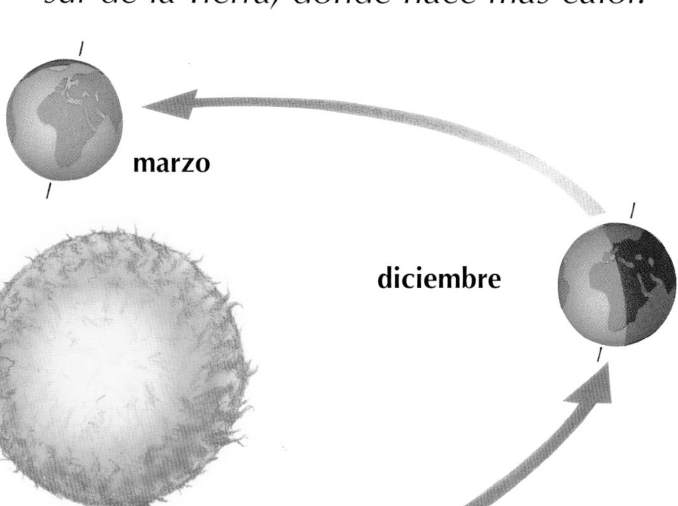

NOCHE Y DÍA

**PROYECTO**

En una habitación oscura, enciende una linterna y alumbra un globo terráqueo. Si no tienes uno, usa un balón. El globo o el balón es la Tierra, y la linterna es el Sol que brilla sobre nuestro planeta. La parte que está de cara al Sol recibe su luz, por lo que allí es de día. En la parte oscura del globo es de noche. Da vueltas lentamente a la Tierra para ver cómo se suceden el día y la noche alrededor del globo.

**El paisaje de la Tierra** *cambia con las estaciones. En muchos árboles nacen hojas nuevas en primavera. En verano, las hojas están verdes y se han desarrollado por completo. En otoño se vuelven marrones y empiezan a caerse. Y en invierno, las ramas de los árboles quedan desnudas. En algunos lugares próximos al centro de la Tierra, cerca del ecuador, sólo hay dos estaciones: una calurosa y seca, y otra cálida y húmeda.*

otoño

invierno

# Mirando al cielo

**Desde tiempos remotos, las personas han aprendido mucho sobre el universo estudiando el cielo de noche.**

Los primeros astrónomos lo estudiaban a simple vista. Los astrónomos modernos miran a través de grandes y potentes telescopios, para poder ver los planetas y las estrellas más de cerca. Actualmente, incluso hay un telescopio en el espacio que envía imágenes a la Tierra.

**Este mapa estelar** *muestra los grupos de estrellas que puedes ver en un año si vives en la mitad norte del planeta. Las estrellas están unidas para formar los dibujos de las constelaciones. Las personas que viven en la mitad sur del planeta ven constelaciones diferentes.*

**Los grandes telescopios** *suelen estar en observatorios, que son edificios en forma de cúpula con techos que se abren para poder ver el cielo. Los mejores observatorios están en las montañas, lejos de las luces de la ciudad, con una vista despejada del cielo.*

**Copérnico (1473–1543)**

**Galileo (1564–1642)**

**Newton (1642–1727)**

**Hubble (1889–1953)**

**Cuatro astrónomos famosos.** *Copérnico fue el primero en afirmar que la Tierra gira alrededor del Sol. Galileo diseñó su propio telescopio. Newton descubrió que la gravedad mantiene a la Tierra dando vueltas alrededor del Sol. Hubble comprobó con su telescopio que las galaxias se van separando.*

**Ver un cometa** *es algo emocionante. Los cometas son enormes bolas de nieve formadas por hielo y polvo. Cuando se acercan al Sol, desarrollan colas de gas y polvo que pueden llegar a medir cientos de miles de kilómetros.*

# Viajar al espacio

**Las naves espaciales despegan gracias a la fuerza de potentes cohetes. Cuando el cohete ha consumido el combustible, la nave continúa sola.**

El primer ser vivo que viajó al espacio fue un perro llamado Laika, en 1957. La primera persona que salió al espacio fue el ruso Yurí Gagarin: el 12 de abril de 1961 dio una vuelta a la Tierra. Unas semanas después, Alan Shepard se convirtió en el primer astronauta (viajero espacial) estadounidense. Su vuelo espacial duró 15 minutos. Hoy día, los astronautas viven y trabajan en el espacio, a veces durante meses. Como en el espacio hay muy poca gravedad, en una nave espacial todo flota, incluso los astronautas.

**Una lanzadera espacial** *es una nave reutilizable. Despega sobre un gran tanque de combustible, en el espacio usa su propia fuerza y luego aterriza en la Tierra como un avión. Las lanzaderas se usan para llevar astronautas a una estación espacial.*

¿QUÉ COMEN LOS ASTRONAUTAS?

Casi todo es comida seca, para ahorrar peso. Antes de calentar los paquetes de comida, se les añade agua. Los astronautas tienen que sujetar la comida para que no flote por la nave espacial. Los cuchillos y los tenedores son magnéticos, y se pegan a las bandejas de metal.

**Los astronautas** *pueden viajar pequeñas distancias poniéndose una unidad autopropulsada especial en la espalda. Pueden moverse o girar en cualquier dirección usando esta unidad tripulada de maniobra.*

**En 1969,** *astronautas estadounidenses pisaron la Luna por primera vez. Alunizaron en un módulo lunar y llevaban trajes espaciales para poder caminar sobre la superficie de la Luna. Los trajes les protegían, les proporcionaban aire para respirar y les mantenían a una temperatura correcta.*

# El aire

**La Tierra está rodeada por un manto de aire, lo que conocemos como atmósfera. El aire es importantísimo: sin aire no habría lluvia (ni clima) ni vida.**

La atmósfera está formada por muchos gases, como el nitrógeno y el oxígeno. Para mantenernos vivos, necesitamos respirar oxígeno. En lo alto de la atmósfera, un gas llamado ozono forma una barrera que impide que pase la radiación dañina del Sol. Marte tiene una atmósfera cien veces menos densa que la de la Tierra, y Mercurio prácticamente no tiene atmósfera.

**El aire es menos denso** *cuanto mayor es la altura. Por eso es difícil respirar en la cima de una montaña muy alta. Los alpinistas a veces llevan oxígeno para respirar mejor cuando escalan a grandes alturas.*

## EL AIRE PESA

Ata dos globos a un palo, uno en cada extremo. Ata una cuerda al palo y mantenlo equilibrado. Luego infla uno de los globos e intenta que el palo quede otra vez equilibrado. Verás que no es posible, porque el aire del globo inflado pesa y tira de ese extremo del palo hacia abajo. Este sencillo experimento demuestra que el aire pesa.

**El viento es aire en movimiento.** *A veces, un remolino de viento forma una especie de embudo llamado tornado, que puede destruir lo que encuentre a su paso.*

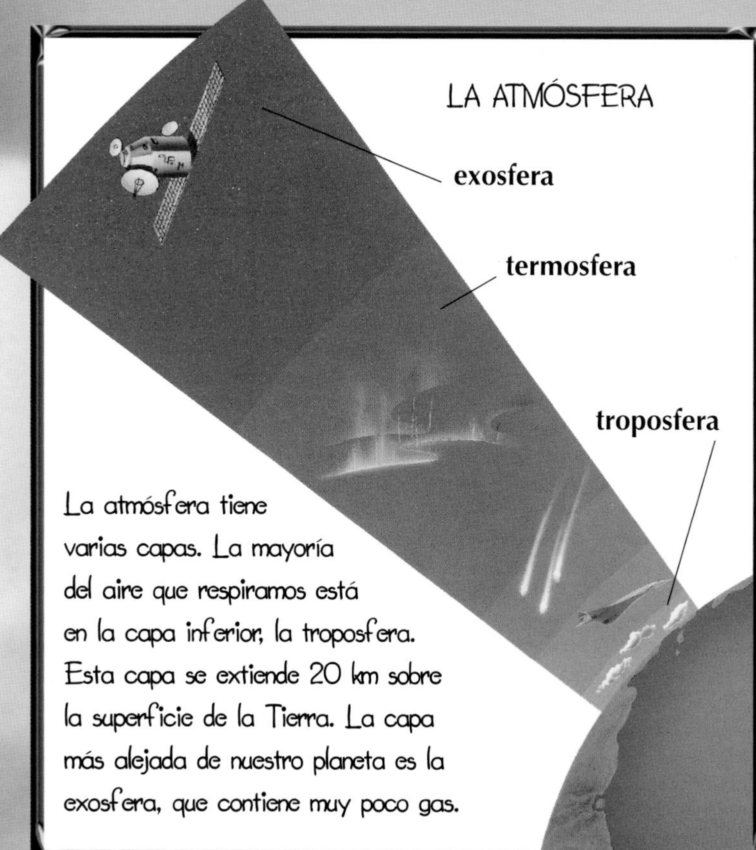


La atmósfera tiene varias capas. La mayoría del aire que respiramos está en la capa inferior, la troposfera. Esta capa se extiende 20 km sobre la superficie de la Tierra. La capa más alejada de nuestro planeta es la exosfera, que contiene muy poco gas.

# Dentro de la Tierra

**El planeta Tierra es una gran bola de roca y metal cubierta por agua y tierra.**

La Tierra consta de cuatro capas. La fina capa exterior, la corteza, es la piel de la Tierra (como la piel de una naranja). Debajo de la corteza hay una capa más gruesa, el manto, compuesto de rocas calientes fundidas.

Cerca del centro de la Tierra están las dos capas del núcleo del planeta, formadas por metales.

La corteza de la Tierra está partida en enormes piezas que encajan como un puzzle gigante: son las placas. Los océanos y los continentes (masas terrestres) se encuentran sobre las placas, que flotan sobre el manto.

**Desde el espacio,** *la Tierra parece fría, por el agua. Pero, dentro, el centro está muy caliente. Hay casi 6.000 km desde la superficie hasta el centro.*

**PROYECTO**

ROMPECABEZAS DE LA TIERRA

Coloca una hoja de papel vegetal sobre el mapa de la página siguiente. Calca las líneas gruesas de las placas con un rotulador negro y, luego, las siluetas de los continentes con lápiz. Pega el mapa calcado en una cartulina y coloréalo. Recórtalo en varias piezas y ya tienes tu rompecabezas. Mezcla las piezas y monta el rompecabezas de la Tierra guiándote por las líneas de las placas.

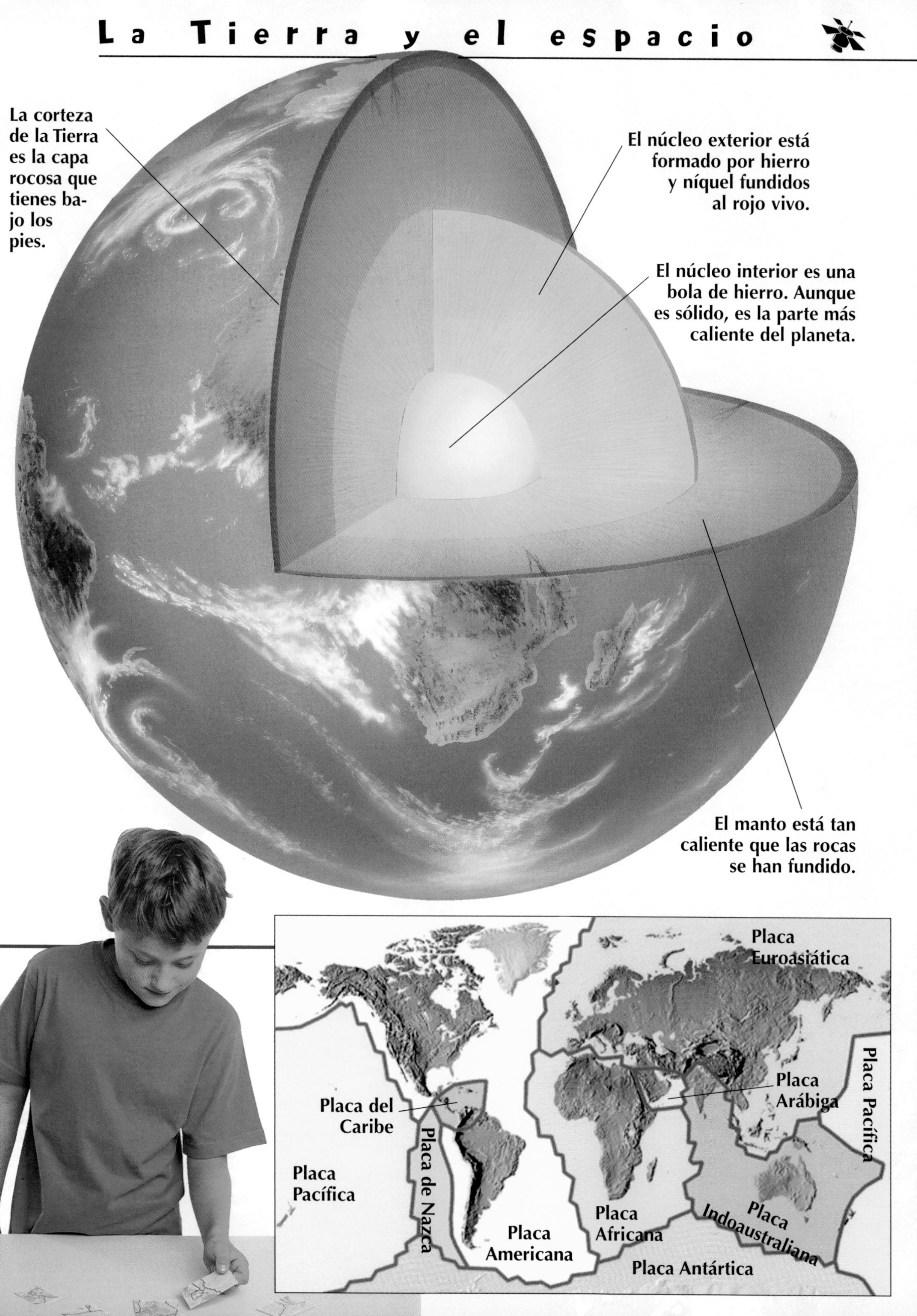
La corteza de la Tierra es la capa rocosa que tienes bajo los pies.
El núcleo exterior está formado por hierro y níquel fundidos al rojo vivo.
El núcleo interior es una bola de hierro. Aunque es sólido, es la parte más caliente del planeta.
El manto está tan caliente que las rocas se han fundido.
Placa Euroasiática
Placa Pacífica
Placa Arábiga
Placa del Caribe
Placa de Nazca
Placa Pacífica
Placa Africana
Placa Indoaustraliana
Placa Americana
Placa Antártica

# Volcanes y terremotos

**Las placas que forman la corteza de la Tierra se mueven lentamente y friccionan unas con otras. Aunque sólo se mueven unos centímetros al año, esto puede dar lugar a volcanes y terremotos.**

Los volcanes y los terremotos suelen localizarse cerca de los bordes de las placas. Son frecuentes en una región del océano Pacífico conocida como el "Anillo de Fuego". Pueden provocar olas gigantes llamadas tsunamis.

El volcán activo más grande del mundo es Mauna Loa (Hawai). Mide 4.170 m sobre el nivel del mar y más de 9.000 m desde el fondo del océano. Entra en erupción cada cuatro años.

Un volcán que no ha entrado en erupción durante

**Cuando un volcán** *entra en erupción, expulsa lava incandescente a través de una abertura en la corteza de la Tierra. Las abruptas laderas de un volcán están formadas por capas de lava y ceniza solidificadas.*

**Los pasos elevados y los puentes** *corren peligro en caso de terremoto. Las ondas del seísmo se expanden desde un punto llamado epicentro. A menudo hay pequeños temblores antes y después de un gran terremoto.*

**La falla de San Andrés,** *en California (EE.UU.), muestra la unión de dos de las placas de la Tierra. Se mueven aproximadamente 5 cm al año.*

mucho tiempo es un volcán inactivo. Un volcán extinto o apagado es el que no presenta actividad durante miles de años.

El terremoto más fuerte registrado ocurrió en el Ecuador en 1906. Alcanzó 8,6 grados en la escala de Richter (la escala que mide la fuerza de un terremoto). Otro causó 5.500 muertos y afectó a 190.000 edificios en Japón en 1995.

TEMBLÓ, PERO NO SUFRIÓ DAÑOS

La pirámide Transamérica es un edificio muy alto de San Francisco (EE.UU.). Mide 260 m y está diseñado para resistir terremotos. Los científicos y los diseñadores siempre buscan nuevas formas de construir edificios altos más seguros para las personas.

# El agua

**El agua cae de las nubes del cielo en forma de lluvia, nieve, aguanieve o granizo.**

Cuando llueve, parte del agua se filtra en el suelo y se acumula entre las rocas, debajo de la superficie. En terrenos calizos, esta agua forma cuevas subterráneas. Un poco de agua se acumula en lagos, pero la mayor parte forma ríos que desembocan en el mar.

caen gotas de agua
el vapor de agua forma nubes
el agua se evapora y sube

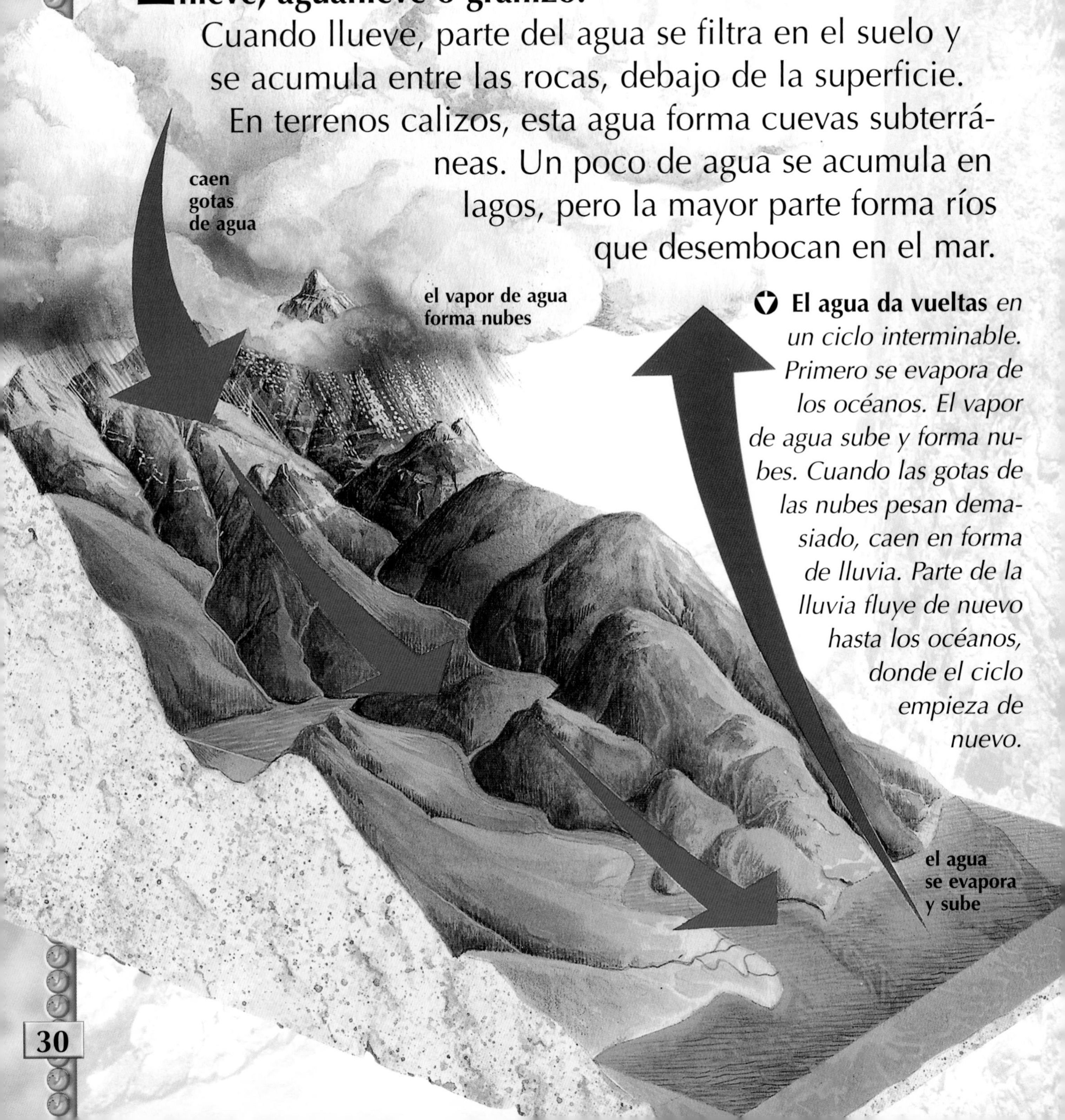

**El agua da vueltas** *en un ciclo interminable. Primero se evapora de los océanos. El vapor de agua sube y forma nubes. Cuando las gotas de las nubes pesan demasiado, caen en forma de lluvia. Parte de la lluvia fluye de nuevo hasta los océanos, donde el ciclo empieza de nuevo.*

**Las corrientes de agua** *forman muchas de las cuevas subterráneas. Al cabo de muchos años, el agua de lluvia desgasta las blandas rocas calizas. Primero forma grietas, que crecen hasta convertirse en agujeros y pasadizos. El goteo constante crea formas espectaculares en las cuevas.*

sumidero

pozo

estalactita

estalagmita

cueva

**Cuando un río** *cae por encima de una pared de roca dura, forma una cascada. Las cataratas Victoria caen desde una altura de 130 m sobre el río Zambeze, en África.*

MEDIR LA LLUVIA

PROYECTO

Fabrica tu propio pluviómetro. Vierte 200 ml de agua en un tarro, a cucharadas (10 ml). Con un rotulador, marca los intervalos de 10 ml en el tarro. Vacíalo y coloca encima un embudo. Saca el pluviómetro al exterior para recoger la lluvia.

# Tierra y mar

**Hace millones de años, en la Tierra había un único continente enorme. Un océano grande y profundo ocupaba el resto del planeta.**

Al cabo de millones de años, la masa de tierra original se dividió en grandes porciones, que se fueron separando. Así se formaron los océanos Atlántico, Índico y Ártico. Lo que queda de la gran masa de agua original es lo que conocemos como océano Pacífico.

hace 200 millones de años

hace 100 millones de años

hoy

**Desde el espacio,** *la Tierra parece un planeta con mucha agua. El océano Pacífico ocupa casi la mitad de la superficie del globo.*

**El fondo del océano** *es bastante parecido a la superficie de la tierra. Hay montañas submarinas, otros montes llamados guyots, y valles, llamados fosas. Una dorsal oceánica es una formación de rocas fundidas debajo de la superficie terrestre.*

montaña submarina

plataforma continental

guyot

fosa

**Esta gorgonia** *es un tipo de coral. Los arrecifes de coral se forman en aguas poco profundas cerca de tierras cálidas. En ellos habitan miles de plantas y animales de vistosos colores. El arrecife más grande es la Gran Barrera de Arrecifes, frente a las costas de Australia.*

## MAR DE ISLAS

PROYECTO

Recoge algunas piedras y pégalas con plastilina. Coloca tus montañas en un recipiente de plástico y vierte agua dentro. A medida que el recipiente se llena de agua, se forman islas. Puedes ver que las islas pequeñas son en realidad las puntas de montañas submarinas. ¿Cuántas islas has hecho?

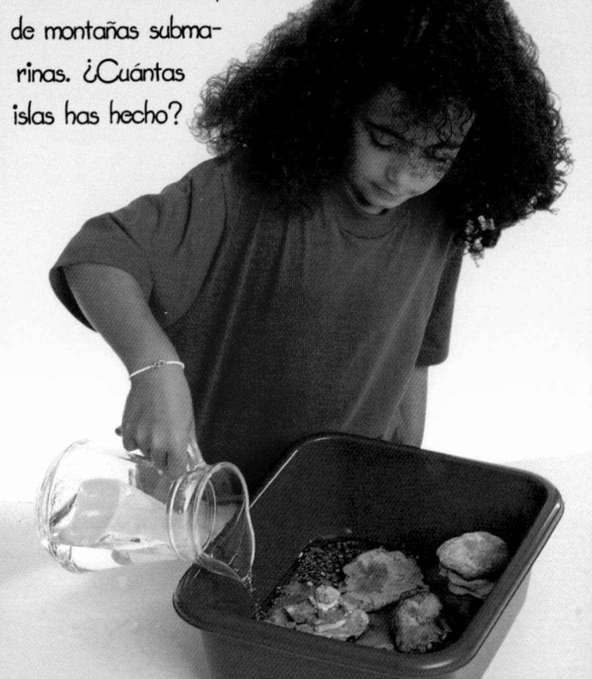

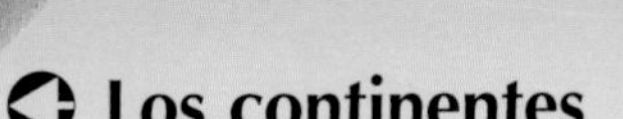

**Los continentes** *estaban todos unidos en un supercontinente gigante denominado Pangea. Éste se dividió en dos masas de tierra que, más tarde, se separaron en varios continentes. Por orden de tamaño, los continentes son: Asia, África, América del Norte, América del Sur, Europa y Australasia. Juntos ocupan menos superficie que el océano Pacífico. Los continentes siguen separándose, muy lentamente.*

**dorsal oceánica**

# La costa

torrecilla

**En el punto donde un océano topa con tierra firme, las olas golpean la costa y desgastan las rocas en un proceso que se conoce como erosión.**

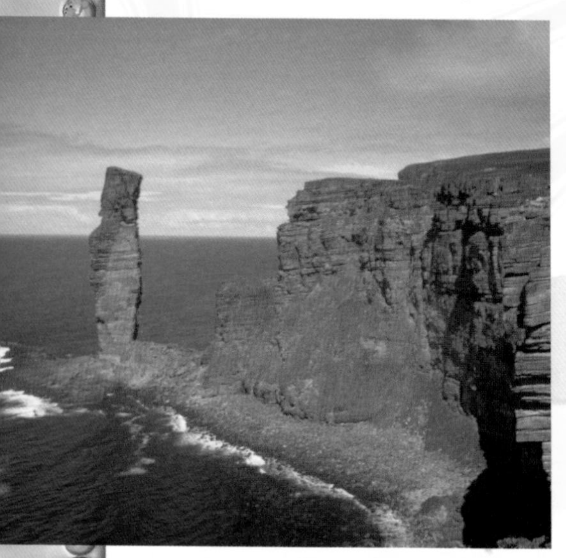

**El viento y las olas** *desgastan las rocas de la costa. Esta erosión forma torres como ésta, famosa en las islas Orcadas (Gran Bretaña).*

Los acantilados de roca blanda, como la creta blanca, se desgastan con mayor rapidez que los de rocas duras. Al romper en la costa, las olas trituran las rocas y forman guijarros y arena.

El agua del mar sube y baja dos veces al día. Las mareas se deben a la atracción de la gravedad de la Luna y el Sol. Las mayores mareas del mundo se dan en la bahía de Fundy, en la costa atlántica de Canadá. Entre la marea alta y la marea baja, el agua sube y baja hasta 15 m.

**En la orilla del mar** *viven animales y plantas que dependen de las mareas. Los cangrejos se esconden debajo de rocas o algas. Los bogavantes viven cerca de costas rocosas o caminan sobre el fondo marino con sus cuatro pares de patas. Las estrellas de mar suelen tener cinco brazos.*

bogavante

cangrejo

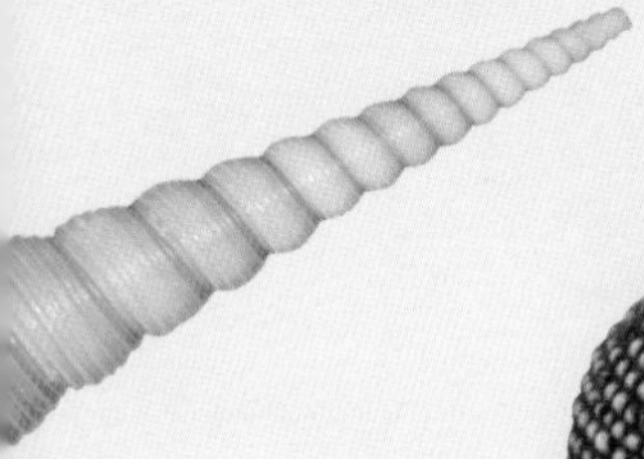

calliostomo

**En las costas rocosas,** *los crustáceos se esconden en sus conchas hasta que sube la marea. La concha del taclobo gigante es la más grande y puede medir hasta 1,5 m.*

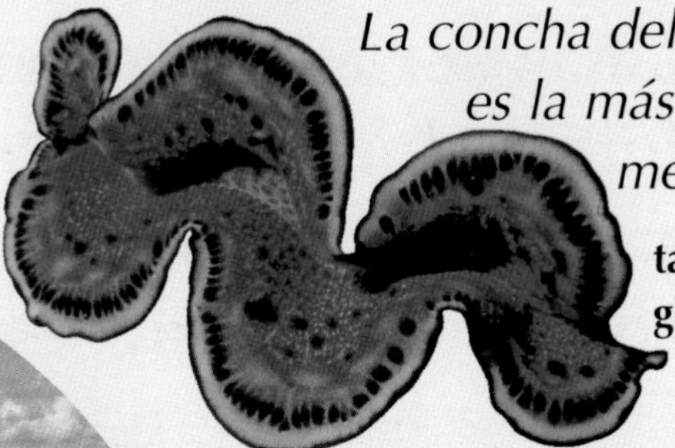

taclobo gigante

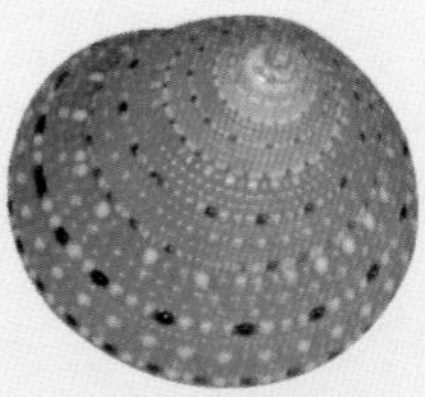

tróchido

lambis

**Las playas de arena** *como ésta, en Hawai, son un destino predilecto de vacaciones. Estas playas no nos parecen rocosas, pero los granos de arena son trozos minúsculos de rocas y conchas rotas. La arena también les gusta a los crustáceos y otras criaturas costeras, porque les resulta fácil cavar en ella para esconderse. Los gusanos arenícolas hacen los tubos enroscados que se pueden ver en la playa. Los gusanos cavan en la arena y se la comen en busca de alimento.*

estrella de mar

### ¿POR QUÉ SON SUAVES LOS GUIJARROS?

Algunas rocas grandes se parten y sus fragmentos caen al mar. Allí se rompen en piedras más pequeñas y se golpean unas contra otras. Las olas las arrastran arriba y abajo sobre la arena, con lo cual se van erosionando y alisando.

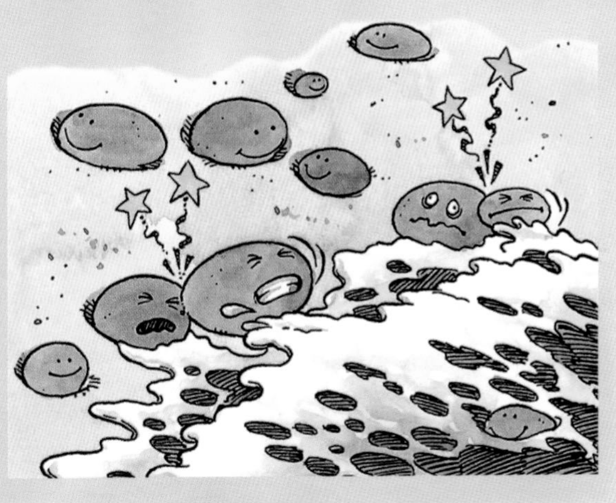

# Montañas

**Hay montañas por todo el mundo. Se han formado por la presión que ejercen las placas que forman la corteza de la Tierra a lo largo de millones de años.**

Las cordilleras cercanas a los bordes de las placas aún siguen creciendo. Tienen picos rocosos abruptos. Las cordilleras más antiguas y más alejadas de los bordes de las placas han sufrido la erosión de la lluvia, el viento y el hielo.

Las cordilleras más largas y más altas, como los Andes en América del Sur o el Himalaya en el norte de la India, forman enormes sistemas montañosos. En las montañas más altas viven pocos animales y personas. Las diez montañas más altas del mundo están en el Himalaya. El pico más alto, el monte Everest, está en la frontera entre Nepal y el Tíbet y mide 8.848 m. Los habitantes del Tíbet lo conocen como Chomo Lungma, o "diosa madre del mundo".

LA CABRA MONTÉS

Las cabras monteses son cabras salvajes que viven en lo alto de las montañas en algunas regiones. Les encanta trepar ágilmente por los peñascos rocosos. Los machos tienen largos cuernos, que a veces usan para pelear.

**Las montañas por falla** *se forman cuando aparecen grietas (o fallas) en la corteza de la Tierra y se eleva el trozo de tierra intermedio.*

**Las placas de la Tierra** *están formadas por capas de roca llamadas estratos. Cuando las placas se mueven, los estratos se pliegan. En las paredes de rocas de las montañas se pueden ver los estratos ondulados.*

**La cordillera montañosa más larga** *del planeta son los Andes, que se extiende más de 7.000 km por la costa occidental de América del Sur. Las montañas Transantárticas atraviesan el continente helado de la Antártida.*

PROYECTO

MONTAÑAS DE PAPEL

Arruga hojas de papel de periódico, forma grandes bolas y pégalas a una base de cartón. Introduce tiras de papel de periódico en un cubo con cola para empapelar. Cubre las bolas de papel con esta pasta de papel maché para formar montañas y valles. Cuando tu paisaje esté seco, pinta nieve en los picos, pon arena en la base y añade un lago de montaña.

**Las montañas por domo** *se forman cuando las capas superiores de la corteza de la Tierra se abultan por la presión de las rocas fundidas.*

**Las montañas por plegamiento** *se forman cuando una placa choca contra otra, la empuja y las rocas se pliegan. Así se formaron los Andes.*

# Rocas y minerales

**La corteza de la Tierra está formada por rocas y las rocas están formadas por uno o más minerales.**

Hay tres tipos principales de rocas. Las rocas sedimentarias se forman cuando capas de arena, lodo y conchas se apilan como sedimentos y se compactan todas juntas.

**El granito,** *una dura roca ígnea, se usó para construir el Empire State de Nueva York, en EE.UU. El granito está compuesto por grandes granos de cuarzo, feldespato y mica. Su color va del gris al rojo, según la cantidad que contenga de cada mineral.*

HAZ UN FÓSIL DE HOJA

PROYECTO

Extiende un círculo de plastilina, coloca encima una hoja y presiona. Retira con cuidado la hoja, que habrá dejado su huella. Haz un aro con una tira de cartulina, colócalo alrededor de la huella y presiona sobre la plastilina. Vierte yeso de París líquido dentro del aro. Cuando se seque, retira la plastilina y estudia tu fósil de hoja.

**Los acantilados blancos** *están formados por creta, una roca sedimentaria compuesta por conchas de pequeñas criaturas marinas.*

Las rocas metamórficas son rocas que se han transformado por una gran presión y calor. Y las rocas ígneas o magmáticas se forman al enfriarse y endurecerse las rocas fundidas del interior de la Tierra.

**Fase 1**
**Los amonites eran moluscos que se extinguieron hace 65 millones de años. Cuando un amonites se moría, se hundía con su concha en espiral en el fondo del mar.**

**Fase 2**
**Sedimentos de arena y lodo cubrían el amonites. Las partes blandas del animal se descomponían y sólo quedaba la concha.**

**Fase 3**
**Tras millones de años, los sedimentos se convertían en roca y la concha del amonites era sustituida por minerales. Así, la silueta de la concha quedaba dentro de la roca.**

**Fase 4**
**La roca se ha erosionado y revela la silueta fosilizada del amonites. Los científicos pueden aprender muchas cosas sobre los amonites a partir de sus fósiles.**

**¿Cómo se forman los fósiles?** *Los fósiles son restos de seres vivos, como conchas o criaturas marinas, que se han conservado en rocas.*

**Este bonito mineral** *se llama selenita. Es un tipo de yeso que se usa para hacer yeso de París, cemento y tizas.*

**El mármol** *es una roca metamórfica que se forma por calor y presión sobre la piedra caliza. El mármol blanco se usa en esculturas.*

# Bosques

**Casi una tercera parte de la superficie terrestre está cubierta de bosques.**

Los árboles que crecen en los bosques varían según el clima de la región: las temperaturas, la duración del invierno y la cantidad de lluvia.

Los fríos bosques del norte están llenos de árboles perennes. Los bosques templados tienen árboles de hoja caduca, que se cae en invierno. Y las selvas tropicales, una gran variedad de árboles enormes.

La taiga es el bosque más grande del mundo. Ocupa 10.000 km en el norte de Rusia. Allí hace mucho frío, los inviernos son largos y oscuros, mientras que los veranos son cortos y frescos.

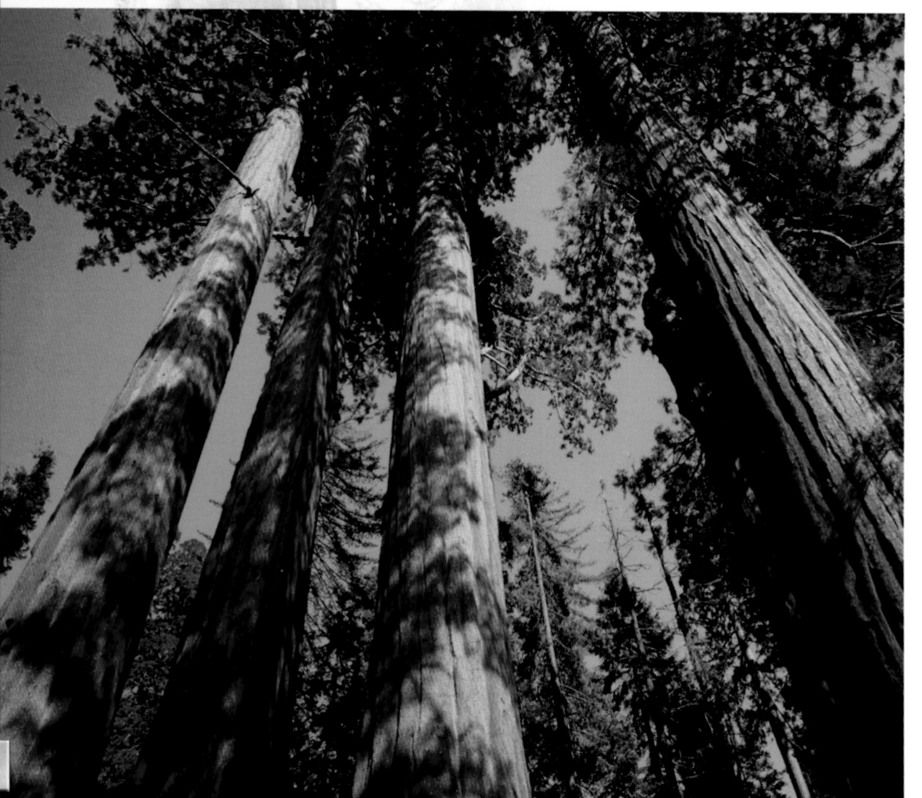

**Las inmensas secuoyas** *de California (EE.UU.) son coníferas perennes. Algunas tienen miles de años. La más grande mide casi 90 m y tiene un diámetro de 11 m. ¿Te imaginas trepar hasta lo alto de su copa?*

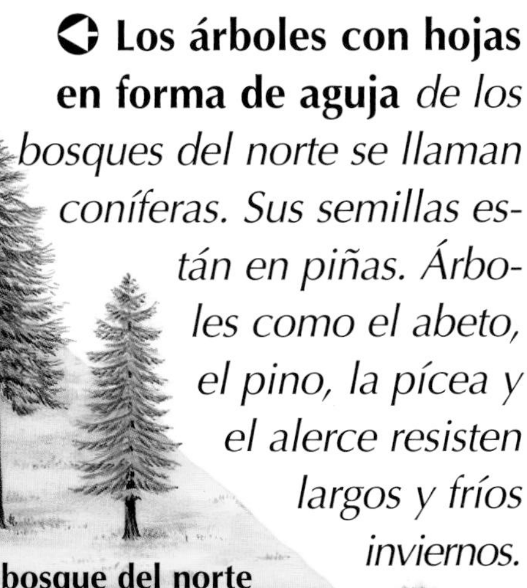

**Los árboles con hojas en forma de aguja** *de los bosques del norte se llaman coníferas. Sus semillas están en piñas. Árboles como el abeto, el pino, la pícea y el alerce resisten largos y fríos inviernos.*

bosque del norte

FUERTE COMO UN ROBLE

Algunos de los 600 tipos de robles que hay en el mundo son bastante pequeños. Otros, como el roble carvallo, son inmensos.

Los robles pueden vivir más de 400 años y su madera es muy dura y resistente. El fruto del roble se llama bellota.

hoja de roble

**El fresno, el haya, el arce y el roble** *crecen en los bosques templados. En otoño sus hojas se vuelven marrones y se caen. Esto evita que los árboles pierdan demasiada agua en invierno.*

bosque templado

**Las selvas** *tropicales crecen en tierras bajas, cálidas y húmedas donde llueve casi todos los días. La mayoría de los árboles de las selvas son perennes. Allí viven millones de criaturas, pues el calor, el agua y la comida son abundantes. En las selvas tropicales hay loros y tucanes, monos y jaguares, ranas y serpientes. La selva del Amazonas, en América del Sur, es la selva tropical más grande del mundo; sus árboles se están talando a un ritmo preocupante.*

selva tropical

# Desiertos

**La mayoría de los desiertos se encuentran en regiones muy cálidas del planeta, donde casi no llueve.**

Algunos desiertos están cubiertos de grandes dunas de arena, pero hay muchos otros paisajes desérticos, como colinas rocosas o llanuras pedregosas. En el desierto más grande del mundo, el Sahara, en el norte de África, muchas veces se alcanzan los 49°C de temperatura.

A pesar del calor y la falta de agua, los desiertos no son yermos vacíos. Muchos tienen agua subterránea. En algunos sitios se forman estanques, llamados oasis, donde crecen plantas y viven personas. En el Sahara hay unos 90 oasis de gran extensión.

**En muchas regiones desérticas,** *el calor y el viento han erosionado las rocas durante millones de años. Los desiertos de América del Norte están llenos de formas rocosas raras y espectaculares.*

**PROYECTO**

DESIERTO AL HORNO

Haz una masa con 6 tazas de harina, 3 tazas de sal, 6 cucharadas de aceite y 6 cucharadas de agua. Amásala y dale forma de paisaje desértico. Hornea el desierto en la parte baja del horno a temperatura baja durante 40 minutos. Una vez frío, píntalo con cola y esparce arena por encima. Pinta un oasis verde. Añade palmeras de papel y, si quieres, un camello de plastilina.

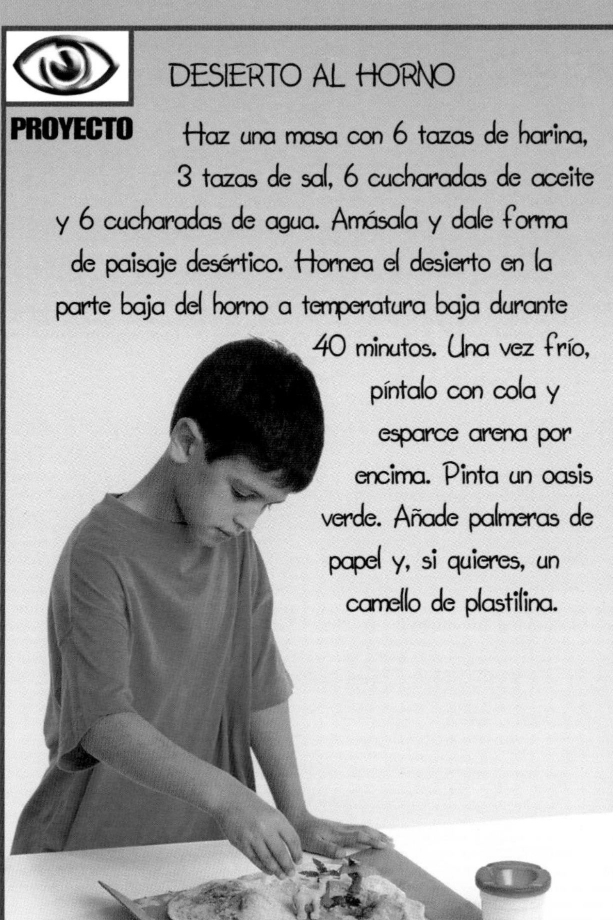

**Los cactus** *almacenan agua en sus tallos carnosos. El saguaro gigante puede medir más de 16 m. Otras plantas del desierto crecen de repente si llueve, florecen y esparcen sus semillas.*

**Algunas dunas de arena** *del Sahara miden hasta 450 m de altura. Como olas en un mar de arena, cambian de forma y son arrastradas por el viento.*

# Regiones polares

**Cerca del Polo Norte y del Polo Sur, en los dos extremos del planeta, hace mucho frío.**

La región que rodea el Polo Norte es el Ártico. En su mayor parte es una gran superficie de mar helado cubierto de una gruesa capa de hielo. En invierno el hielo se extiende aún más. La región ártica también incluye el norte de Asia, de Europa y de América del Norte. En esas tierras heladas viven pueblos árticos como los inuit y los lapones.

El Polo Sur se encuentra en las tierras heladas de la Antártida, el continente más frío de la Tierra.

En los fríos mares que rodean los polos hay icebergs. El iceberg más grande se ha visto en el océano Pacífico Sur y medía unos 300 km de largo y 100 km de ancho.

**Un glaciar** *es una masa de hielo que baja por una montaña como un río muy lento. A menudo se rompen y se forman profundas grietas de glaciar. En la Antártida, el glaciar Lambert mide más de 650 km de largo. La Plataforma de Ross de la Antártida es el témpano de hielo flotante más grande. ¡Es casi tan grande como Francia!*

**Los icebergs** *son enormes trozos de hielo de agua dulce que se separan de los glaciares y de las plataformas heladas y flotan en el mar. Por encima del agua sólo se ve una séptima parte del iceberg, por lo que son mucho más grandes de lo que parecen.*

**El explorador noruego Roald Amundsen** *fue el primero en llegar al Polo Sur, en 1911. El explorador británico Robert Scott llegó un mes después y ya encontró allí la bandera noruega. En el Polo Sur, mires donde mires es el Norte.*

**En la Antártida** *sólo viven científicos. Algunos viven en una estación de investigación en el Polo Sur. A veces también van grupos ecologistas, como estos trabajadores de Greenpeace, para estudiar el clima, las rocas y los animales de la Antártida. El continente está protegido por un tratado internacional.*

# Salvemos el planeta

**Muchas de las regiones más bonitas de la Tierra están en peligro. Los seres humanos estamos explotando y dañando en exceso los océanos, las costas, los bosques...**

Todos podemos ayudar. Las fábricas pueden dejar de emitir gases a la atmósfera y verter residuos líquidos a los ríos. Mucha contaminación procede de personas que intentan ahorrar dinero, en lugar de gastar más en mantener limpio nuestro planeta. En algunos países se usan nuevas fuentes de energía. Los paneles solares recogen energía directamente del Sol para transformarla en electricidad. La energía del viento, de las olas y de las mareas también se puede transformar en electricidad.

**Muchas fábricas** *emiten gases a la atmósfera. Los gases forman una capa alrededor de la Tierra que impide que el calor se escape. Estos gases se conocen como "gases de efecto invernadero", porque provocan que la Tierra se caliente, con terribles consecuencias.*

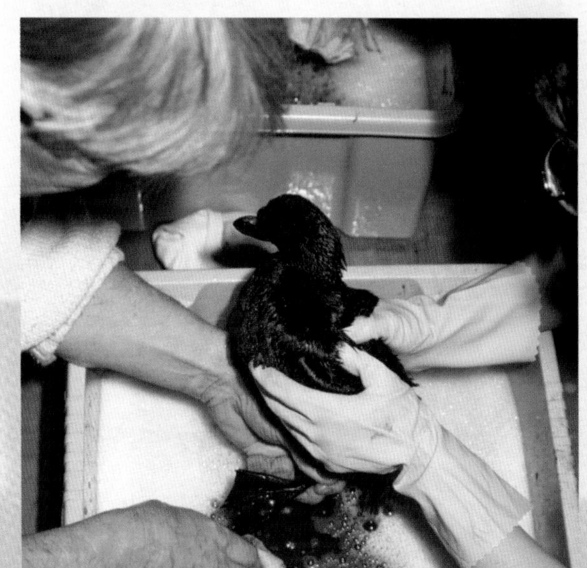

**El mar se contamina** *cuando grandes petroleros vierten su carga. El petróleo puede hacer mucho daño a las aves marinas. Se les pega a las plumas y no pueden volar en busca de alimento.*

### DEJAR EL COCHE EN CASA

La mayoría de los coches funcionan con gasolina, que procede del petróleo. El petróleo del planeta se está gastando y los gases del tubo de escape contaminan. Si caminamos más y usamos los trenes y los autobuses, ayudaremos al planeta.

**Las latas de bebidas** *pueden reciclarse para fabricar latas nuevas. Así se ahorra energía y material. También se pueden reciclar las botellas de vidrio usadas, el papel y la ropa.*

**Plantar nuevos árboles** *es bueno para todos. Emiten oxígeno y así ayudan a generar el aire limpio que respiramos.*

**La lluvia ácida** *es una forma de contaminación que puede dañar a los árboles. Los gases de las fábricas, las centrales eléctricas y los tubos de escape de los coches contienen sustancias químicas peligrosas que a veces suben hasta las nubes y luego caen como lluvia ácida.*

# Cuestionario

1. *¿Cómo se llama el planeta en el que vivimos? (p. 10)*
2. *¿Cómo se llaman los agujeros redondos que hay en la superficie de un planeta? (p. 11)*
3. *¿Cuántos planetas giran alrededor del Sol? (p. 12)*
4. *¿Qué planeta está más cerca del Sol? (p. 12)*
5. *¿Cómo se llama nuestra galaxia? (p. 14)*
6. *¿Por qué centellean las estrellas? (p. 15)*
7. *Casi todos los científicos creen que el universo empezó con una explosión. ¿Cómo la llaman? (p. 16)*
8. *¿Es nuestro Sol la estrella más caliente del universo? (p.17)*
9. *Cuando una parte de la Tierra está inclinada hacia el Sol, ¿allí es verano o invierno? (p. 18)*
10. *¿Cuándo se vuelven marrones y empiezan a caerse las hojas de los árboles? (p. 19)*
11. *¿Cómo se llama el edificio en el que hay un gran telescopio? (p. 21)*
12. *¿Sabes el nombre de algún astrónomo famoso del pasado? (p. 21)*
13. *¿Cuál fue el primer ser vivo que viajó al espacio? (p. 22)*
14. *¿En qué año pisaron los humanos la Luna por primera vez? (p. 23)*
15. *¿Cómo se llama el manto de aire que rodea la Tierra? (p. 24)*
16. *¿El aire pesa? (p. 25)*
17. *La corteza de la Tierra está partida en enormes piezas. ¿Cómo se llaman estas piezas? (p. 26)*
18. *¿Qué capa de la Tierra está justo debajo de la corteza? (p. 26)*
19. *¿Dónde está el volcán activo más grande del mundo? (p. 28)*
20. *¿Qué es un tsunami? (p. 28)*
21. *¿Las estalactitas crecen desde el suelo de una cueva hacia arriba o cuelgan del techo hacia abajo? (p. 31)*
22. *¿Las cataratas Victoria están en África o en Europa? (p. 31)*
23. *¿Qué océano ocupa casi la mitad del globo? (p. 32)*
24. *¿Cuál es el continente más grande? (p. 33)*
25. *¿Con qué nombre se conocen las subidas y bajadas del nivel del mar? (p. 34)*
26. *¿Cuántos brazos tiene una estrella de mar? (p. 34)*
27. *¿En qué cordillera montañosa se encuentran las 10 montañas más altas del mundo? (p. 36)*
28. *¿Cómo se llama la cordillera montañosa más larga del mundo? (p. 37)*
29. *¿De qué está hecho un acantilado blanco? (p. 38)*
30. *¿Qué tipo de animal era un amonites? (p. 39)*
31. *¿Qué clase de árboles son el abeto, el pino y el alerce? (p. 41)*
32. *¿Cómo se llaman los bosques que crecen en tierras bajas, cálidas y húmedas cerca del ecuador? (p. 41)*
33. *En la mayoría de los desiertos hay pequeñas zonas con agua donde crecen plantas. ¿Cómo se llaman estas zonas? (p. 42)*
34. *¿Dónde almacenan el agua los cactus? (p. 43)*
35. *¿Dónde está la masa de hielo flotante más grande del mundo? (p. 44)*
36. *¿Quién fue el primer explorador que llegó al Polo Sur? (p. 45)*
37. *¿De dónde recogen la energía los paneles solares? (p. 46)*
38. *¿Por qué es bueno plantar árboles? (p. 47)*

# Ciencia

**La ciencia es una manera apasionante de descubrir cosas sobre el mundo que nos rodea. ¿De qué están hechas las cosas? ¿Cómo podemos medir el tiempo? ¿Cómo funcionan las cosas y por qué?**

Los científicos han planteado e intentado responder preguntas fascinantes como éstas y muchas otras durante miles de años. Han inventado máquinas para hacernos la vida más sencilla. Recientemente, la televisión y el ordenador han cambiado la forma de vivir y de trabajar de muchas personas. En cambio, las plantas siguen siendo iguales que hace siglos, pero todavía tenemos mucho que aprender sobre ellas. La ciencia es conocimiento, y la ciencia es diversión.

# ¡Investiga!

**La palabra "ciencia" en realidad significa conocimiento. Consiste en investigar y descubrir cosas.**

Podemos empezar a investigar mirando las cosas con detenimiento. Podemos observar cómo crecen y cambian las plantas y los animales. Podemos observar las rocas y los fósiles para ver cómo se desarrolló la Tierra. Podemos mirar las estrellas para saber más sobre el universo.

Los científicos prueban las cosas para ver cómo funcionan. Estas pruebas se llaman experimentos, y a menudo consisten en medir cosas. Los científicos pueden medir el tamaño, el peso o el tiempo. Cuando hacen experimentos, los científicos apuntan los resultados. Pueden hacerlo en una libreta, aunque hoy en día suelen usar un ordenador.

**La ciencia** *nos ayuda en nuestra vida cotidiana. Esta investigadora está usando un microscopio para estudiar nuevos medicamentos que ayuden a curar enfermedades. Con un microscopio las cosas se ven miles de veces más grandes; así se pueden ver detalles minúsculos.*

## ANTES Y DESPUÉS

**PROYECTO** Prueba este sencillo experimento. Llena una jarra graduada de agua hasta la mitad y apunta cuántos mililitros hay según lo que marque la jarra. Ahora mete la mano en el agua y mira hasta dónde sube. Apunta cuántos mililitros marca la jarra. Pídele a un amigo que haga lo mismo y compara los resultados.

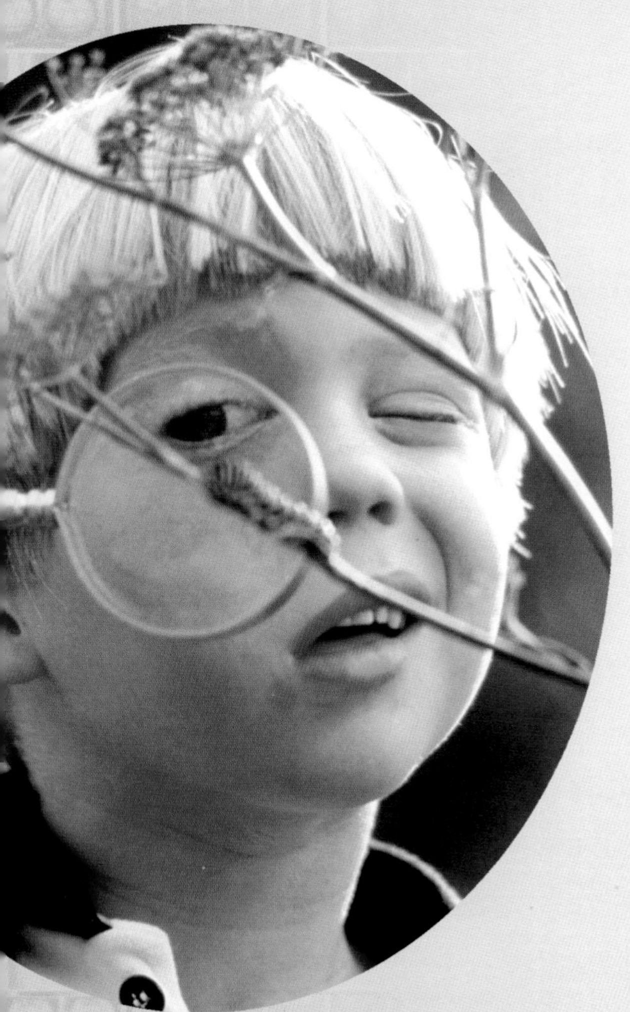

**Una lupa** *es como un microscopio sencillo. Puedes utilizarla para ver las cosas más de cerca y con mayor claridad, como las pequeñas marcas de una oruga.*

**La mejor manera de investigar** *sobre un animal y su comportamiento es observarlo cuidadosamente durante un tiempo. Luego puedes buscar más información en una enciclopedia.*

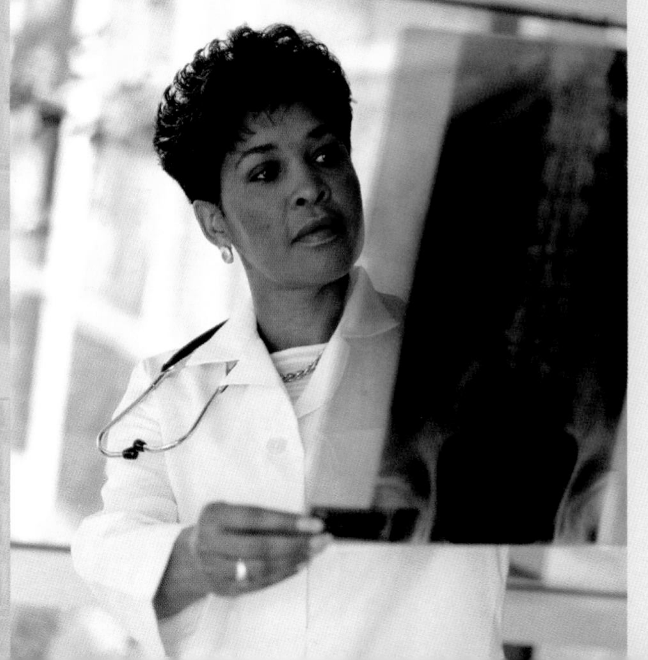

**Las radiografías** *son fotografías del interior de las cosas. Esta científica está mirando una radiografía del tórax de una persona para comprobar si hay algún problema, como un hueso roto.*

# El tiempo

**Cuando investigamos, el tiempo es muy importante. Muchas veces, los científicos necesitan medir cuánto tarda en pasar algo.**

Los primeros relojes y calendarios se inventaron hace miles de años. Se basaban en los movimientos de la Tierra. Lo que la Tierra tarda en dar una vuelta sobre sí misma es un "día". Lo que tarda en dar una vuelta alrededor del Sol es un "año".

**La Tierra** *está dividida en 24 husos horarios, uno para cada hora del día. Cuando son las 7.00 a. m. en Nueva York (EE.UU.), son las 12.00 del mediodía en Londres (Gran Bretaña) y las 9.00 p. m. en Tokio (Japón).*

reloj de vela

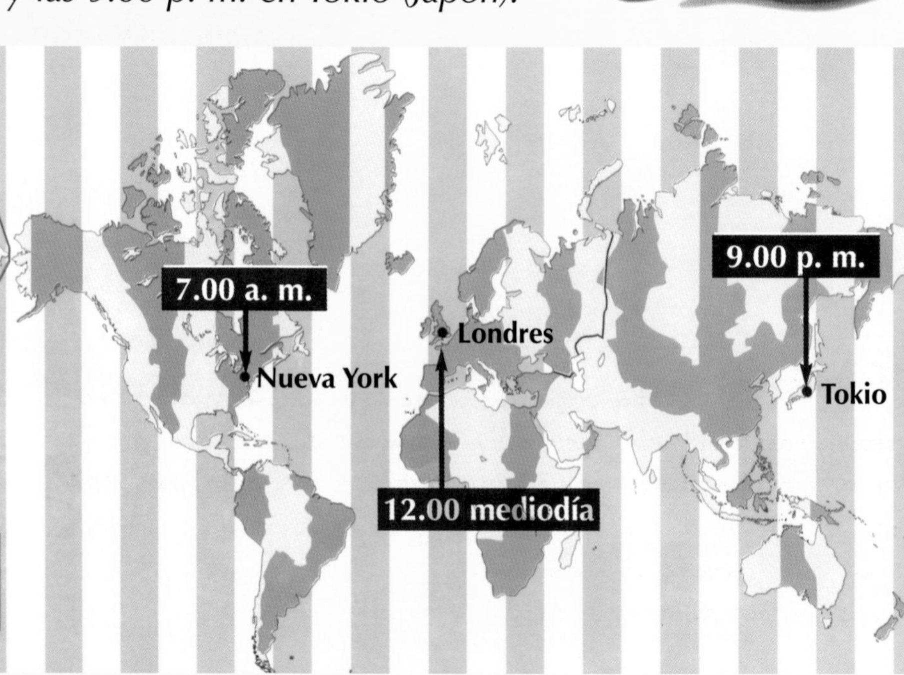

reloj de pie

**La Tierra** *tarda un año en dar una vuelta alrededor del Sol. Este tiempo lo dividimos en 12 meses de calendario, de 30 o 31 días, normalmente.*

**La Luna** *da 12 vueltas alrededor de la Tierra durante un año. Son los meses lunares, que no suman exactamente un año.*

reloj digital

reloj de arena

**En un reloj de sol** *la sombra de la manecilla se mueve por una esfera a medida que la Tierra gira y nos indica la hora. A nosotros nos parece que es el Sol el que se mueve por el cielo.*

**PROYECTO**

RELOJ DE AGUA

Haz un agujero pequeño en la base de un vaso de yogur. Ata una cuerda al vaso y cuélgalo. Coloca otro vaso de yogur debajo. Vierte agua en el vaso colgado. Con un reloj, cronometra un minuto. Marca el nivel del agua en el vaso de abajo con un rotulador permanente. Sigue cronometrando y marcando más minutos. Luego vacía el vaso de abajo y vuelve a llenar el vaso colgado. Ahora las marcas de tu reloj de agua te mostrarán los minutos que pasan.

# Materiales

**Utilizamos todo tipo de materiales para fabricar cosas. Cada material es adecuado para una función distinta.**

Los metales son fuertes y resistentes al calor. El plástico no se rompe fácilmente y puede ser de muchos colores diversos. El vidrio es transparente y bonito. La madera se utiliza desde hace miles de años. Todavía hoy se usa para fabricar muebles, y también para elaborar papel para libros y revistas.

Mira a tu alrededor y verás cuántos tipos de material hay en tu casa.

**El vidrio** *es transparente: deja pasar la luz. Es un buen material para fabricar botellas y vasos, porque así puedes ver lo que bebes. Las bombillas no podrían ser de ningún otro material.*

¿Y SI...?

En el cuento, Cenicienta llevaba un zapatito de cristal. Pero imagina llevar un zapato de cristal de verdad, o intentar clavar un clavo con un martillo de vidrio. Hay que usar el material adecuado para cada cosa.

**Muchos juguetes** *son de plástico, porque pesa poco, es fácil de limpiar y no se rompe fácilmente. Es un material seguro para los niños pequeños.*

**Muchos metales,** *al calentarlos, se vuelven lo suficientemente blandos como para moldearlos: así se fabrican las cucharas o los imperdibles. Cuando se enfrían, se endurecen de nuevo. Un martillo no sería útil si se deformase con facilidad.*

**Las paredes de vidrio** *de un invernadero dejan pasar la luz y el calor del Sol. Eso es bueno para las plantas. Un cobertizo de madera no dejaría pasar la luz.*

**Al plástico** *se le puede dar cualquier forma. La mayoría de los plásticos se doblan fácilmente. Muchos cepillos son de este material. El primer plástico lo hizo el inventor estadounidense John Wesley Hyatt, en 1868. Se llamaba celuloide. La palabra "plástico" viene del griego y significa "que se puede moldear".*

**La madera** *generalmente es un material ligero pero fuerte. Se puede tallar y darle cualquier forma. Muchas cosas que antes eran de madera ahora se hacen de plástico.*

# Sólidos, líquidos y gases

**Todo lo que hay en el universo, desde la más pequeña mota de polvo hasta la estrella gigante más grande, está hecho de materia. Esta materia puede presentar una de estas tres formas: sólido, líquido o gas.**

Un sólido es materia con una forma definida. La madera es un sólido duro; la goma es un sólido blando. Un líquido, como el agua, no tiene una forma definida, pero adopta la forma del contenedor donde está. Un gas, como el aire, tampoco tiene forma y se expande hasta ocupar el contenedor donde está.

**El submarinista nada en un líquido (agua).** *Las bombonas que lleva son sólidas. El aire que hay en su interior es una mezcla de gases. Cuando expulsa aire, las burbujas ascienden a la superficie, porque el aire pesa menos que el agua.*

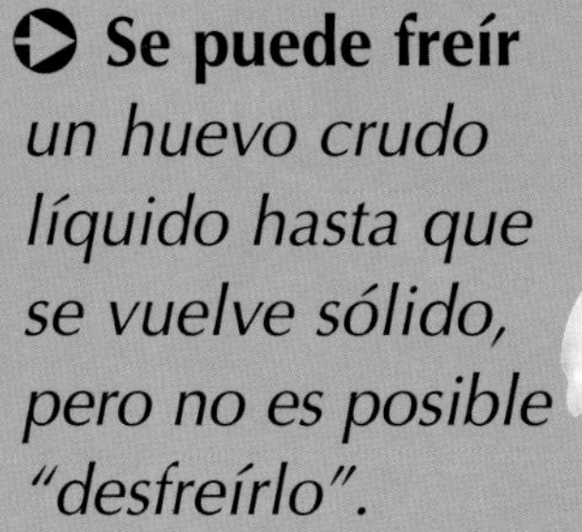

**Se puede freír** *un huevo crudo líquido hasta que se vuelve sólido, pero no es posible "desfreírlo".*

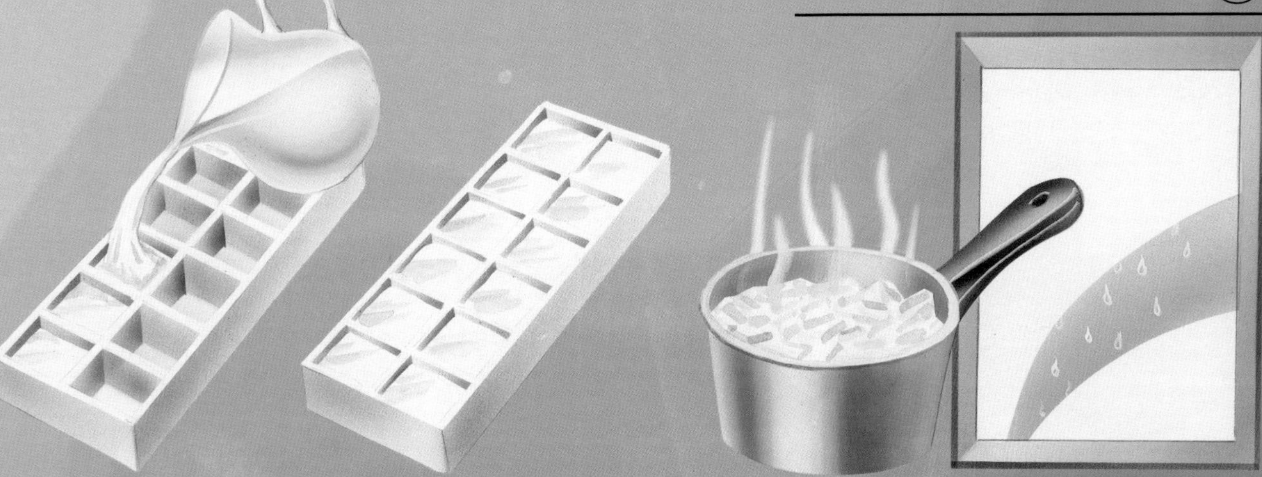

**Si llenas de agua** *una bandeja para cubitos y la metes en el congelador, el líquido se convierte en hielo sólido. Si calientas los cubitos, se vuelven líquido otra vez. Cuando el agua hierve, se convierte en un gas llamado vapor. Cuando el vapor entra en contacto con un espejo frío, se vuelve a convertir en agua.*

**La lava incandescente** *sale del volcán en forma líquida. Cuando se enfría, se transforma en roca sólida. Que la lava sea líquida o sólida depende de lo caliente que esté.*

CONGELADOR LENTO

**PROYECTO** El agua salada tarda más en congelarse que el agua dulce. Para comprobarlo, disuelve bastante sal en un recipiente de aluminio lleno de agua fría del grifo. Llena otro recipiente de agua del grifo y mételos los dos en el congelador. Verás que el agua dulce se convierte en hielo sólido mucho antes que el agua salada. Esto es porque el agua salada se congela a una temperatura más baja.

¿EL AGUA PUEDE FLUIR HACIA ARRIBA?

El agua siempre fluye hacia abajo, por el efecto de la fuerza de la gravedad. El agua se detiene en el punto más bajo al que pueda llegar.

restos animales y vegetales

capa de petróleo

pozo de petróleo

camión cisterna

gasolinera

# La energía

**Todos los movimientos y acciones se deben a la energía. La luz, el calor y la electricidad son formas de energía. La energía humana procede de la comida.**

La energía existe en muchas formas y se transforma de una a otra. Los coches utilizan gasolina. Cuando la gasolina se quema, genera energía térmica. Ésta se vuelve energía de movimiento para hacer que el coche se mueva. Muchas máquinas obtienen energía del mismo modo.

**Hace millones de años,** *los restos de plantas y animales marinos quedaron cubiertos por lodo y arena. El calor y la presión los transformaron en petróleo, que quedó atrapado entre las rocas. Nosotros lo extraemos a través de perforaciones. Con el petróleo fabricamos gasolina y la ponemos en los coches. Luego la energía almacenada se transforma en movimiento.*

**Cuando agarras una taza caliente,** *el calor de la bebida pasa a través de la taza y te calienta las manos. Se dice que la taza "conduce" el calor.*

**El agua caliente** *de un radiador calienta el aire, que te calienta a ti. Este movimiento de la energía térmica se llama convección.*

**El Sol calienta la Tierra y a las personas** *por radiación. En verano, es mejor ponerse a la sombra y beber mucha agua para no pasar calor.*

UNA BUENA DUCHA

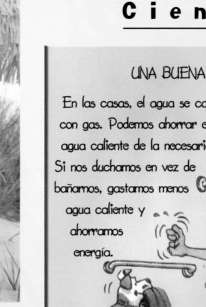

En las casas, el agua se calienta con electricidad o con gas. Podemos ahorrar energía si no usamos más agua caliente de la necesaria. Si nos duchamos en vez de bañarnos, gastamos menos agua caliente y ahorramos energía.

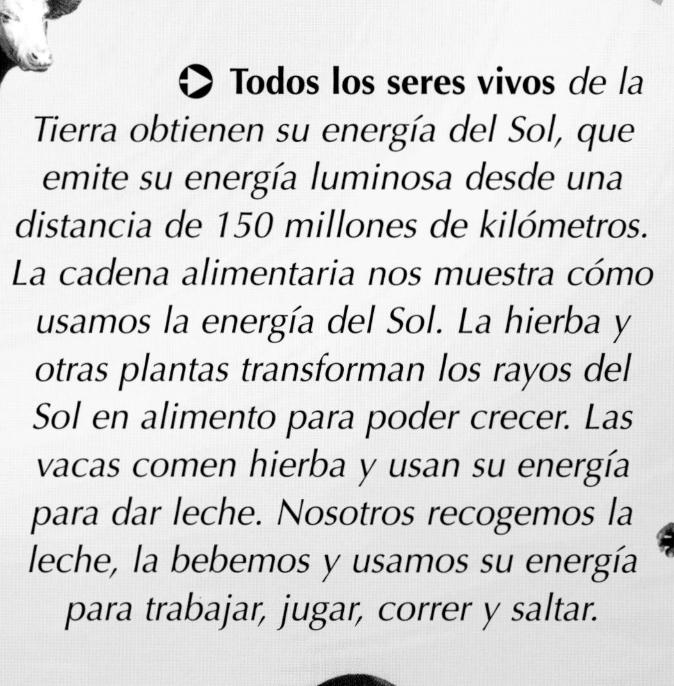

**Todos los seres vivos** *de la Tierra obtienen su energía del Sol, que emite su energía luminosa desde una distancia de 150 millones de kilómetros. La cadena alimentaria nos muestra cómo usamos la energía del Sol. La hierba y otras plantas transforman los rayos del Sol en alimento para poder crecer. Las vacas comen hierba y usan su energía para dar leche. Nosotros recogemos la leche, la bebemos y usamos su energía para trabajar, jugar, correr y saltar.*

# La electricidad

**Imagina cómo sería la vida sin la forma de energía que llamamos electricidad. No se podría generar l o calor con tan sólo pulsar un interruptor, y la mayo ría de los aparatos que hay en casa no funcionarían.**

La electricidad que usamos en casa se genera en centrales eléctricas, que pueden obtener la energía de agua, de reactores nucleares o de combustible como carbón, el petróleo o el gas natural. La electricidad va de la central a las casas a través de cables. Es lo que llamamos corriente eléctrica. Al pulsar un interruptor, la corriente pasa hasta la bombilla y la enciende.

Hay otra forma de electricidad que no circula po los cables. Suele estar quieta, o "estática".

¡ATENCIÓN!

No toques nunca enchufes, cables u otros elementos con electricidad. Podrías recibir una descarga eléctrica que podría llegar a matarte.

**La electricidad estática** *de generador especial puede pone los pelos de punta. También pue hacerlo en casa si te cepillas el p rápidamente, sobre todo los días f y secos. Un antiguo griego que se llamaba Tales descubrió la electricidad estática hace más de 2.500 años, al frota un trozo de ámbar con una tela*

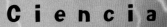

**Los relámpagos** *son una forma de electricidad estática. La electricidad se genera en las nubes de tormenta y salta de nube a nube o de la nube al suelo como relámpagos. Estos destellos producen un fuerte ruido: los truenos. Primero vemos el relámpago y luego oímos el trueno, porque la luz es mucho más rápida que el sonido.*

**PROYECTO**

## GLOBOS ESTÁTICOS

Infla un globo. Frótalo contra una camisa. Al frotarlo, se genera electricidad estática en el plástico del globo. Pégate el globo a la ropa y suéltalo. ¿Se queda pegado? Ahora colócatelo cerca del pelo. ¿Qué ocurre? También puedes intentar usar la electricidad estática para recoger pequeños trozos de servilletas de papel.

# Imanes

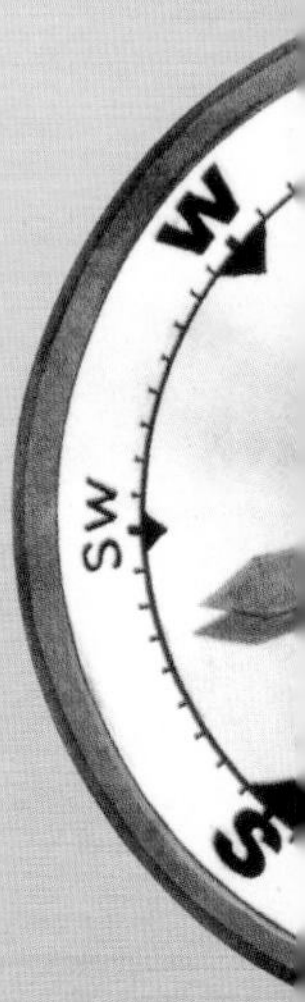

**Un imán atrae objetos metálicos, como clavos, con una fuerza que se llama magnetismo.**

Un imán tiene dos extremos, el polo norte y el polo sur. El polo norte de un imán atrae el polo sur de otro imán. Esto resulta muy útil en las brújulas magnéticas. Las brújulas nos sirven para orientarnos, ya que la Tierra es un gigantesco imán con grandes fuerzas en el Polo Norte y el Polo Sur.

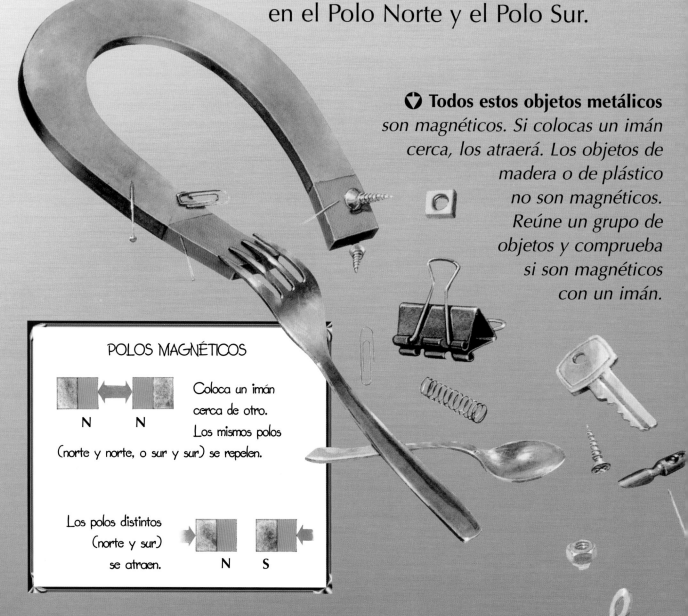

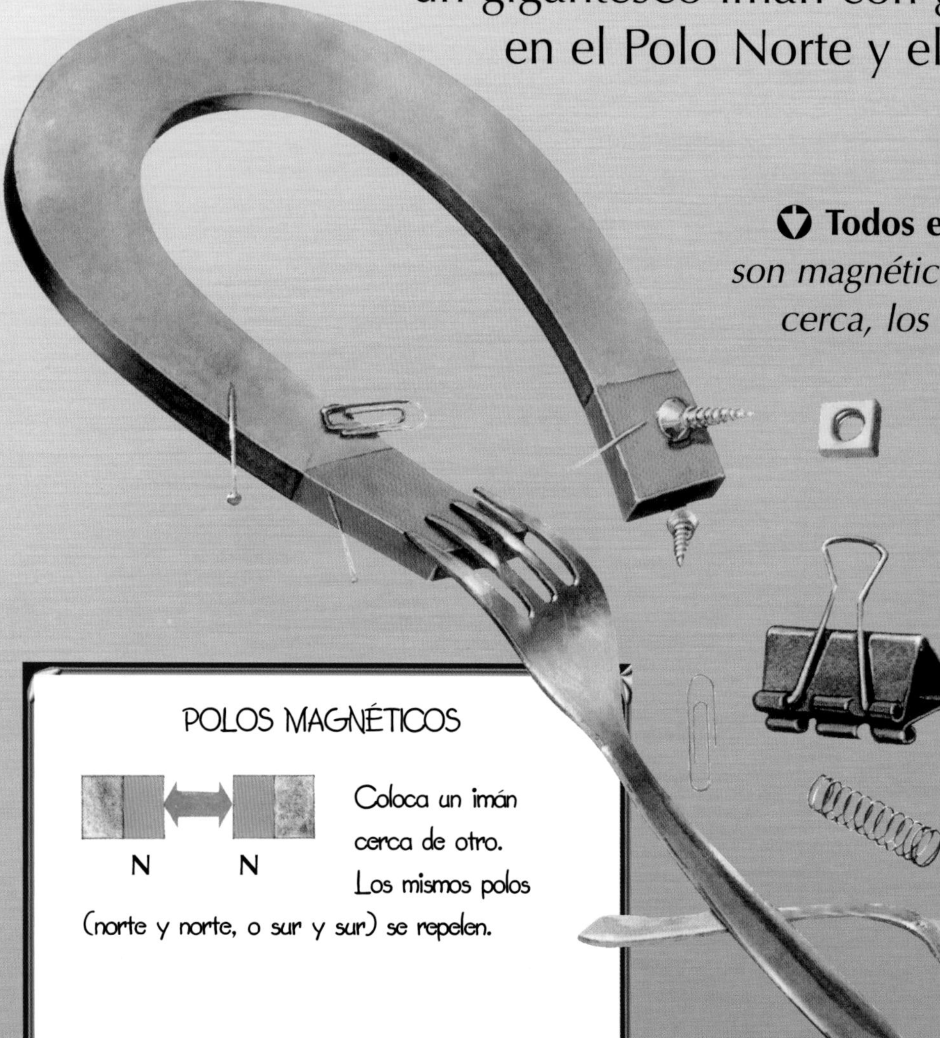

**Todos estos objetos metálicos** *son magnéticos. Si colocas un imán cerca, los atraerá. Los objetos de madera o de plástico no son magnéticos. Reúne un grupo de objetos y comprueba si son magnéticos con un imán.*

POLOS MAGNÉTICOS

N N

Coloca un imán cerca de otro. Los mismos polos (norte y norte, o sur y sur) se repelen.

Los polos distintos (norte y sur) se atraen.

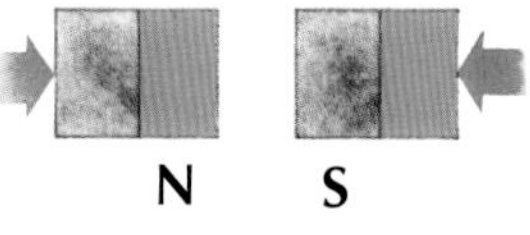

N S

**Una brújula** *nos ayuda a orientarnos. La aguja de la brújula es un pequeño imán que siempre apunta al Norte, hacia el Polo Norte. Si alineamos la letra N (Norte) con la punta negra de la aguja, también podemos saber dónde están el Este (E), el Oeste (W) y el Sur (S).*

PROYECTO

BRÚJULA FLOTANTE

Frota una aguja con un imán unas 50 veces en la misma dirección. Así la aguja se volverá magnética. Pega la aguja a un corcho con cinta adhesiva. Deja flotar el corcho en un recipiente con agua. Tras unos instantes, verás que la aguja se estabiliza y apunta siempre en la misma dirección: Norte.

Los imanes también sirven para otras cosas, desde para mover chatarra hasta para mantener cerrada la puerta de la nevera. Pero nunca pongas un imán cerca de vídeos, cintas de casete o discos informáticos. Los efectos del magnetismo pueden dañarlos.

Otro uso del magnetismo lo hallamos en los electroimanes. Un electroimán es un imán muy potente: se enrosca un cable alrededor de un hierro y se hace pasar electricidad por él; así el cable se vuelve magnético.

**En los cementerios de coches** *se usan grandes imanes para mover la chatarra. Esta grúa usa un electroimán, que sólo funciona cuando se conecta la electricidad. Cuando el conductor de la grúa la desconecta, el imán suelta la chatarra.*

# Fuerzas

**Las fuerzas empujan o tiran de las cosas. De esta forma hacen que las cosas se muevan o se paren, aceleren o frenen, cambien de dirección, se doblen o se retuerzan.**

Cuando vas en bicicleta, ejerces una fuerza de empuje sobre los pedales, y la cadena y las ruedas transforman esta fuerza en otra que hace que la bicicleta se mueva. Una acción de roce denominada fricción impide que las cosas se deslicen. Cuando pedaleas en tu bicicleta, trabajas contra la fricción de la carretera en las ruedas. Si subes una cuesta, trabajas contra dos fuerzas: la fricción y la gravedad. La gravedad impide que flotemos sobre la Tierra y salgamos al espacio.

Las cosas se mueven porque una fuerza actúa sobre ellas. Sin fuerzas, no pasaría nada.

PALANCAS

Una palanca multiplica la fuerza que usamos para mover un peso. Una alzaprima o unos alicates funcionan porque cuanto más lejos de tus manos se use la fuerza mayor será ésta.

alicates

alzaprima

**Un objeto que flota,** *como un velero, empuja el agua del espacio que ocupa. El agua también empuja. Cuando los dos empujes se equilibran, el velero flota. La fuerza del viento en las velas hace que el velero avance.*

**La fuerza de gravedad** *tira de las cosas hacia la Tierra. Si lanzas una pelota al aire, siempre parará y volverá a caer. Si eres un buen lanzador, quizá caiga dentro de la canasta.*

**El juego de estirar la cuerda** *es una lucha de fuerzas de tracción entre dos grupos de músculos humanos. Si la fuerza de un lado de la cuerda es igual a la fuerza del otro lado, nadie gana. Si un equipo logra hacer más fuerza, tirará del otro equipo hacia su lado.*

# Luz y color

**La luz es la forma de energía que se mueve con mayor rapidez. La luz solar viaja a la Tierra por el espacio como ondas luminosas. Vemos las cosas cuando la luz que reflejan llega a nuestros ojos.**

Aunque nos parece que la luz no tiene color, en realidad es una mezcla de colores. Cada objeto los absorbe de manera distinta. Por ejemplo, un plátano rebota el amarillo y absorbe los demás colores, por eso vemos los plátanos amarillos.

Las sombras son siluetas oscuras. Se forman cuando algo se interpone en el camino de la luz e impide su paso. Esto ocurre porque la luz viaja en línea recta y no puede doblar las esquinas.

Todos los colores que puedes ver en las páginas de este libro son una mezcla de tan sólo cuatro tintas de color: azul, rojo, amarillo y negro.

**La lente curvada** *de una lupa desvía la luz y hace que las cosas parezcan más grandes. Puedes mover la lupa para ver las cosas del tamaño que tú quieras.*

PROYECTO

PEONZA DE COLORES

Ésta es una manera de volver a mezclar los colores del arco iris. Divide un círculo de cartón en siete partes iguales. Píntalas con los siete colores del arco iris (mira la página siguiente). Atraviesa el centro del círculo con un lápiz afilado y hazlo girar deprisa sobre la punta. En vez de los siete colores, verás un blanco grisáceo.

**Si te miras en un espejo** *verás tu reflejo. La luz rebota y crea una imagen al revés. También puedes ver tu reflejo en aguas tranquilas.*

**Normalmente, la luz** *viaja en línea recta. Las lentes de unas gafas cambian la dirección de la luz y ayudan a las personas que las necesitan a ver con más claridad.*

**El arco iris** *muestra la luz del Sol en siete colores distintos. Aparece cuando la luz solar pasa a través de gotas de lluvia y se divide. Empezando por fuera, los colores del arco iris son: rojo, naranja, amarillo, verde, azul, añil y violeta. Siempre están en el mismo orden.*

**Si haces pasar un rayo de luz** *por un trozo triangular de cristal (un prisma), la luz se divide en los diferentes colores que la componen, como un arco iris. Esta franja de colores se conoce como espectro luminoso.*

# El sonido

**Todos los sonidos los provocan cosas que vibran, o que se mueven hacia delante y hacia atrás muy rápidamente.**

El sonido viaja por el aire en forma de ondas a una velocidad de unos 1.200 km/h. Eso es 30 veces más rápido que el corredor más veloz, pero casi un millón de veces más lento que la velocidad de la luz. Un avión Concorde supersónico puede volar al doble de la velocidad del sonido.

Nuestros oídos recogen las ondas que viajan por el aire a nuestro alrededor. Los sonidos también pueden moverse por otros gases, líquidos o sólidos. Por eso puedes oír sonidos cuando buceas.

Los perros oyen sonidos más altos y más bajos que las personas.

ALTO Y BAJO

Un silbato agudo produce un sonido más alto que una gran bocina. Un felino grande ruge atronadoramente, mientras que un ratón emite un chillido agudo. Eso es porque producen vibraciones diferentes. Cuanto más rápidas son las vibraciones, más alto es el sonido.

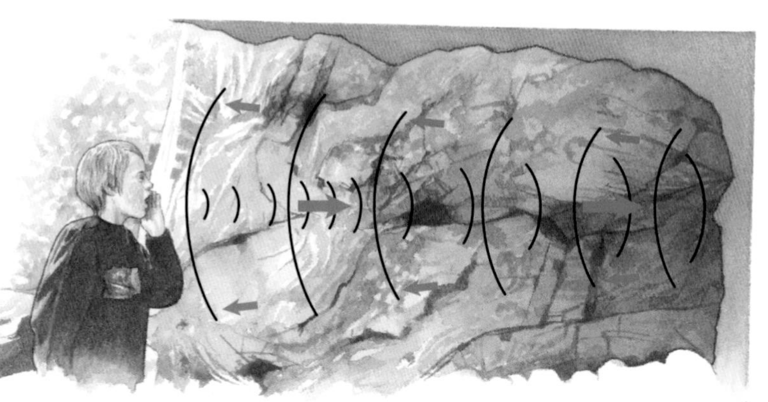

**Las ondas de sonido** *a veces rebotan sobre superficies duras. Cuando esto ocurre, el sonido produce eco. Una cueva o un pasillo largo son buenos lugares para el eco.*

## FUERTE Y FLOJO

Las vibraciones más grandes producen ondas más grandes y sonidos más fuertes. El ruido se mide en decibelios. Las hojas que caen de los árboles pueden dar 10 decibelios. Un avión a reacción alcanza 120 decibelios al despegar.

Los murciélagos y los delfines producen y oyen sonidos aún más agudos, y usan esta capacidad para orientarse.

En la Luna, donde no hay aire, los astronautas no pueden hablar entre sí directamente y tienen que utilizar una radio.

## ¿PARA QUÉ SIRVEN LOS CASCOS DE PROTECCIÓN?

Las personas que trabajan con máquinas ruidosas llevan cascos de protección para proteger sus oídos. Los ruidos fuertes provocan dolor en los oídos y pueden dañarlos, sobre todo si el ruido dura mucho tiempo.

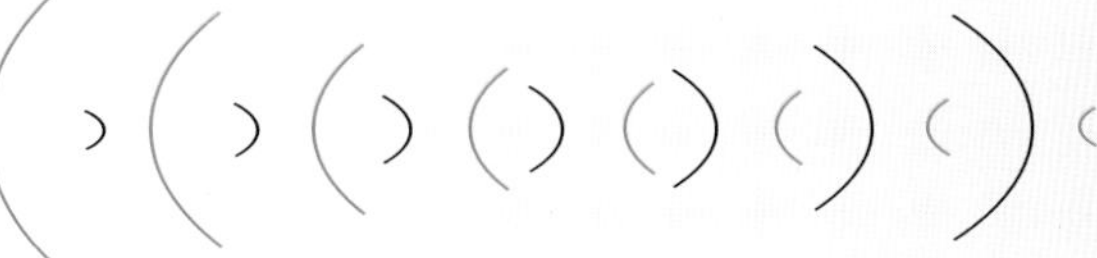

**El sonido viaja** *por el aire. Si susurras al oído de alguien, los sonidos entran en el oído. Si colocas las manos de forma que las ondas no puedan expandirse, la otra persona podrá oír incluso un susurro.*

**Una guitarra** *suena al puntear las cuerdas. Las cuerdas vibran, o se mueven hacia delante y hacia atrás. Si aprietas las cuerdas, detendrás la vibración y también el sonido.*

# Coches, motos y bicis

**Hoy en día, hay coches de todas las formas y medidas, desde pequeños automóviles urbanos hasta grandes vehículos de lujo. En la fábrica, las carrocerías avanzan en cadena mientras los robots sueldan las diferentes partes.**

Los coches son impulsados por motores que funcionan con gasolina o gasóleo. Para ahorrar energía y reducir la contaminación de los tubos de escape, se están investigando nuevos tipos de motores. Además, los coches son cada vez más seguros.

Las motos ocupan menos espacio en la carretera. Las bicicletas sólo usan energía humana para circular.

**El motociclismo** *es un deporte popular. Los motoristas se inclinan al tomar las curvas a gran velocidad, para mantener el equilibrio y correr más. Las motos más rápidas pueden superar los 290 km/h.*

**En casi todos los coches,** *el motor está delante, debajo del capó. Quema gasolina y hace girar un eje que está conectado a las ruedas. La batería almacena electricidad. El radiador ayuda a enfriar el motor.*

batería
radiador
motor

**Las bicicletas de montaña** *están diseñadas para circular por pistas duras, pero también se ven en la ciudad. Las marchas de la bici te permiten avanzar lenta o rápidamente mientras pedaleas a un ritmo cómodo. Del mismo modo, las marchas de un coche cambian la velocidad para que el motor vaya más cómodo.*

**Este coche** *de forma plana funciona con la energía solar que captan los paneles solares. Es posible que en el futuro coches como éste circulen por nuestras carreteras.*

# Trenes, barcos y aviones

**Los trenes transportan personas y mercancías en vagones. Potentes locomotoras tiran de ellos por las vías.**

Hace miles de años que los barcos surcan los mares y los océanos del planeta. Hace siglos ayudaron a los hombres a descubrir nuevos territorios y a establecerse en otros lugares del mundo.

Algunos barcos modernos usan propulsión por chorro de agua en lugar de hélices. Unas bombas expulsan chorros de agua

¿QUÉ ES UN TREN MAGLEV?

Maglev viene de "levitación magnética". Un tren maglev flota sobre un campo magnético y es impulsado por el efecto de imanes. No tiene ruedas y circula sobre una guía en lugar de vías. Tal vez los trenes maglev sean los trenes del futuro.

**El TGV francés** *es un tren eléctrico de alta velocidad que tiene el récord de velocidad en trenes: 515 km/h. Los trenes circulan por vías metálicas. Los eléctricos obtienen la energía para sus motores de cables aéreos o de un raíl adicional. También hay trenes de gasóleo y algunos trenes de vapor antiguos.*

LA LOCOMOTORA ROCKET

La máquina de vapor Rocket ganó un concurso en 1829. Usaba carbón para calentar agua y generar vapor. El vapor de la caldera impulsaba dos grandes cilindros que hacían girar las ruedas delanteras. Durante los siguientes 125 años, casi todos los trenes funcionaron así.

a gran presión, que se pueden dirigir para cambiar la dirección del barco.

Los barcos más grandes son los petroleros, que pueden medir más de 450 m de largo. ¡Necesitan mucho espacio para girar!

Los aviones a reacción son el medio de transporte de larga distancia más rápido y barato. Los helicópteros también vuelan, pero usan una hélice que gira a gran velocidad en lugar de alas. Pueden permanecer suspendidos en el aire y aterrizar en pequeños helipuertos, por ejemplo, en terrados de edificios altos.

**Los buques de carga** *transportan grandes cargamentos de petróleo, madera o contenedores de mercancías. Los barcos son más lentos que los aviones, pero pueden llevar más carga.*

**Los aviones a reacción** *transportan pasajeros a largas distancias en pocas horas. Entre los años 1976 y 2003, el Concorde era el único avión de pasajeros supersónico del mundo. Podía volar a 1.900 km/h, pero tenía capacidad para menos personas que los grandes aviones jumbo, más lentos.*

# Tecnología en casa

**Hoy en día, casi todo el mundo tiene un montón de máquinas útiles en casa. Las máquinas nos hacen la vida más fácil y nos ahorran tiempo. La mayoría funciona con electricidad.**

Las tareas de la casa son ahora mucho más fáciles. Antes de que existieran las lavadoras, la gente pasaba horas lavando la ropa a mano. Ahora sólo necesitamos unos minutos para llenar la lavadora y seleccionar el programa adecuado.

Con la tecnología doméstica, la gente tiene más tiempo, para trabajar o para descansar.

**Una aspiradora** *absorbe el polvo y la suciedad con una corriente de aire. La suciedad se recoge en una bolsa que hay que vaciar. Este electrodoméstico se inventó en EE.UU. en 1908. Las aspiradoras sin bolsa, más recientes y eficaces, aspiran el aire a un cilindro y lo hacen girar a gran velocidad. La suciedad se expulsa a un recipiente de plástico.*

**Un secador de pelo** *absorbe aire por detrás, lo calienta dentro y luego expulsa el aire caliente por la boquilla de delante. Seca el pelo mucho más rápido que una toalla.*

**Un horno microondas** *cocina los alimentos rápidamente mediante ondas invisibles de energía, llamadas microondas. Las partes líquidas de los alimentos vibran y se calientan.*

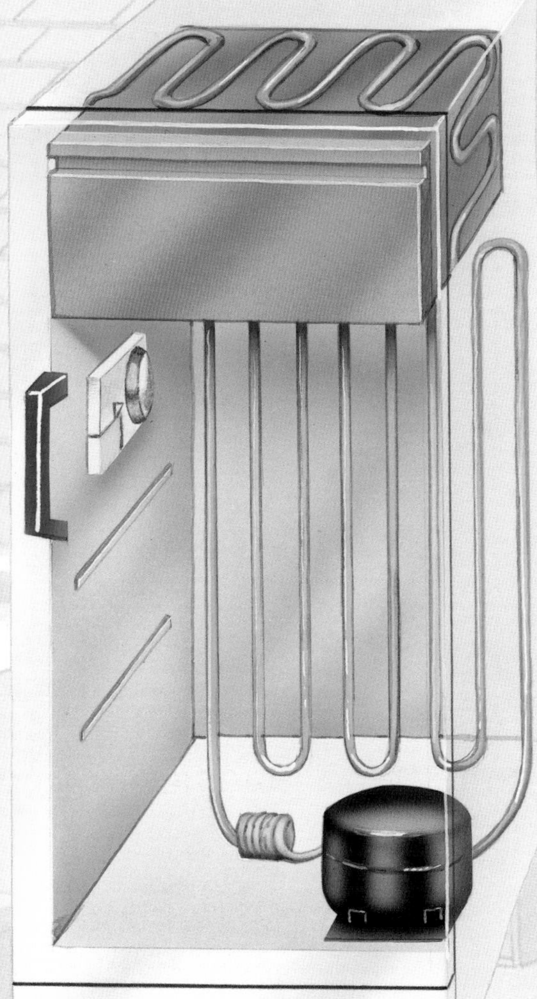

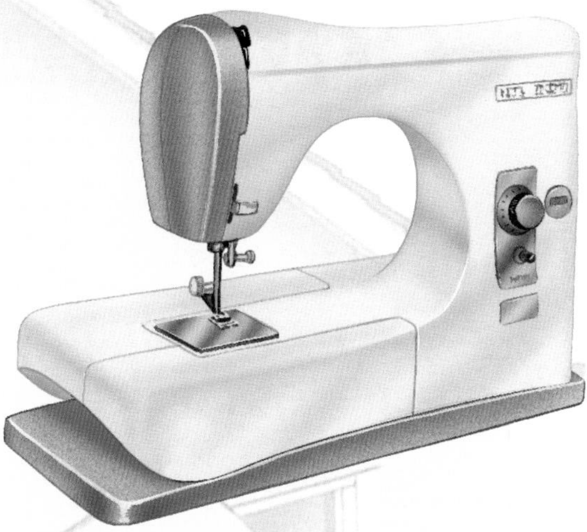

**Las primeras máquinas de coser,** *hacia el año 1800, necesitaban la energía de una persona que giraba una rueda a mano o pisaba un pedal arriba y abajo. Las máquinas de coser modernas tienen motores eléctricos.*

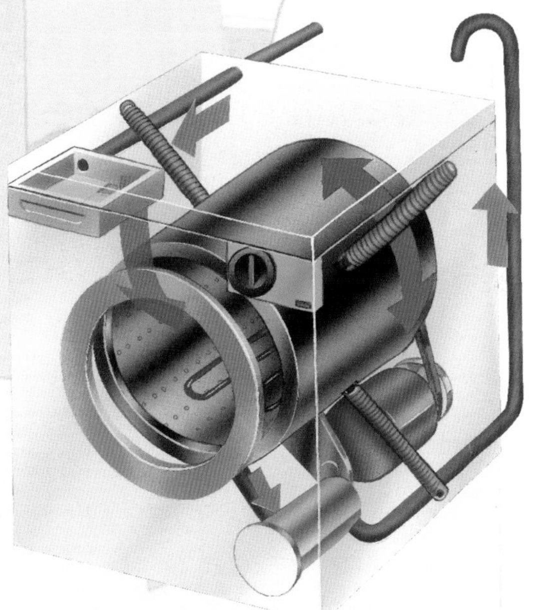

**Un frigorífico** *mantiene la comida fría extrayendo el calor del armario. Un líquido fluye por unos tubos situados en la parte posterior del frigorífico. El líquido se transforma en un gas y absorbe el calor del interior. Los tubos expulsan el calor por detrás del frigorífico.*

**Una lavadora** *es un sencillo electrodoméstico. Su funcionamiento consiste en mezclar la ropa sucia con agua y jabón. En su interior, un tambor gira para remojar bien la ropa. Luego, se aclara con agua limpia para eliminar el jabón y la suciedad. Por último, el tambor gira muy rápido para escurrir la ropa.*

# Ordenadores

unidad de disco

**Los ordenadores pueden ayudarnos con muchas tareas, de manera fácil y rápida. Además de en el trabajo o en la escuela, mucha gente usa ordenadores en casa.**

Podemos usar un ordenador para escribir cartas e informes, para guardar mucha información (como listas o direcciones), para hacer cuentas complicadas o para diseñar cosas.

Casi todo lo que haces en un ordenador puedes verlo en la pantalla. También puedes imprimirlo en papel.

teclado

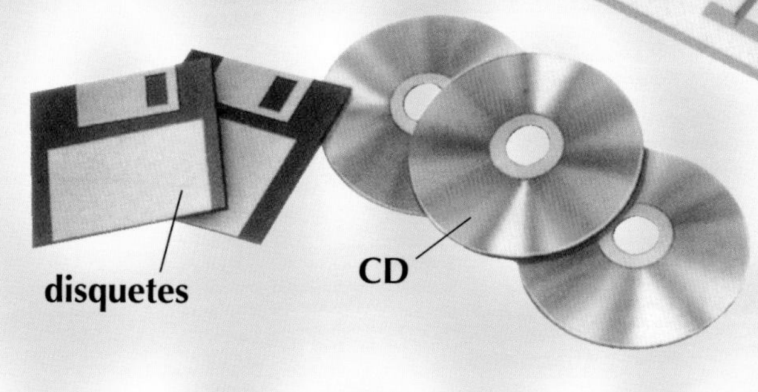


**Cuando te pones** *un casco de realidad virtual, entras en un mundo irreal creado por un ordenador. Dentro del casco hay dos pequeñas pantallas que te muestran imágenes que parecen reales. Si usas un guante especial para tocar las cosas, el ordenador reacciona a tus movimientos. Los controladores aéreos pueden usar este sistema para ver los aviones como si fueran de verdad y darles órdenes sobre lo que deben hacer.*

## ¿QUÉ ES EL CORREO ELECTRÓNICO?

El correo electrónico (o e-mail) es una manera de enviar mensajes de un ordenador a otro. Escribes una carta en el ordenador y la envías a través de una línea telefónica a otro ordenador, al instante. En comparación, el correo postal tradicional es tan lento que hay quien lo llama "correo caracol".

**Puedes usar un teclado** *y un ratón para introducir información en el ordenador. Luego puedes guardar tu trabajo en un disquete o dentro del propio ordenador.*

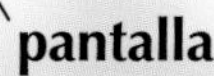

**pantalla**

**ratón**

**Hay muchos** *juegos de ordenador a los que se juega con una palanca de mando.*

## TELÉFONO PRIVADO

**PROYECTO**

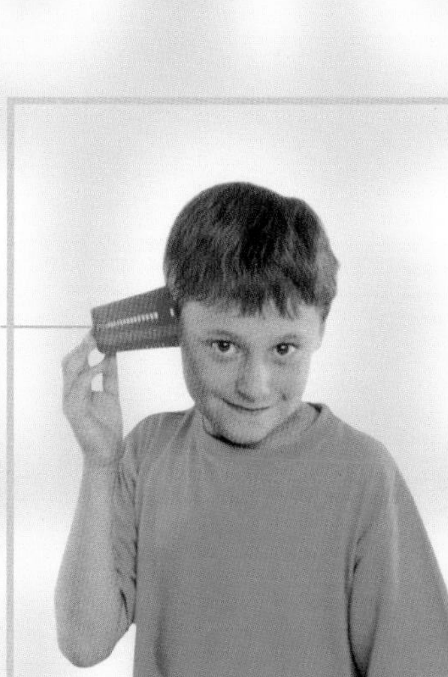

Para fabricar tu propio sistema telefónico, haz un agujero en la base de dos vasos de plástico o de cartón, o dos vasos de yogur. Luego pasa un cordel largo por los agujeros y ata un nudo en cada extremo, dentro de los vasos. Pide a un amigo que tense bien el cordel y que se ponga un vaso al oído. Ahora habla dentro del otro vaso: ¡él podrá oírte!

# Tele y radio

**El primer programa de radio del mundo se hizo en EE.UU. en 1906. Las primeras emisiones regulares de televisión empezaron en 1936 en Londres. En todo el Reino Unido sólo había 100 televisores.**

Hoy en día, muchas personas pasan varias horas al día mirando la televisión o escuchando la radio. Junto con los periódicos y las revistas, la televisión y la radio nos proporcionan entretenimiento e información.

▲ **Un televisor** *recibe señales eléctricas y las convierte en imágenes. Desde la parte posterior de la pantalla se disparan chorros de partículas que forman una imagen. Ésta cambia muchas veces cada segundo. Corea del Sur es el país que más televisores en color fabrica: más de 16 millones al año.*

▼ **Para la televisión por satélite,** *los programas se transmiten a un satélite que está en el espacio. Éste envía la señal de nuevo a la Tierra, donde la recogen las antenas parabólicas. Los televisores transforman esa señal en imágenes.*

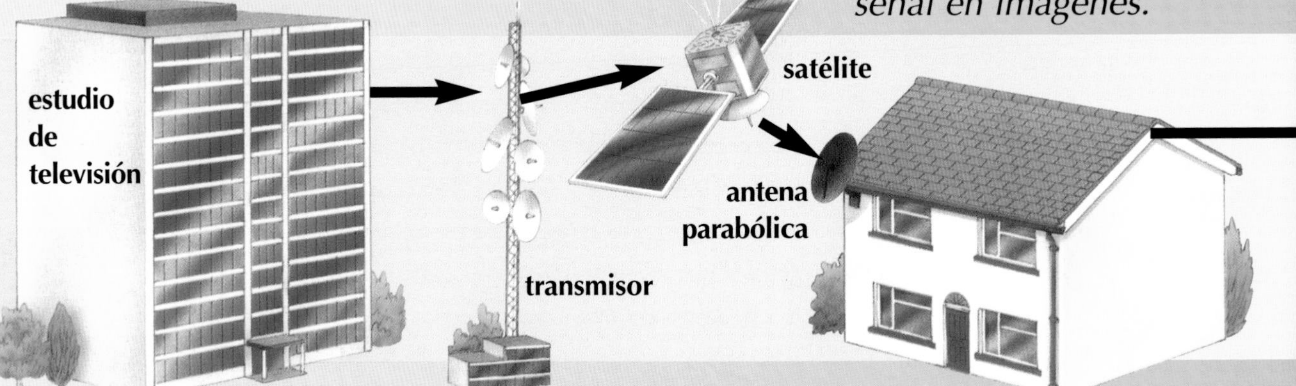

**Los operadores de cámara** *de un estudio de televisión usan videocámaras para grabar los programas. Estos aparatos son versiones más grandes y complejas de las cámaras de vídeo domésticas.*

¿QUÉ SIGNIFICA "TELEVISIÓN"?

"Tele" significa "lejos", así que "televisión" significa "visión de lejos". Cuando miramos la televisión, vemos cosas que están lejos. Un telescopio es un "instrumento para ver lejos" y un teléfono sirve para "oír lejos".

Las señales de televisión se pueden recibir por una antena normal o parabólica. A algunas casas, las señales de televisión también llegan directamente por cable. En la mayoría de los países, hay una amplia oferta de canales y de programas, día y noche.

**Un radiotelescopio** *sirve para enviar y recibir ondas de radio. Tanto las señales de radio como las de televisión viajan como ondas de radio. Los astrónomos usan radiotelescopios para captar señales del espacio que no se pueden ver con otros telescopios. El radiotelescopio más grande está en Arecibo, en la isla caribeña de Puerto Rico. La antena mide 305 m de diámetro y está rodeada de colinas.*

**en el televisor de casa vemos imágenes**

# Plantas

**Las plantas crecen en casi cualquier lugar donde haya luz del Sol, calor y agua. Eso es lo que utilizan para producir su propio alimento.**

Las plantas tienen una manera especial de usar la energía del Sol, con una sustancia verde que tienen en las hojas que se llama clorofila. Absorben un gas llamado anhídrido carbónico del aire y lo mezclan con agua y minerales que obtienen del suelo. Así hacen una especie de azúcar que es su alimento. Este proceso es la fotosíntesis.

◀ **Las hojas y las flores** *de los nenúfares flotan en la superficie del agua. Los tallos de las plantas están debajo del agua y las raíces crecen en el lodo y el suelo del fondo del estanque. Las hojas de los nenúfares grandes pueden llegar a medir más de 2 m de diámetro.*

▶ **Las raíces de una planta** *crecen hacia abajo en el suelo. Están cubiertas de pelillos, que absorben agua y minerales. El agua sube por el tallo hasta las hojas, donde se elabora el alimento de la planta.*

nervio central

nervios secundarios

ápice

yema

tallo

interior de una hoja

**Las hojas** *absorben gas anhídrido carbónico a través de unos agujeros diminutos que tienen en la cara inferior. También expulsan oxígeno, que luego respiran otros seres vivos, incluidas las personas. Así pues, necesitamos las hojas para vivir. Las hojas más grandes crecen en las palmeras de las islas del océano Índico; pueden alcanzar los 20 m.*

**Los cactus** *viven en zonas secas y calurosas, como los desiertos. Almacenan agua en sus tallos carnosos. Sus hojas tienen forma de espinas afiladas, que los protegen de los animales.*

**Hay bromelias** *que viven sobre otras plantas en la selva tropical. Crecen en acumulaciones de tierra que se forman en la corteza de los árboles. Sus raíces cuelgan y obtienen la humedad que necesitan del aire húmedo de la selva.*

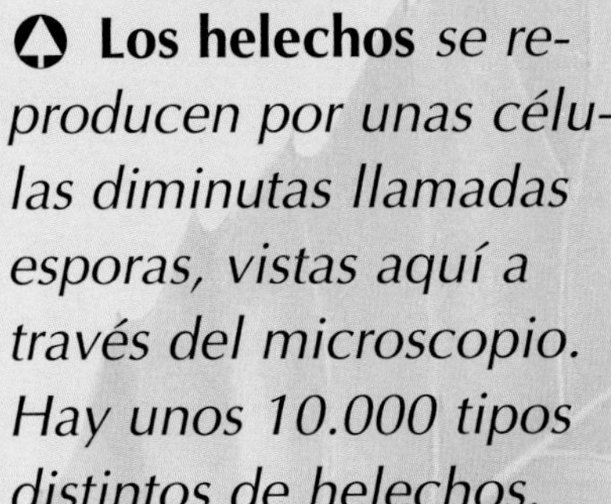

**Los helechos** *se reproducen por unas células diminutas llamadas esporas, vistas aquí a través del microscopio. Hay unos 10.000 tipos distintos de helechos.*

SIN SOL 

**PROYECTO**

Tapa un trozo de hierba verde con una lata o un plato viejo (¡no lo hagas en el césped favorito de alguien!). Al cabo de unos días, levanta la lata y verás que la hierba está perdiendo su color. Una semana después estará muy pálida. Eso es porque, en la oscuridad, no puede producir alimento. Quita la lata y la hierba se recuperará pronto.

# Flores

**La gente cultiva flores para poder disfrutar de sus colores, sus formas y sus aromas. Pero las flores son más que un adorno. Tienen una función muy importante en las plantas.**

**Algunas plantas** *tienen muchas flores pequeñas en un mismo tallo; otras sólo tienen una flor grande. Los pétalos no suelen ser duraderos. Una vez que han atraído a los animales para polinizar la planta, se caen.*

Las flores producen las semillas de las que brotarán nuevas plantas. Las partes masculinas de la flor producen granos de polen. Cuando éstos llegan a las partes femeninas, fertilizan los óvulos para formar semillas. Este proceso se llama polinización. Los pájaros, insectos y otros animales suelen ayudar transportando el polen.



**Una flor** *tiene partes masculinas y femeninas: estambres y carpelos. El estigma que hay en lo alto del estilo atrapa los granos de polen, que bajan por el estilo para fecundar el óvulo y formar semillas.*

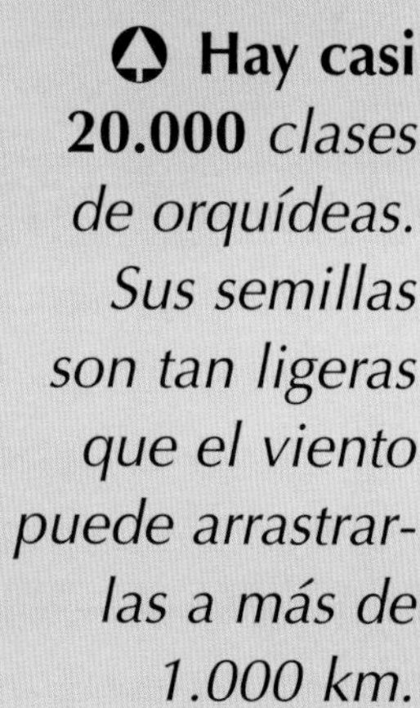

**Hay casi 20.000** *clases de orquídeas. Sus semillas son tan ligeras que el viento puede arrastrarlas a más de 1.000 km.*

**Las flores bonitas** *de colores vistosos atraen a los insectos y otros animales. Muchas flores presentan gran variedad de colores. Estos crisantemos son uno de los más de 200 tipos distintos que existen de esta popular flor de jardín.*

**Algunos árboles,** *como el abedul y el avellano, tienen flores que cuelgan como borlas. Estas flores, que se llaman amentos, suelen brotar en primavera antes que las hojas del árbol. El viento arrastra fácilmente el polen de los amentos y lo transporta de flor en flor y de un árbol a otro.*

**El colibrí** *puede mantenerse suspendido delante de una flor mientras se alimenta de su dulce néctar. El polen se adhiere a su largo pico y así viaja hasta la parte femenina de la planta o a otra planta a la que el pájaro vaya a alimentarse. Lo mismo ocurre con las abejas, cuando recogen néctar para fabricar miel. Éstas encuentran las flores por su color y su aroma. Algunos murciélagos también se alimentan de néctar, del mismo modo que los colibríes. Los murciélagos tienen una lengua larga en forma de trompa.*

# Árboles

**Los árboles no sólo son uno de los seres vivos más grandes del planeta, sino que también son los que viven más tiempo. Los árboles más viejos son los pinos americanos del sudoeste de EE.UU. Algunos tienen más de 5.000 años.**

El tronco de un árbol es en realidad un tallo leñoso duro. Por debajo de la corteza protectora, el agua y los alimentos suben por la capa exterior de la madera, la albura, hasta las ramas y las hojas de la copa.

Las raíces finas absorben el agua, pero los árboles también tienen unas raíces grandes y fuertes que los anclan al suelo.

El mangle, que crece en ciénagas, es el único árbol que vive en agua salada.

**El tamarindo** *tiene bonitas hojas. Es un árbol perenne que crece en regiones cálidas hasta una altura de 24 m.*

**Las hojas del abedul** *tienen forma triangular con bordes dentados. En otoño se vuelven marrones y se caen. Los nativos americanos usaban la corteza de los abedules para construir canoas.*

**Los árboles desarrollan un anillo** *de madera al año. Si hay mucha luz solar y lluvia, el anillo de ese año será ancho. Puedes contar los anillos de un árbol talado para saber su edad.*

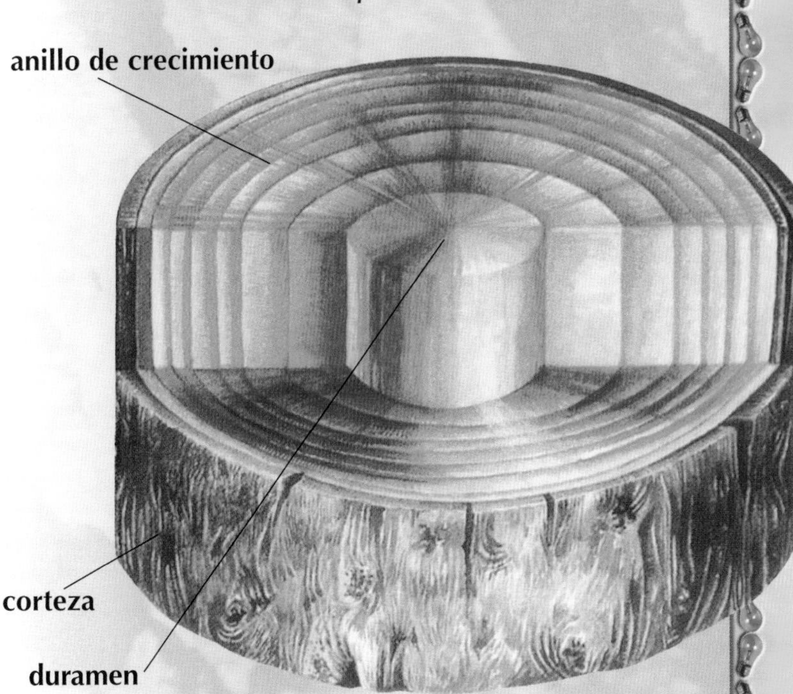


**A medida que un roble crece** *y su tronco se ensancha, la corteza se fragmenta como un puzzle. En el centro hay un núcleo de duramen oscuro.*

**Cada hoja** *tiene su función. Las hojas pequeñas, como estas agujas de abeto, pierden menos agua que las hojas anchas planas. Las hojas grandes tienen más superficie para captar la luz del Sol y pueden fabricar más alimento. Muchas palmeras tienen grandes hojas en forma de abanico que crecen directamente de lo alto del tronco (sin ramas). Las palmeras prefieren lugares que sean cálidos todo el año.*

### DIBUJOS DE CORTEZAS

**PROYECTO**

Cada árbol tiene un dibujo único en su corteza. Para verlo bien, puedes calcarlo en papel. Pega o sujeta con firmeza una hoja de papel contra la corteza de un árbol. Luego pasa con cuidado un lápiz de pastel sobre el papel hasta que se vea el dibujo. Usa lápices de colores distintos y conseguirás bonitos dibujos con originales efectos.

# Frutos y semillas

**El fruto es una parte de la planta que protege y alimenta las semillas. Las bayas y los frutos secos son tipos de frutos muy diferentes.**

**Las pepitas de las manzanas** *son las semillas. Nosotros plantamos las semillas para cultivar manzanos y poder disfrutar de su jugosa fruta.*

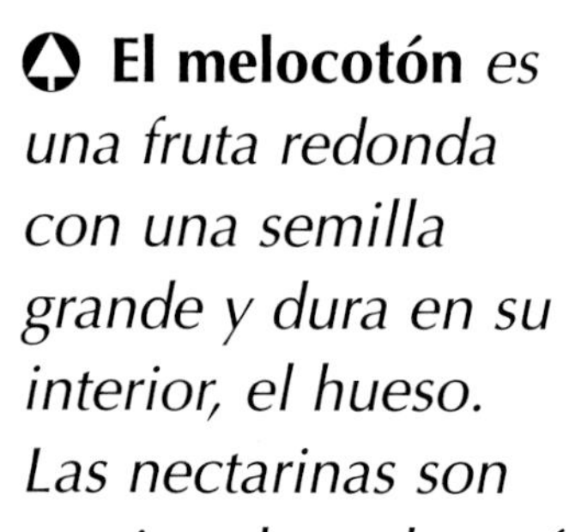

Algunos frutos son muy ligeros y se los lleva el viento. Otros caen al suelo y tienen cáscaras duras alrededor de las semillas para protegerlas. Las semillas más grandes son las del cocotero de mar. Una de sus enormes semillas dobles puede pesar hasta 20 kg.

**El melocotón** *es una fruta redonda con una semilla grande y dura en su interior, el hueso. Las nectarinas son un tipo de melocotón.*

CULTIVA BERROS

PROYECTO

Los berros silvestres crecen junto a arroyos o en el lodo. Tú también puedes cultivar semillas de berros sobre papel. Coloca dos hojas de papel absorbente en una bandeja y humedécelas bien. Pon la bandeja en un alféizar y mantenla húmeda. En 7-10 días tendrás tus propios berros.

**Es fácil ver las semillas** *en estas sabrosas rodajas de sandía y de kiwi. Estas frutas crecen mejor en climas cálidos.*

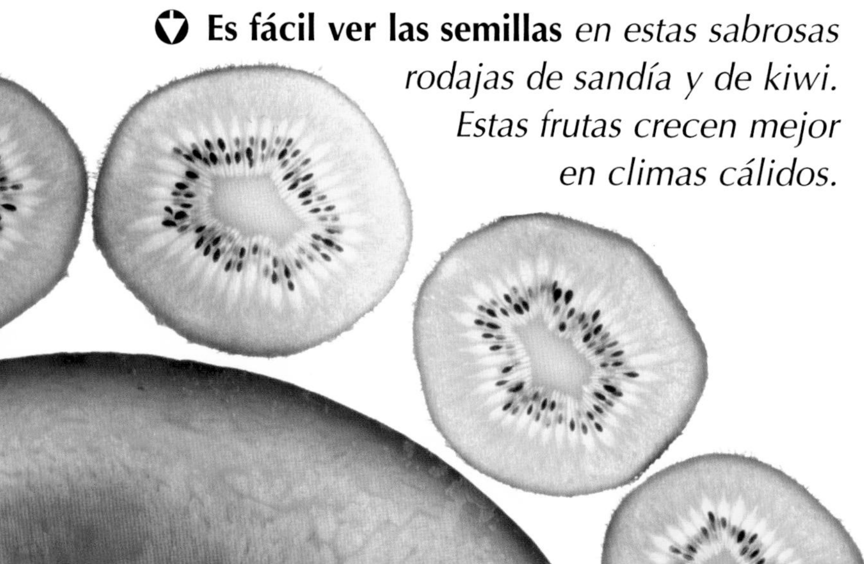

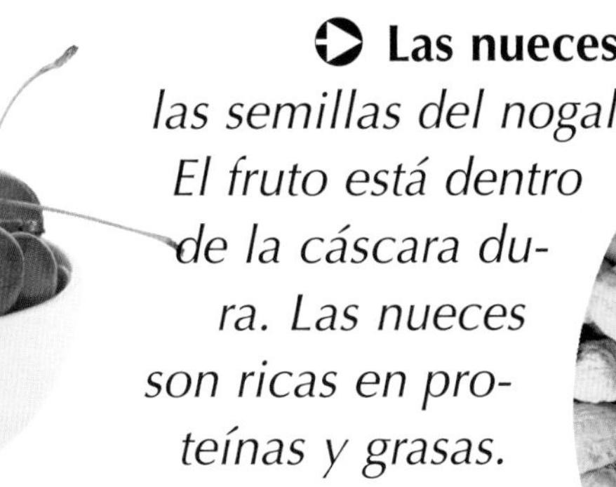

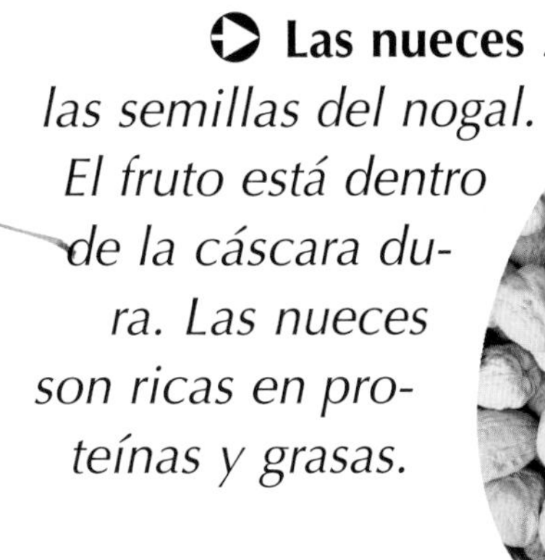

**Las nueces** *son las semillas del nogal. El fruto está dentro de la cáscara dura. Las nueces son ricas en proteínas y grasas.*

**Las cerezas** *son pequeñas frutas con un hueso duro en su interior, que contiene la semilla.*

Muchos animales comen frutos blandos. Cuando un pájaro come bayas, las semillas suelen pasar intactas por el sistema digestivo del ave. Así, sin saberlo, puede que el pájaro luego deposite las semillas en el suelo de un lugar muy lejano.

**Las fresas** *tienen unas pepitas minúsculas, que son los verdaderos frutos de la planta. Las fresas silvestres son más pequeñas que las que hay en las tiendas.*

**Los cocos** *son el fruto del cocotero. Flotan en el agua, por lo que el mar puede transportarlos largas distancias y llevarlos hasta una playa lejana donde pueden echar raíces. El líquido que contienen se llama leche de coco y es muy refrescante.*

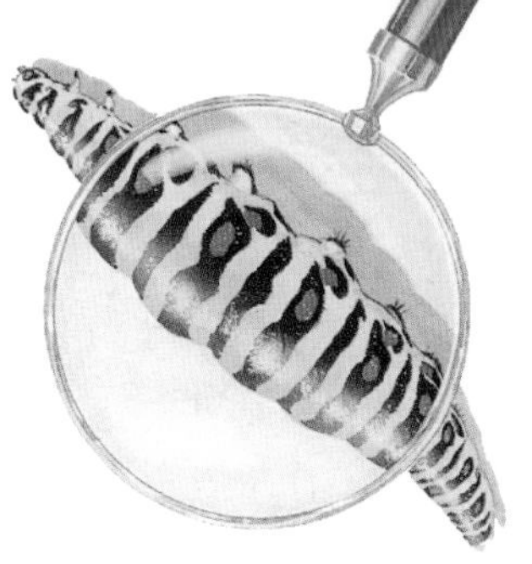

# Cuestionario

1. *¿Cómo se llaman las pruebas de los científicos? (p. 50)*
2. *¿Qué puedes usar para ver las cosas más de cerca y con mayor claridad? (p. 51)*
3. *¿Cuánto tarda la Tierra en dar una vuelta alrededor del Sol? (p. 53)*
4. *¿Cuántas vueltas da la Luna alrededor de la Tierra en un año? (p. 53)*
5. *¿De qué material era el zapatito de Cenicienta? (p. 54)*
6. *¿El nombre de qué material viene de una palabra griega que significa "que se puede moldear"? (p. 55)*
7. *¿Qué forma adoptan los líquidos? (p. 56)*
8. *¿Qué les pasa a los cubitos de hielo cuando los calientas? (p. 57)*
9. *¿De dónde obtienen la energía todos los seres vivos? (p. 59)*
10. *¿Qué gasta menos agua, un baño o una ducha? (p. 59)*
11. *¿Qué forma de electricidad no circula por cables? (p. 60)*
12. *¿Qué va primero, el trueno o el relámpago? (p. 61)*
13. *¿Cómo se llaman los dos extremos de un imán? (p. 62)*
14. *¿Qué instrumento magnético nos ayuda a orientarnos? (p. 63)*
15. *¿Qué fuerza tira de las cosas hacia la Tierra? (p. 65)*
16. *¿Cuál de los siguientes elementos no es una palanca: alzaprima, batería, alicates? (p. 65)*
17. *¿Cuál es la forma de energía más rápida? (p. 66)*
18. *¿Cuáles son los colores del arco iris? (p. 67)*
19. *¿Sabes algún buen lugar para hacer eco? (p. 68)*
20. *¿Por qué algunos trabajadores llevan cascos de protección para los oídos? (p. 69)*
21. *¿Con qué funcionan los motores de casi todos los coches? (p. 71)*
22. *¿Qué hace el radiador de un coche? (p. 71)*
23. *¿Qué significa maglev? (p. 72)*
24. *¿Cómo se llama el único avión de pasajeros supersónico del mundo? (p. 73)*
25. *¿Qué es más rápido: secarte el pelo con un secador o con una toalla? (p. 74)*
26. *¿Qué gira dentro de una lavadora? (p. 75)*
27. *¿Dónde puedes guardar el trabajo que haces en un ordenador? (p. 77)*
28. *¿Cómo se llama también el correo electrónico? (p. 77)*
29. *¿Cómo funciona la televisión por satélite? (p. 78)*
30. *¿Dónde está el radiotelescopio más grande? (p. 79)*
31. *¿Cómo se llama la sustancia verde de las plantas? (p. 80)*
32. *¿Dónde viven los cactus? (p. 81)*
33. *¿A qué distancia puede arrastrar el viento las semillas de las orquídeas? (p. 82)*
34. *¿Qué pájaro se mantiene suspendido delante de las flores mientras se alimenta? (p. 83)*
35. *¿Qué hacen las raíces de los árboles? (p. 84)*
36. *¿Qué árboles no tienen ramas? (p. 85)*
37. *¿Qué son las pepitas de las manzanas? (p. 86)*
38. *¿Qué árbol produce las semillas más grandes? (p. 86)*

# El cuerpo humano

**El cuerpo humano consta de muchas partes distintas, grandes y pequeñas, simples y complejas, desde el esqueleto óseo hasta el incansable corazón. Todas estas partes trabajan juntas para ayudar a mantenernos vivos y sanos. Nuestro centro de control, el cerebro, lo vigila todo.**

Tenemos mucho que aprender sobre nosotros mismos y sobre cómo funciona nuestro cuerpo. Esto incluye cómo nacemos y qué nos ocurre a medida que crecemos y nos hacemos mayores. También podemos aprender a cuidar de nosotros y de los demás, para vivir felices y sanos.

# Partes del cuerpo

cabeza
mano
cuello
brazo
torso
pierna
pie

**Las mujeres y los hombres, las niñas y los niños son seres humanos. Nuestros cuerpos son parecidos, pero no hay dos personas idénticas.**

El cuerpo humano consta de muchas partes y cada una tiene una función específica. El cerebro controla todas estas partes y, además, nos permite pensar y movernos. Los sentidos de la vista, el oído, el tacto, el gusto y el olfato nos ayudan en nuestras vidas cotidianas. Para funcionar bien, nuestro cuerpo necesita energía: la obtenemos de la comida.

**La parte más grande** *del cuerpo es el torso o tronco. Las cuatro extremidades están unidas al torso. Las manos nos ayudan a tocar y a agarrar las cosas. Los pies nos permiten ponernos de pie y caminar. La cabeza está encima del cuello, que puede doblarse y girar. El cerebro está dentro de la cabeza. Dos tercios del peso corporal están constituidos por agua. El cuerpo también contiene carbono, calcio y hierro.*

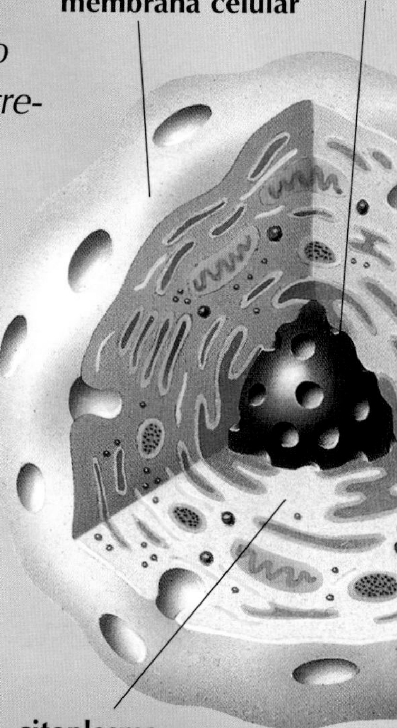

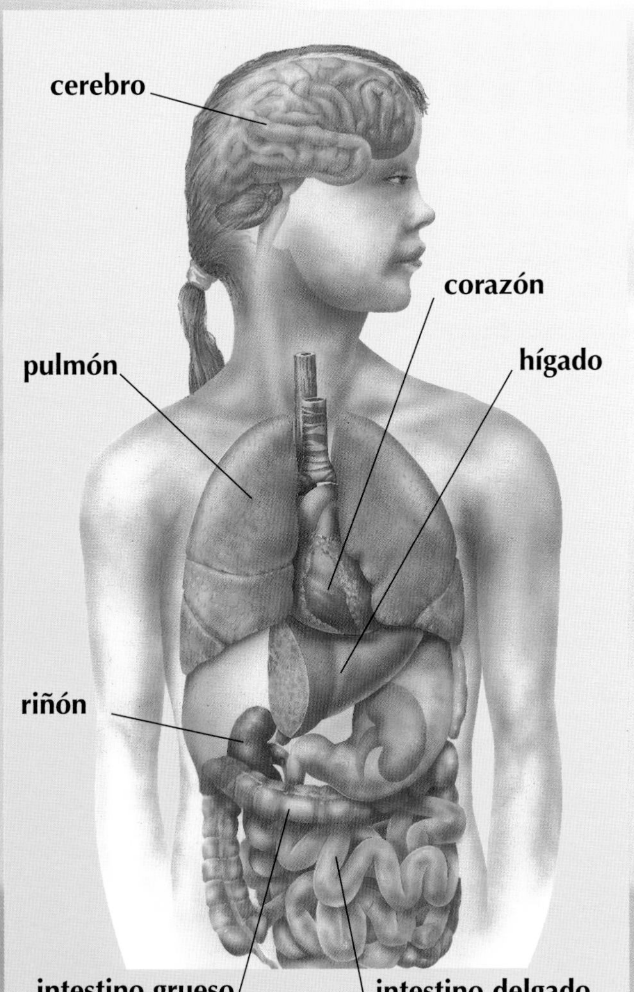


**Dentro de nuestro cuerpo** *tenemos muchos órganos grandes. Son partes del cuerpo con funciones especiales. Los órganos trabajan juntos y forman los diferentes sistemas del cuerpo.*

**PROYECTO**

SILUETAS CORPORALES

Para dibujar siluetas corporales, necesitas trozos grandes de papel. Coloca el papel en el suelo y pide a un amigo que se tumbe encima. Dibuja su silueta con un lápiz. Luego recorta la silueta. Si quieres, puedes dibujarle una cara u otros detalles. Puedes colgar la silueta en la pared. Ahora pide a un amigo que dibuje tu silueta.

**Nuestra vida empieza siendo una célula.** *Ésta se divide en dos células, que a su vez se dividen, y así sucesivamente hasta que hay miles de millones de células. Son tan pequeñas que sólo se pueden ver a través de un microscopio. La mayoría de las células tienen tres partes principales. En el centro está el núcleo, el centro de control que ayuda a crear nuevas células. Está rodeado por un líquido llamado citoplasma. La superficie exterior de la célula es la membrana. Las células similares se unen y forman tejidos.*

# Esqueleto

**El esqueleto es nuestra estructura ósea. Los huesos son una base sólida para los músculos, lo cual nos ayuda a movernos.**

Un adulto tiene unos 206 huesos. Los bebés nacen con 270 pequeños huesos tiernos. A medida que crece, algunos de estos huesos se unen. El esqueleto protege los órganos: el cráneo protege el cerebro; el corazón y los pulmones están protegidos por la caja torácica. Tenemos huesos de formas y tamaños distintos. Las uniones entre los huesos son las articulaciones, que es donde los músculos los mueven.

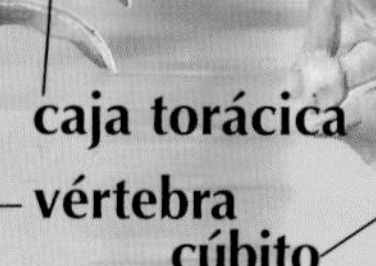


**La columna vertebral, o espina dorsal,** *tiene 33 vértebras. Puede que por la noche midas hasta 1 cm menos que por la mañana, porque el peso del cuerpo aplasta ligeramente la columna después de todo el día de pie o andando. En el extremo inferior de la columna está la pelvis. La de la mujer es más ancha que la del hombre, para que un bebé tenga espacio. Las partes inferiores de los brazos y las piernas constan de dos huesos. El fémur es el hueso más grande.*

### ARTICULACIONES

Las articulaciones permiten diversos movimientos. La cadera y el hombro son articulaciones esféricas. La rodilla y el codo son articulaciones de bisagra. En lo alto de la columna vertebral hay una articulación de pivote; y en la bas del pulgar, una en silla de montar.

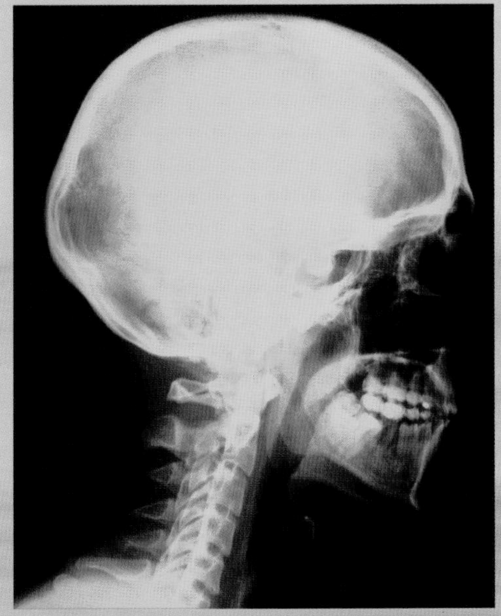

**Las radiografías** *permiten a los doctores ver los huesos del interior del cuerpo. Las usan para ver si hay un hueso roto o lesionado.*

**En el centro de los huesos** *está la médula blanda, protegida por la parte más dura, el hueso compacto, que está recubierto de hueso esponjoso. La capa exterior del hueso es el periostio.*

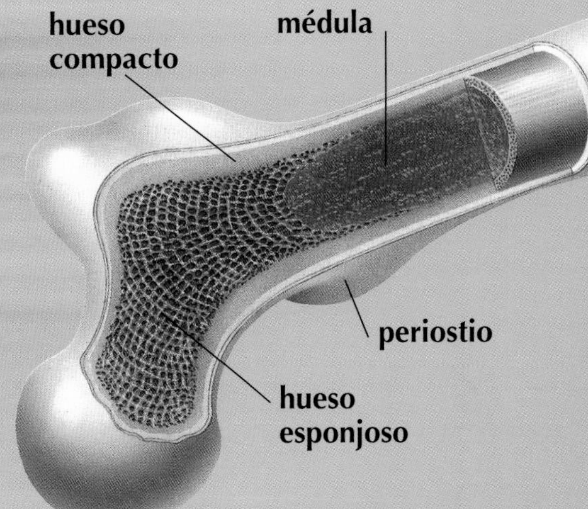


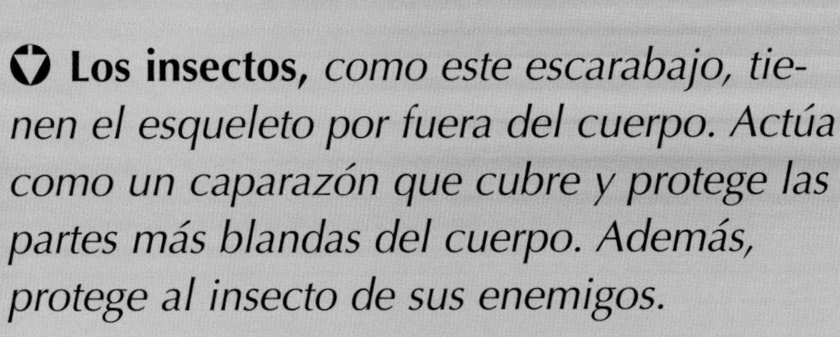

**Los insectos,** *como este escarabajo, tienen el esqueleto por fuera del cuerpo. Actúa como un caparazón que cubre y protege las partes más blandas del cuerpo. Además, protege al insecto de sus enemigos.*

**Para que un hueso roto** *se cure bien, hay que juntar las partes e inmovilizarlas. Por eso, los doctores ponen una escayola cuando alguien se rompe un brazo o una pierna. Así crece nuevo tejido óseo que vuelve a unir los extremos del hueso roto.*

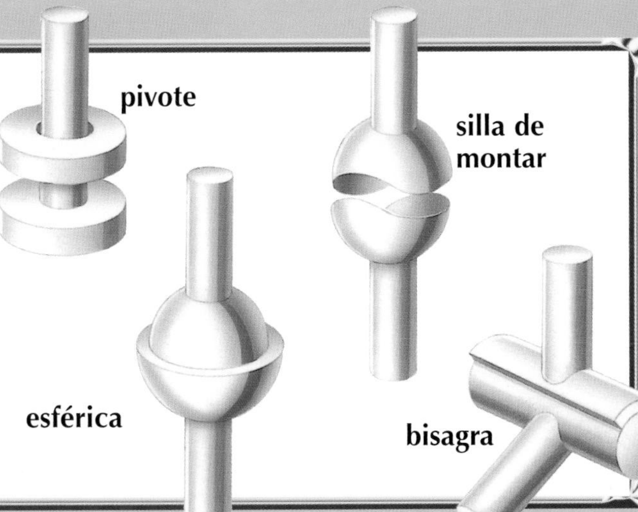


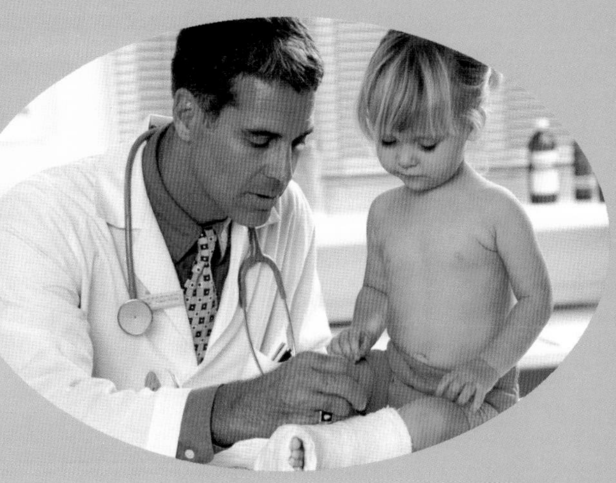

# Músculos

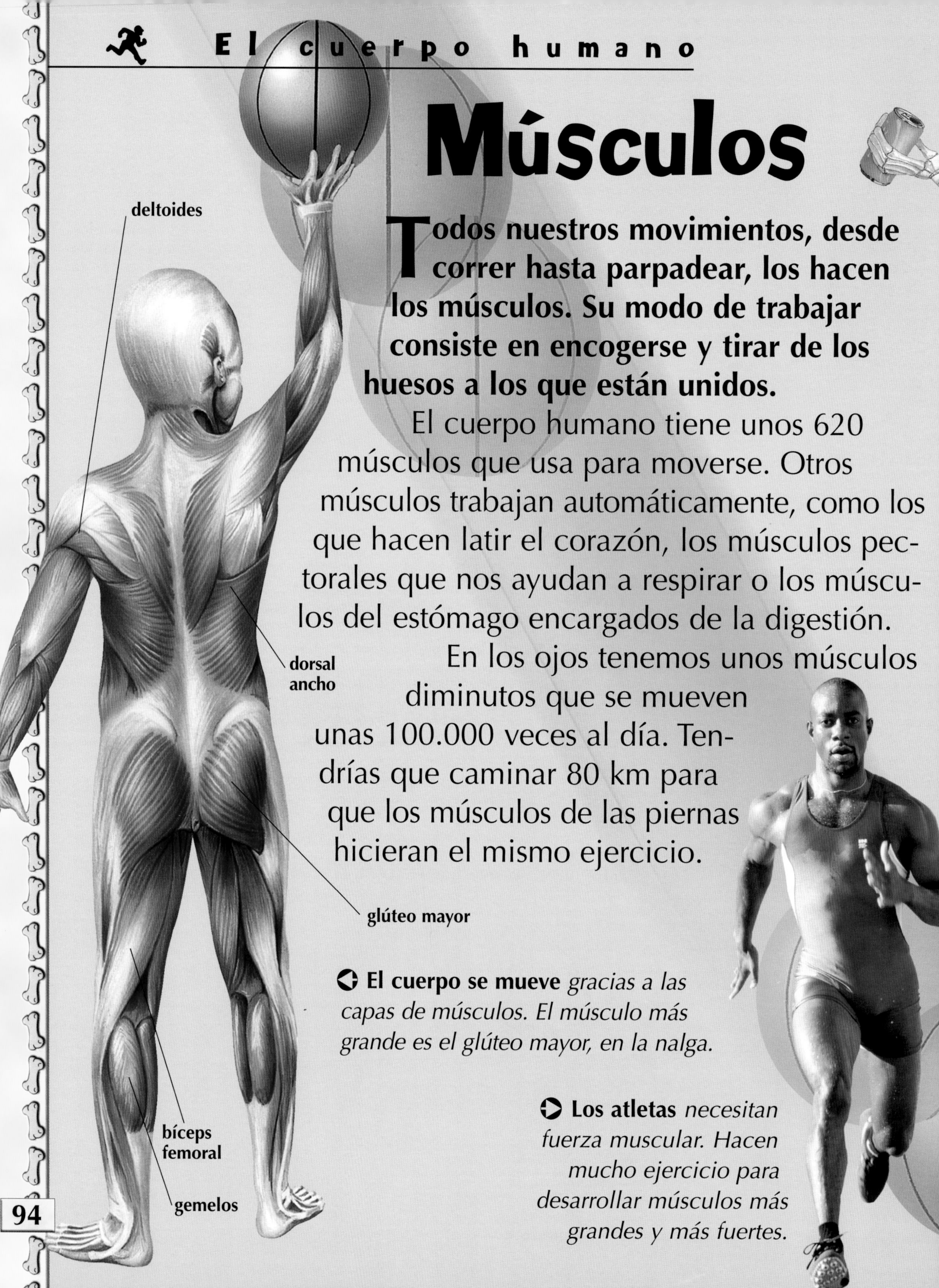


**Todos nuestros movimientos, desde correr hasta parpadear, los hacen los músculos. Su modo de trabajar consiste en encogerse y tirar de los huesos a los que están unidos.**

El cuerpo humano tiene unos 620 músculos que usa para moverse. Otros músculos trabajan automáticamente, como los que hacen latir el corazón, los músculos pectorales que nos ayudan a respirar o los músculos del estómago encargados de la digestión.

En los ojos tenemos unos músculos diminutos que se mueven unas 100.000 veces al día. Tendrías que caminar 80 km para que los músculos de las piernas hicieran el mismo ejercicio.

**El cuerpo se mueve** *gracias a las capas de músculos. El músculo más grande es el glúteo mayor, en la nalga.*

**Los atletas** *necesitan fuerza muscular. Hacen mucho ejercicio para desarrollar músculos más grandes y más fuertes.*

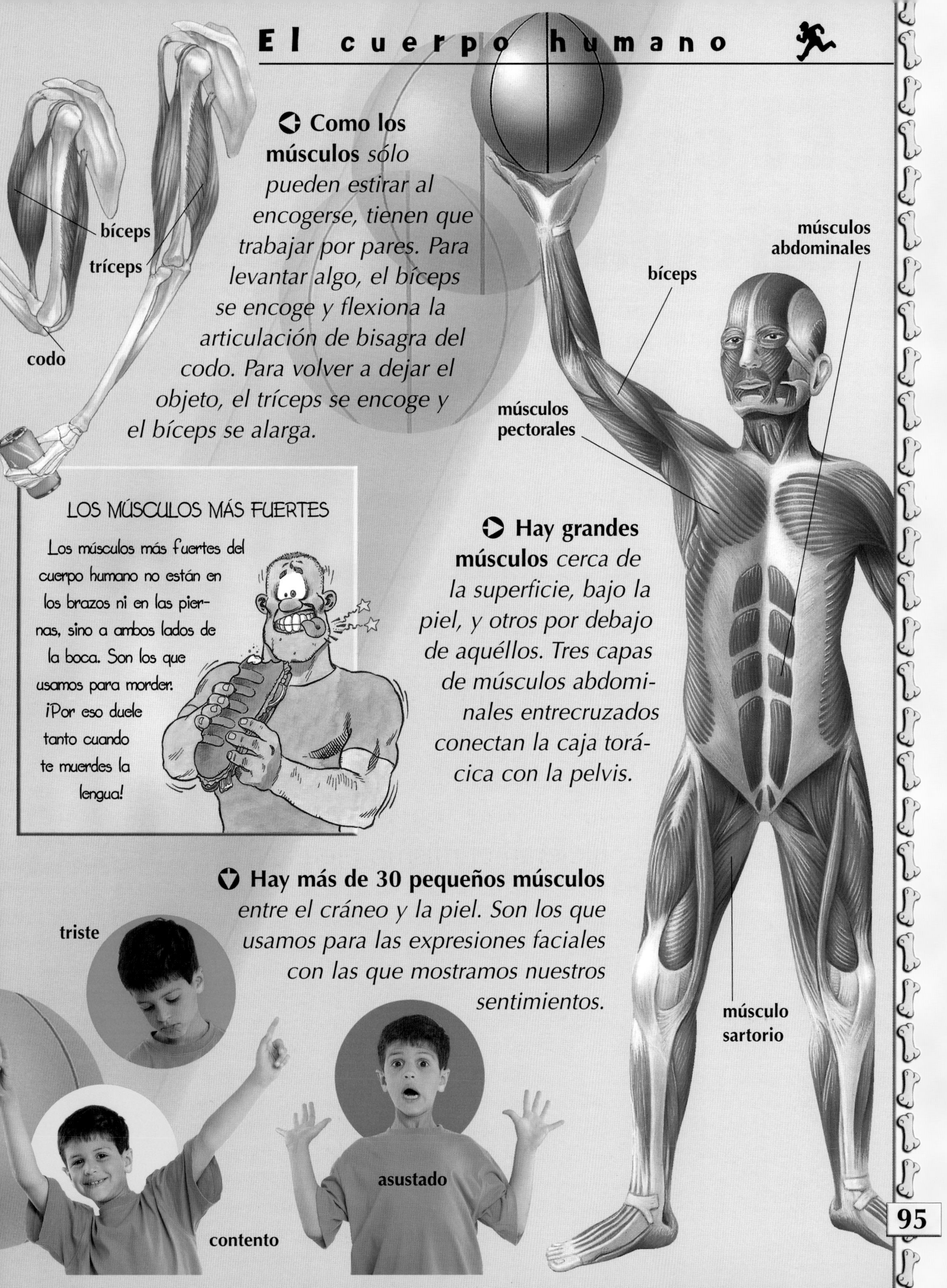


**Como los músculos** *sólo pueden estirar al encogerse, tienen que trabajar por pares. Para levantar algo, el bíceps se encoge y flexiona la articulación de bisagra del codo. Para volver a dejar el objeto, el tríceps se encoge y el bíceps se alarga.*

## LOS MÚSCULOS MÁS FUERTES

Los músculos más fuertes del cuerpo humano no están en los brazos ni en las piernas, sino a ambos lados de la boca. Son los que usamos para morder. ¡Por eso duele tanto cuando te muerdes la lengua!

**Hay grandes músculos** *cerca de la superficie, bajo la piel, y otros por debajo de aquéllos. Tres capas de músculos abdominales entrecruzados conectan la caja torácica con la pelvis.*

**Hay más de 30 pequeños músculos** *entre el cráneo y la piel. Son los que usamos para las expresiones faciales con las que mostramos nuestros sentimientos.*

# El corazón y la circulación sanguínea

**El corazón es un potente músculo que bombea la sangre por todo el cuerpo.**

Un cuerpo adulto contiene unos 5 litros de sangre, por lo que el corazón de un adulto bombea más de 7.000 litros de sangre al día. La sangre transporta el oxígeno del aire que respiramos y las sustancias de los alimentos que comemos.

El corazón tiene forma de pera y, más o menos, el tamaño de un puño. Está en el tórax, detrás de las costillas. Si pones la mano sobre tu corazón, podrás notar sus latidos.

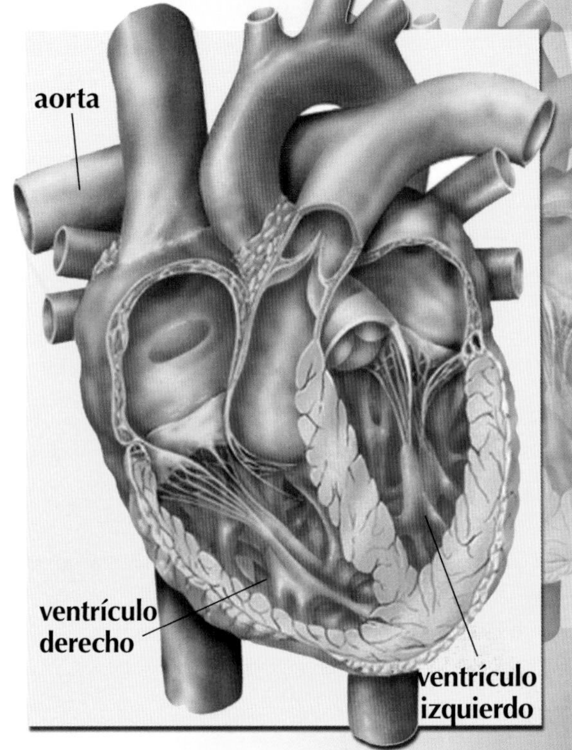


**El lado derecho** *del corazón bombea la sangre a los pulmones para recoger oxígeno. El lado izquierdo bombea la sangre por todo el cuerpo.*

PROYECTO

TU CORAZÓN

Tu corazón tiene que trabajar más para bombear la sangre hacia arriba, porque entonces trabaja contra la gravedad. Si levantas una mano durante un minuto, verás que luego tiene menos sangre y estará más pálida que la otra mano.

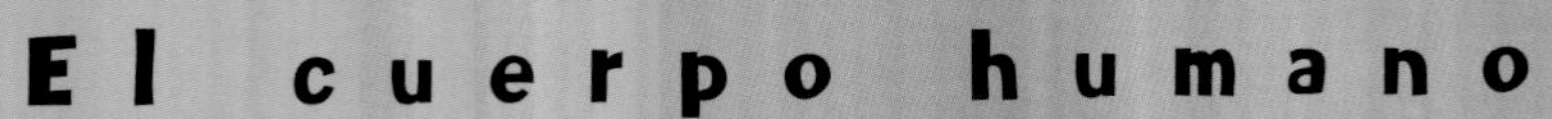

corazón

arteria

vena

**La sangre** *que sale del corazón viaja por vasos sanguíneos llamados arterias. Y vuelve al corazón a través de venas. En este dibujo, las arterias son rojas y las venas, azules.*

**Un doctor** *examina a un joven paciente, aunque los problemas de corazón afectan más a las personas mayores. El corazón es un órgano muy trabajador; cuanta más energía uses, más trabaja tu corazón.*

El ritmo cardíaco de un niño es de unos 100 latidos por minuto. Cuando corres, tu corazón late más deprisa y tus células necesitan más oxígeno y alimento.

ESCUCHA LOS LATIDOS

**PROYECTO**

Puedes fabricar tu propio estetoscopio para escuchar el latido de tu corazón o el de tus amigos. Recorta los extremos superiores de dos botellas de plástico. Inserta los extremos de un trozo de manguera en los cuellos de las botellas. Coloca un extremo del aparato sobre el corazón de un amigo y escucha por el otro extremo.

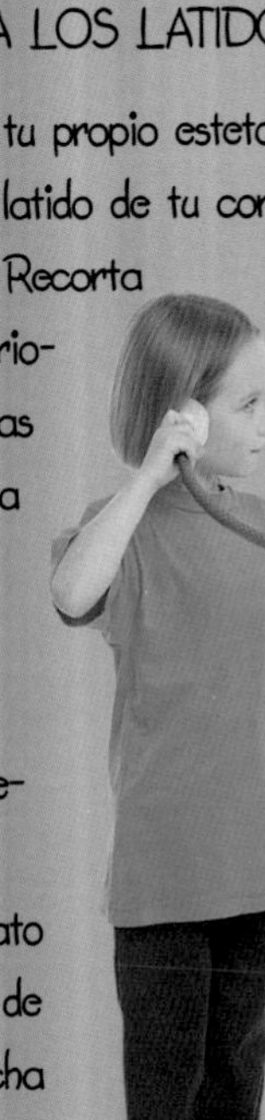

# Respiración

**Cada vez que respiramos, inspiramos aire que contiene un gas llamado oxígeno. Nuestro cuerpo necesita oxígeno en todo momento.**

El aire que respiramos entra en nuestros dos pulmones, que están bien protegidos dentro de la caja torácica. Los pulmones toman el oxígeno del aire y lo pasan a la sangre, que lo transporta por todo el cuerpo.

**Los corredores** *necesitan que mucho oxígeno llegue rápidamente a sus músculos. Para ello, respiran fuerte y sus corazones laten a más velocidad.*

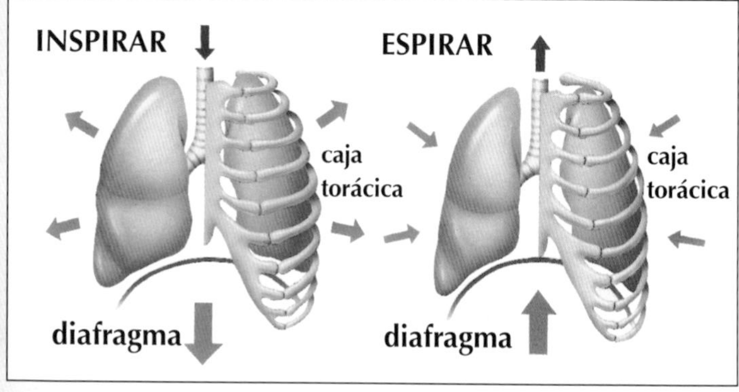


**Al inspirar,** *la caja torácica se expande y un músculo de forma abovedada, el diafragma, se aplana. Al espirar, el diafragma sube.*

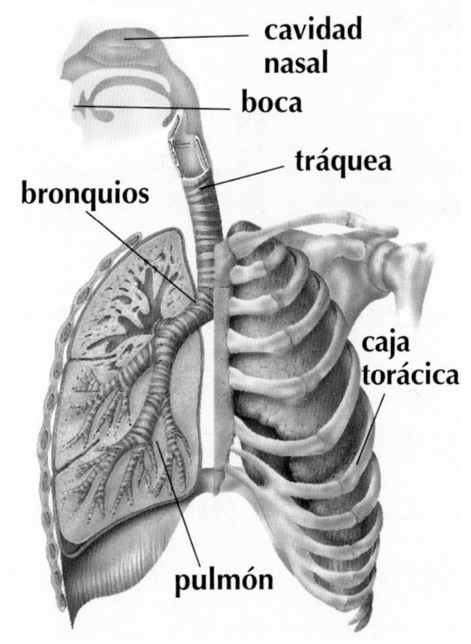


**El aire que inspiramos** *por la nariz y por la boca baja por la tráquea, que se divide en dos bronquios, uno por cada pulmón. Dentro de los pulmones, los bronquios se subdividen en conductos más pequeños. El oxígeno pasa de los más pequeños a los vasos sanguíneos y finalmente a la sangre.*

Al espirar, los pulmones expulsan el aire usado. Los adultos respiran unas 18 veces por minuto (más de 25.000 veces al día). Los niños suelen respirar más deprisa.

**Esta fotografía** *de parte de un pulmón se tomó a través de un microscopio. La red de pequeños pasillos que hay dentro del pulmón hace que parezca y actúe como una esponja. Los pulmones de un adulto contienen unos 300.000 millones de vasos sanguíneos minúsculos, llamados capilares. Si los extendiésemos, medirían más de 2.000 km.*

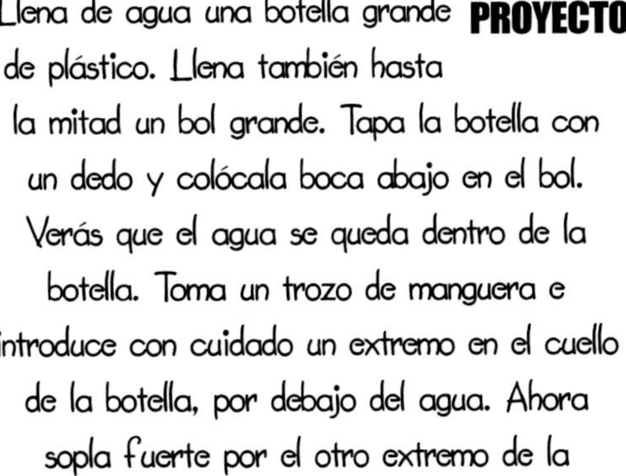

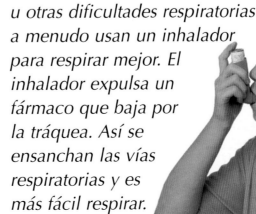

A FUERZA DE SOPLAR

PROYECTO

Llena de agua una botella grande de plástico. Llena también hasta la mitad un bol grande. Tapa la botella con un dedo y colócala boca abajo en el bol. Verás que el agua se queda dentro de la botella. Toma un trozo de manguera e introduce con cuidado un extremo en el cuello de la botella, por debajo del agua. Ahora sopla fuerte por el otro extremo de la manguera. ¿Cuánta agua puedes expulsar de la botella?

**Las personas que padecen asma** *u otras dificultades respiratorias a menudo usan un inhalador para respirar mejor. El inhalador expulsa un fármaco que baja por la tráquea. Así se ensanchan las vías respiratorias y es más fácil respirar.*

# Producir sonidos

**Producimos sonidos cuando hablamos. Podemos susurrar muy flojo. Podemos reír, gritar y cantar. Todos los sonidos que salen por la boca se producen en la garganta.**

Los sonidos los producen cosas que vibran, y tu voz se genera en las cuerdas vocales al vibrar. Estas cuerdas son unas bandas flexibles que hay en la laringe. Están en la tráquea, detrás de la nuez que tenemos en la garganta.

Para producir sonidos altos, respiramos fuerte sobre las cuerdas vocales. Si te pones la mano en la garganta y gritas, notarás la vibración de las cuerdas vocales.

Cuando tosemos, expulsamos aire a casi 100 km/h para intentar eliminar algo que irrita nuestras vías respiratorias.

**Usamos los labios y la lengua** *para cambiar los sonidos de nuestras cuerdas vocales y formar palabras. Hay miles de idiomas distintos tan sólo en el África tropical. Este hombre masai habla uno de ellos.*

CUERDAS VOCALES

cerradas

## ¿RONCAS?

Tendrás que preguntárselo a alguien para saberlo, a no ser que alguna vez te hayas despertado debido a tus propios ronquidos. Ese ruido lo produce la vibración de la parte blanda del paladar. A veces puede producirse con tanta fuerza, que los ronquidos más fuertes pueden hacer tanto ruido como una sierra mecánica o incluso un martillo neumático.

**PROYECTO**

## SILBAR

Al silbar, obligamos a pasar el aire por una abertura estrecha a gran velocidad. El aire se comprime y vibra, lo cual produce un sonido muy agudo que llamamos silbido.

**Cientos de músculos** *diminutos controlan los labios y la lengua. Por eso son muy flexibles y pueden formar palabras con los sonidos producidos por las cuerdas vocales. La voz de cada persona suena diferente porque las gargantas, narices y bocas tienen tamaños distintos.*

**Nuestras cuerdas vocales** *se mueven para producir sonidos. Unos pequeños músculos las tensan. Están diseñadas para producir sonidos cuando pasa por ellas aire procedente de abajo. Pero también puedes hacerlas funcionar al inspirar. Intenta decir "hola" mientras tomas aire. ¡Es como hablar hacia atrás!*

*Cuando las cuerdas están abiertas del todo, no producen sonido.*

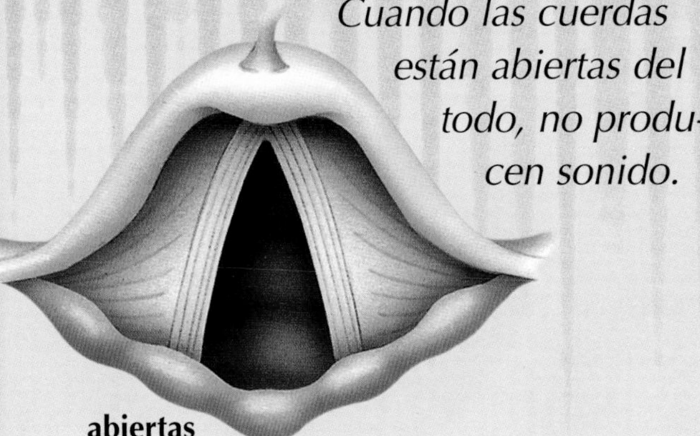


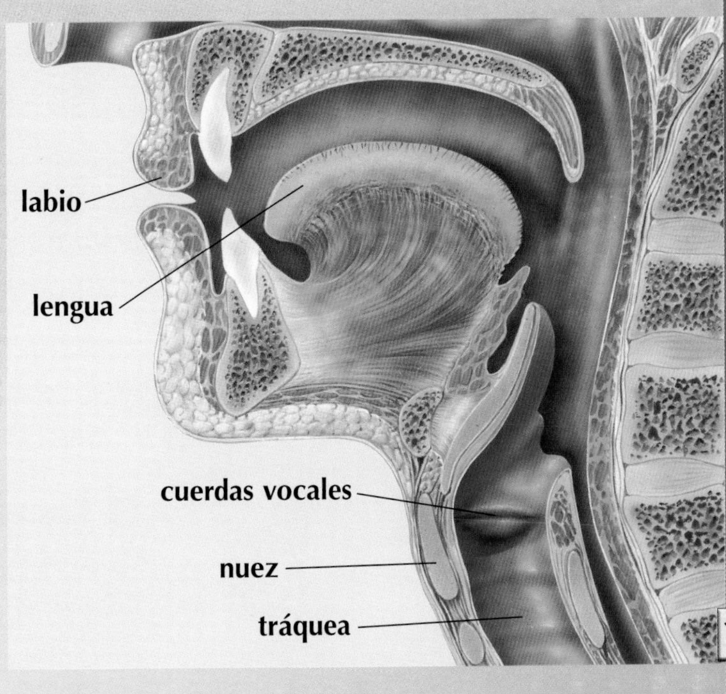

# Sistema nervioso central

**Una red de nervios recorre todo tu cuerpo. Estos nervios transportan instrucciones enviadas por el cerebro, así como mensajes de los órganos sensoriales para el cerebro.**

Los nervios se ramifican a partir de la médula espinal, que está conectada al cerebro. Juntos forman el sistema nervioso central. El cerebro es el centro de control del cuerpo, es quien dice al resto del cuerpo lo que debe hacer.

El cerebro consume mucha energía. Usa una quinta parte del oxígeno que respiramos y otra quinta parte de la energía de los alimentos. Con esta energía produce electricidad.

**El cerebro está conectado** *a la médula espinal, que pasa por dentro de la columna vertebral. Los nervios salen de la médula y se extienden por todo el cuerpo.*

**Los recuerdos** *se guardan en el cerebro. Esta pareja siempre recordará el día de su boda.*

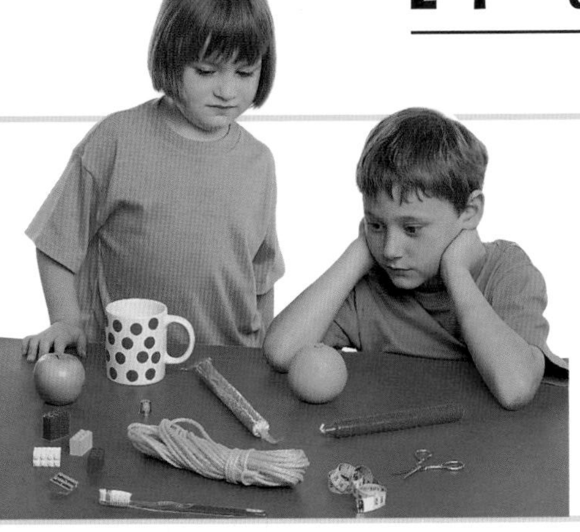

PRUEBA DE MEMORIA

**PROYECTO**

Coloca varios objetos distintos en una bandeja o en la mesa. Elige cosas diferentes. Luego deja que un amigo los observe durante un minuto. ¿Cuántos objetos puede recordar luego con los ojos cerrados? Ahora dile a tu amigo que coloque en la mesa otra serie de objetos para probar tu memoria.

**Si golpeas** *justo debajo de la rodilla de otra persona, su pierna se levantará. Decimos que esto es un reflejo. Los reflejos ayudan al cuerpo a protegerse rápidamente. Se producen porque la médula espinal envía una señal al músculo antes de que el mensaje original haya llegado al cerebro. Del mismo modo, si tocas algo caliente, tu mano se aparta en un reflejo.*

¿IZQUIERDA O DERECHA?

La mitad izquierda del cerebro controla la parte derecha del cuerpo, mientras que la mitad derecha cuida de la parte izquierda. Muy pocas personas saben escribir bien con las dos manos. Intenta usar tu mano "mala" y verás qué difícil es.

**El cerebro** *nos ayuda a ver, a escuchar, a juzgar la velocidad y la distancia. Un piloto de carreras necesita hacer todo esto muy deprisa. Su cerebro envía mensajes a sus manos y a sus pies para conducir el coche.*

# Sueño

**El sueño nos ocupa mucho tiempo. Hay personas que necesitan dormir más que otras, pero la mayoría pasamos casi un tercio de nuestras vidas durmiendo.**

Crecemos mientras dormimos, por eso los bebés necesitan dormir al menos 18 horas al día. La mayoría de los niños duermen unas 12 horas. Cuando crecemos menos, dormimos menos. Los adultos suelen dormir de 6 a 9 horas. Muchas personas mayores necesitan dormir muy poco.

El sueño deja tiempo al cuerpo para descansar.

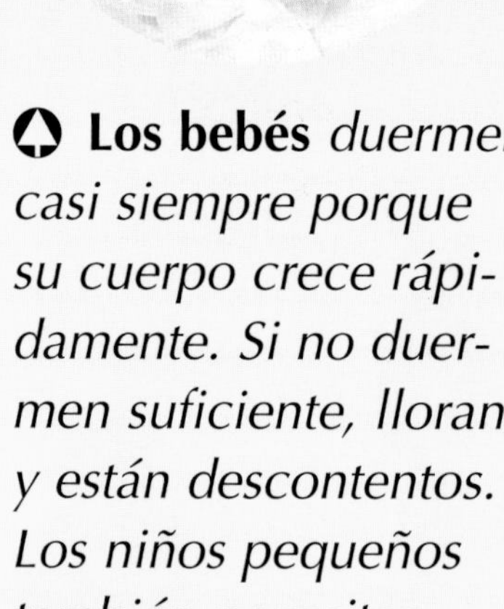

**Los bebés** *duermen casi siempre porque su cuerpo crece rápidamente. Si no duermen suficiente, lloran y están descontentos. Los niños pequeños también necesitan dormir mucho.*

**Quizá creas** *que por la noche no te mueves, pero no es así. Mientras dormimos, cambiamos muchas veces de postura. Así el cuerpo descansa más. Si estuvieses en la misma postura toda la noche, te dolería el cuerpo por la mañana. Cuando estamos dormidos, también respiramos más pausadamente y el corazón late más lentamente.*

**Bostezamos a menudo** *cuando estamos cansados y queremos dormir. Pero, ¿qué es lo que nos hace bostezar? Podría ser que el cuerpo necesita oxígeno adicional. Un gran bostezo permite que entre más oxígeno en los pulmones. Al parecer, los bostezos son contagiosos, pero no sabemos por qué.*

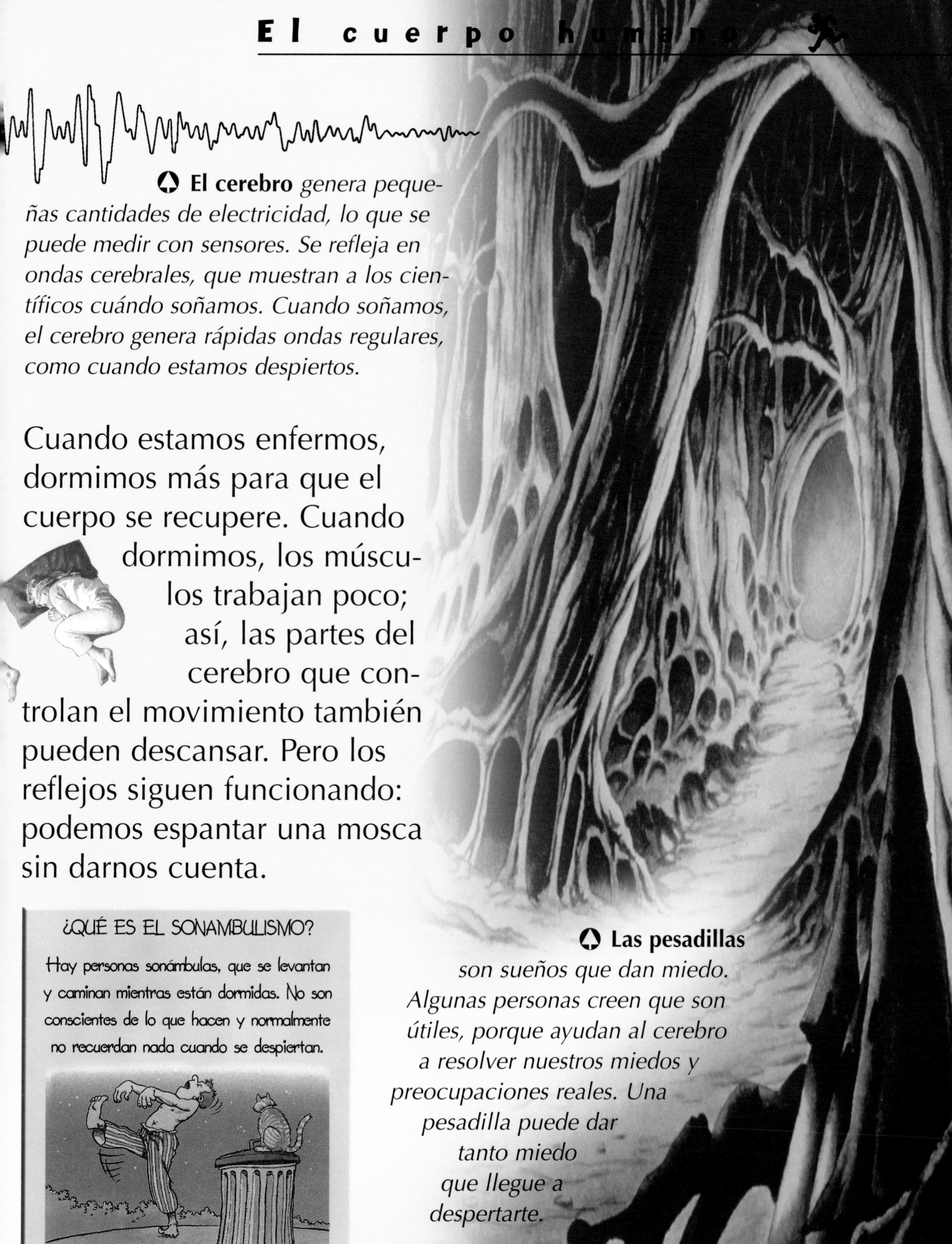

**El cerebro** *genera pequeñas cantidades de electricidad, lo que se puede medir con sensores. Se refleja en ondas cerebrales, que muestran a los científicos cuándo soñamos. Cuando soñamos, el cerebro genera rápidas ondas regulares, como cuando estamos despiertos.*

Cuando estamos enfermos, dormimos más para que el cuerpo se recupere. Cuando dormimos, los músculos trabajan poco; así, las partes del cerebro que controlan el movimiento también pueden descansar. Pero los reflejos siguen funcionando: podemos espantar una mosca sin darnos cuenta.

¿QUÉ ES EL SONAMBULISMO?

Hay personas sonámbulas, que se levantan y caminan mientras están dormidas. No son conscientes de lo que hacen y normalmente no recuerdan nada cuando se despiertan.

**Las pesadillas** *son sueños que dan miedo. Algunas personas creen que son útiles, porque ayudan al cerebro a resolver nuestros miedos y preocupaciones reales. Una pesadilla puede dar tanto miedo que llegue a despertarte.*

# La piel, el pelo y las uñas

**La piel protege el cuerpo y controla su temperatura. Mantiene lejos la suciedad, el agua y los gérmenes, nos protege de los rayos del Sol e impide que el cuerpo se reseque.**

**pelo ondulado**

La piel está llena de terminaciones nerviosas que envían mensajes al cerebro sobre el calor, el frío y el dolor, por ejemplo. La piel produce uñas para proteger las puntas de los dedos. También produce pelos, que dan calor y protección adicional.

**PROYECTO**

COMPARACIÓN DE HUELLAS

No hay dos huellas dactilares iguales. Usa un rodillo o un pincel para pintarte los dedos o toda la mano. Luego presiona con firmeza sobre una hoja de papel. Así dejarás tus huellas dactilares, o quizá la huella de toda la mano. Compara tus huellas con las de un amigo. Si las miras con una lupa, verás realmente la diferencia.

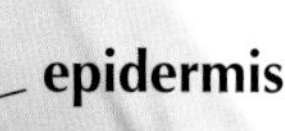

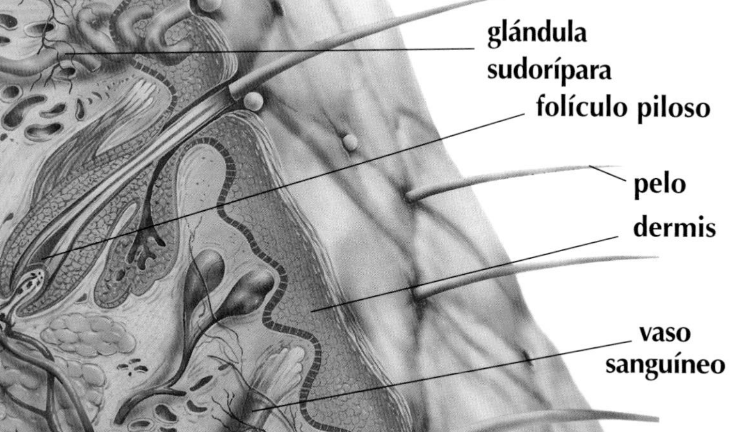


**La capa externa más dura** *de la piel se llama epidermis. Es resistente al agua y a los gérmenes. La capa interna, la dermis, contiene terminaciones nerviosas. También es donde crecen los pelos y se produce el sudor.*

pelo liso

pelo rizado

**Los pelos crecen** *de folículos que hay en la capa interna de la piel. Según la forma de los folículos, el pelo es liso, ondulado o rizado.*

**Las personas sudan** *cuando tienen calor. Por eso los deportistas sudan más si hace un día caluroso. El sudor elimina calor del cuerpo y nos ayuda a refrescarnos mientras se seca sobre la piel.*

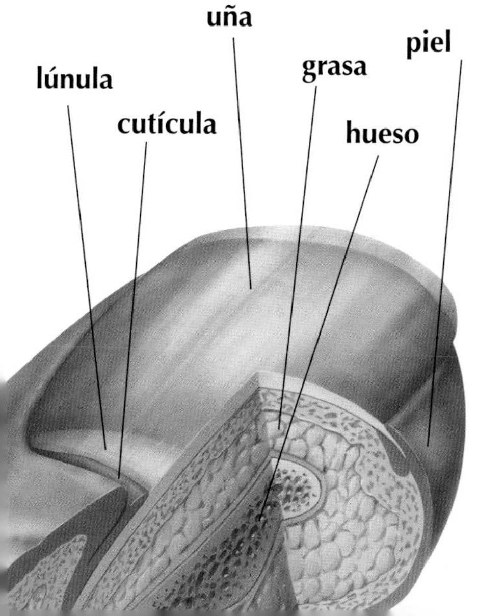


**Las uñas** *están hechas de una sustancia dura que se llama queratina. Las uñas crecen por la base, debajo de la piel. La pálida lúnula es uña nueva.*

# Dientes

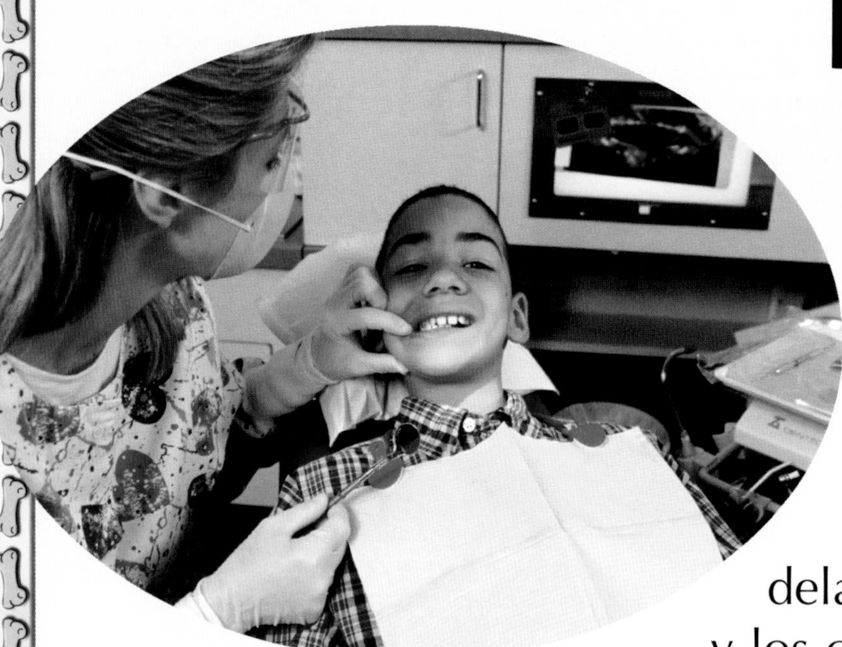

**Debemos ir al dentista** *regularmente para que nos examine y limpie los dientes. Si encuentra una caries, puede quitarla y poner un empaste. A las personas mayores a veces se les caen los dientes. El dentista puede sustituirlos por dientes postizos.*

**Los dientes trocean la comida para que podamos tragarla. Los dientes tienen tres formas distintas, adecuadas para funciones específicas.**

Los dientes incisivos de delante muerden los alimentos y los cortan. Los caninos afilados desgarran los alimentos más duros. Y los grandes dientes molares de atrás trituran los alimentos, que, al mezclarse con la saliva, forman una pasta blanda. Así nos resulta mucho más fácil tragar y digerir los alimentos.

Si se acumulan bacterias o azúcar en los dientes, pueden producirse ácidos que estropean el esmalte y provocan caries. Un cepillado de dientes regular elimina el azúcar y las bacterias.

**PROYECTO**

CUIDA TUS DIENTES

Es importante que te limpies los dientes. Cepillarse los dientes ayuda a eliminar el sarro o placa dental, una película que se deposita en la superficie de los dientes y puede provocar caries. Cepillarse los dientes regularmente todos los días significa menos sarro y, por tanto, menos caries. También es importante no comer demasiados dulces. Unos dientes limpios son una sonrisa sana.

**Las cuatro muelas del juicio** *son las últimas en salir, a partir de los 17 años. Hay personas a las que nunca les salen.*

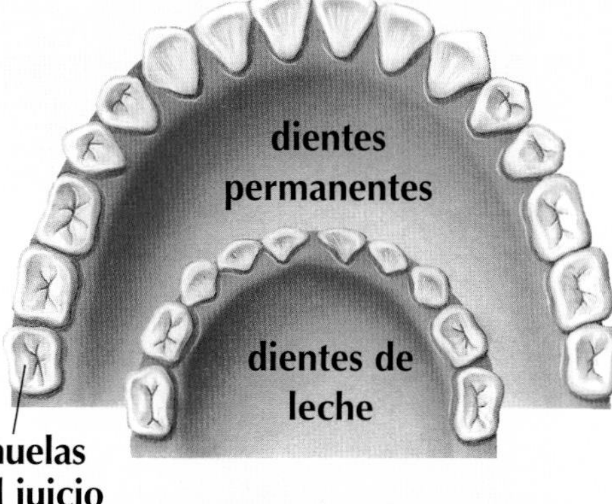


**De pequeños** *tenemos 20 dientes de leche (los que se muestran en el círculo de dentro). A los 5 o 6 años de edad, empiezan a caerse y, en su lugar, salen 32 dientes permanentes, incluidas las cuatro muelas del juicio. Se conocen casos de personas a las que les ha salido una tercera serie de dientes, pero es poco habitual.*

**Es importante que cuides tus dientes** *de niño, para tener una dentadura fuerte y sana cuando seas mayor. Algunos niños y jóvenes llevan aparatos de ortodoncia durante un tiempo, para corregir los dientes torcidos.*

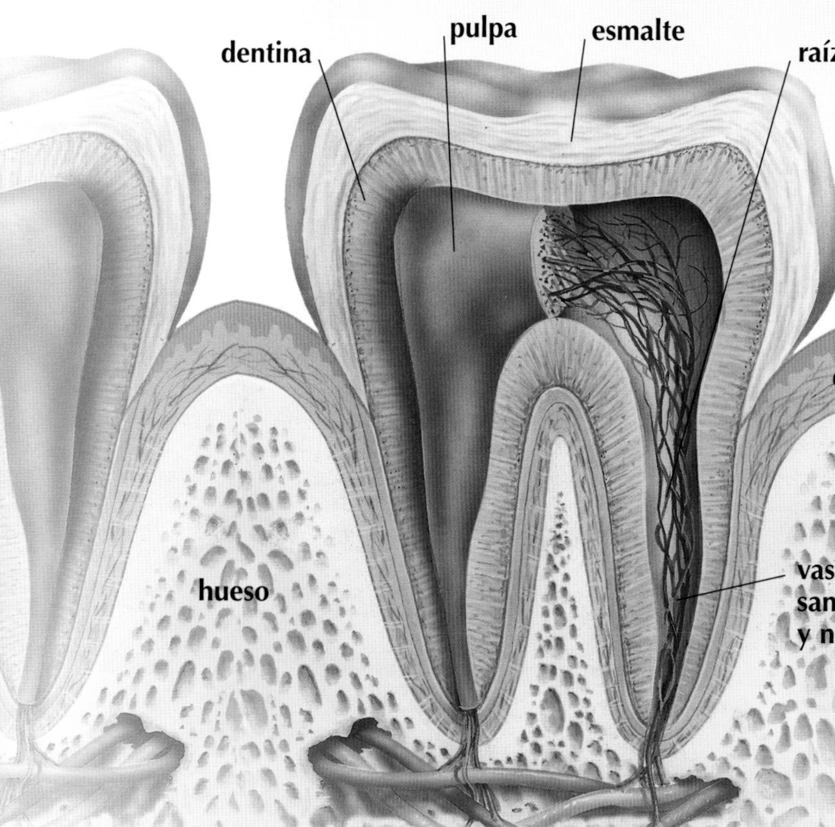


**El exterior del diente** *es una capa dura de esmalte. El centro del diente, con vasos sanguíneos y nervios, está rodeado por una sustancia que se conoce como dentina.*

# Digestión

**Después de tragar la comida, ésta baja por un tubo muscular hasta el estómago. Allí se tritura en una mezcla líquida.**

Esa mezcla pasa al intestino delgado, desde donde pequeñas partículas de alimento pasan a la sangre. Lo que queda de la comida pasa al intestino grueso y los residuos se expulsan del cuerpo.

estómago

intestino delgado

intestino grueso

**La digestión** *tarda hasta 18 horas, desde que mordemos la manzana hasta que pequeñas partículas de alimento pasan a la sangre. La comida permanece 3 horas en el estómago. El intestino delgado es un tubo enrollado de más de 5 m. El intestino grueso es más corto, pero más ancho.*

**Cuando juegas,** *usas mucha energía. Necesitas comer y digerir los alimentos para que tu cuerpo tenga esa energía.*

**En el intestino grueso,** *se extrae el agua de la parte de los alimentos que el cuerpo no puede aprovechar. El agua se convierte en orina y el resto son residuos sólidos. Lo expulsamos del cuerpo cuando vamos al lavabo.*

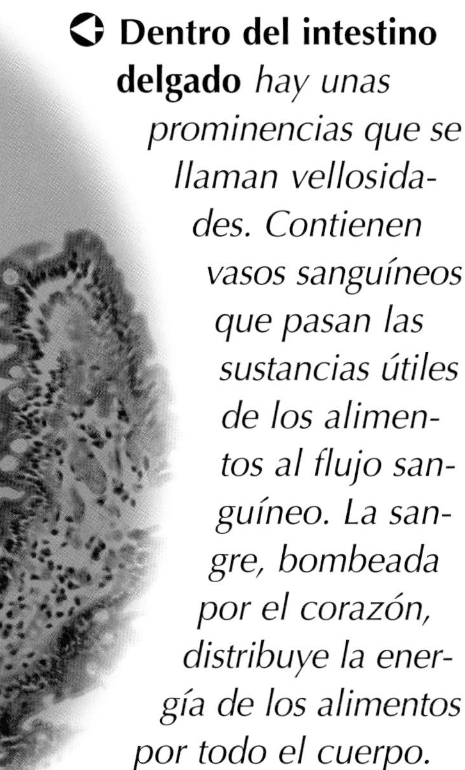

**Dentro del intestino delgado** *hay unas prominencias que se llaman vellosidades. Contienen vasos sanguíneos que pasan las sustancias útiles de los alimentos al flujo sanguíneo. La sangre, bombeada por el corazón, distribuye la energía de los alimentos por todo el cuerpo.*

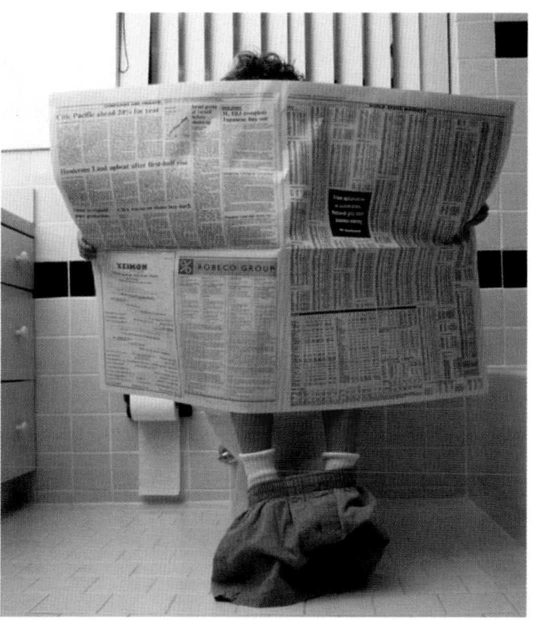

# Comida y bebida

**Para vivir necesitamos energía y la obtenemos de lo que comemos y bebemos. El cuerpo humano necesita unas sustancias importantes, llamadas nutrientes, que están en los alimentos. Nos ayudan a crecer, reparan las células dañadas y nos aportan energía.**

**Las hortalizas y verduras** *como éstas, y los cereales como el trigo, son buenos porque contienen mucha fibra. Ésta ayuda a digerir otros alimentos más fácilmente.*

Cada alimento tiene su utilidad. Es importante que no nos falte ninguno de los nutrientes esenciales. Para seguir una dieta equilibrada, tenemos que comer alimentos de varios grupos: hidratos de carbono, proteínas, grasas y fibra. El cuerpo también necesita pequeñas cantidades de vitaminas y minerales. El calcio (un mineral) es necesario para tener unos dientes y unos huesos sanos. La leche contiene calcio, además de agua, grasas, proteínas y vitaminas.

**La fruta y los zumos,** *como este zumo de naranja, contienen mucha vitamina C, que nos ayuda a mantenernos sanos y a recuperarnos de una enfermedad. El cuerpo también necesita muchas otras vitaminas.*

¿POR QUÉ NECESITAMOS AGUA?

El cuerpo usa agua para muchas cosas. El agua ayuda a formar la sangre. Produce sudor para que no pasemos calor. Retira los residuos del cuerpo en la orina. El agua también la obtenemos a través de otras bebidas y de muchos alimentos.

**Los hidratos de carbono**, *como el pan y la pasta, nos aportan mucha de la energía que necesitamos. Este tipo de energía está disponible rápidamente.*

**Las legumbres y la carne** *contienen muchas proteínas, que nos ayudan a estar fuertes. Las proteínas también se usan para formar células, por lo que nos ayudan a crecer.*

PROYECTO

MUESLI CASERO

Mezcla en un cuenco 250 g de copos de avena, 150 g de uvas pasas, 100 g de frutos secos picados y unas pipas de girasol. Luego pon el muesli en un tarro con tapadera de rosca. Etiquétalo y escribe la fecha. Puedes tomar tu muesli para desayunar con leche, yogur o zumo de fruta.

**Las grasas,** *como el queso, la mantequilla y la leche, tienen mucha energía y vitaminas importantes. El cuerpo puede almacenar grasas para usarlas más tarde, pero no es bueno abusar.*

# Olfato y gusto

**El olfato y el gusto son sentidos importantes. Nuestro sentido del olfato es más fuerte que nuestro sentido del gusto. Cuando saboreamos un alimento, también notamos su olor y su textura.**

Usamos la nariz para oler las cosas. Pequeñas partículas de olor entran en la nariz con el aire. La nariz envía mensajes a través de un nervio al cerebro, que reconoce el olor. La mayoría de las personas pueden identificar unos 3.000 olores distintos.

La lengua también envía señales nerviosas al cerebro sobre los sabores. Cuando comemos algo, la lengua y la nariz colaboran para informar al cerebro sobre la comida.

**En la naturaleza hay olores buenos y malos.** *Las flores desprenden un agradable aroma que atrae a los insectos. Las mofetas pueden emitir un olor apestoso para espantar a los enemigos.*

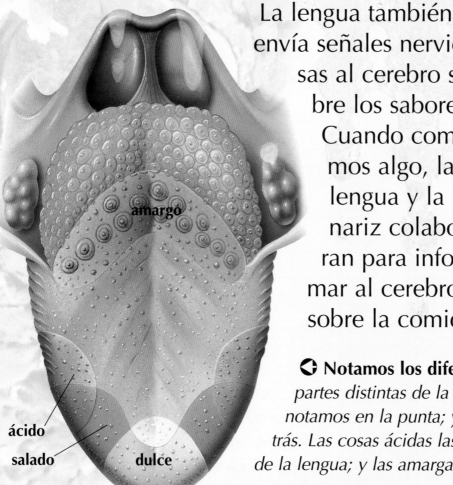

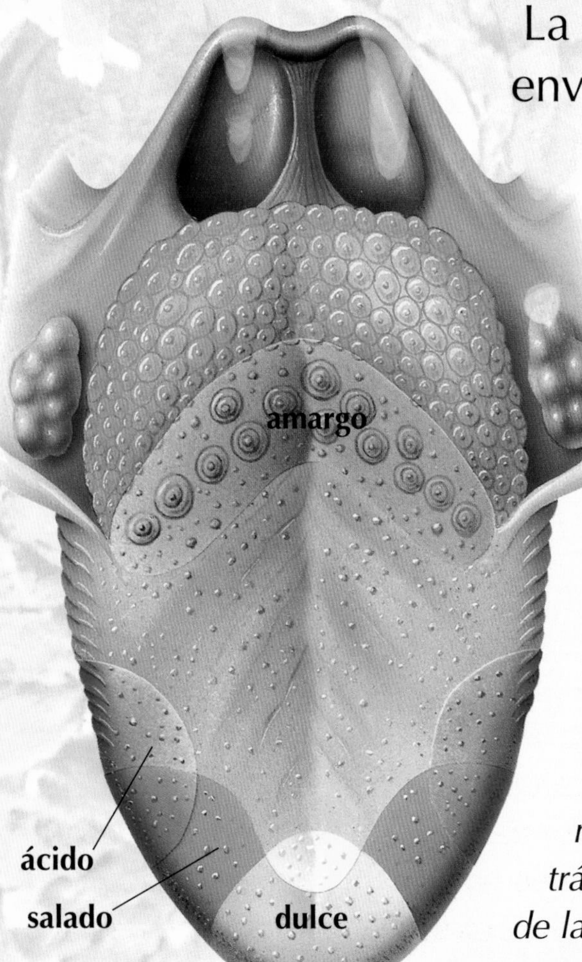


**Notamos los diferentes sabores** *en partes distintas de la lengua. Lo dulce lo notamos en la punta; y lo salado, justo detrás. Las cosas ácidas las notamos en los lados de la lengua; y las amargas, en la parte posterior.*

¿POR QUÉ ESTORNUDAMOS?

Estornudamos para limpiar la nariz de partículas no deseadas, como el polvo. Cuando estornudamos, el golpe de aire que sale de los pulmones puede alcanzar una velocidad de 160 km/h. ¡Como un coche deportivo!

PROYECTO

PRUEBA SIN OLER

Comprueba tu sentido del gusto sin la ayuda de la nariz. Corta una manzana, una zanahoria, un poco de queso y otros alimentos de textura similar en dados. Tápate los ojos y la nariz. Ahora pide a alguien que te dé los trozos de uno en uno. ¿Puedes reconocer lo que comes?

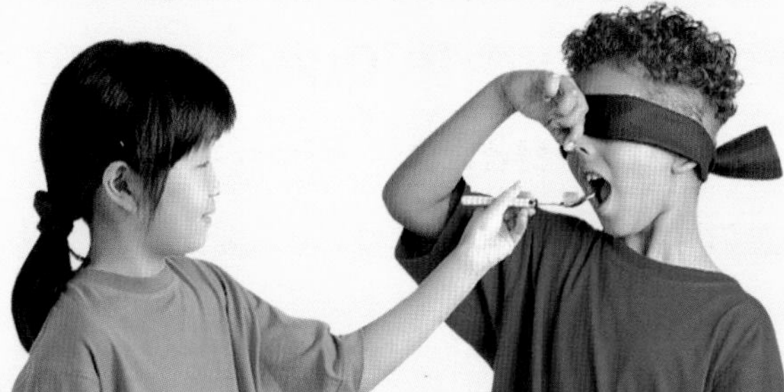

**En la parte superior de la nariz** *hay unas células sensibles a las partículas de olor. Estas partículas se disuelven en la mucosa y el nervio olfativo envía señales a una parte especial del cerebro donde se identifican los olores. Cuando estamos resfriados y tenemos la nariz congestionada, perdemos la capacidad de oler las cosas.*

**nervio olfativo**

**células olfativas**

**mucosa**

**Esta foto de las papilas gustativas** *se tomó con un microscopio. En la lengua hay unas 10.000 papilas gustativas, que detectan los cuatro sabores principales y transmiten la información. Los bebés las tienen en toda la boca y también poseen un buen sentido del olfato. A medida que crecemos, nuestro olfato se debilita.*

# Oído

**Del oído sólo podemos ver las orejas, u oído externo. Su forma está diseñada para captar los sonidos que viajan por el aire.**

Todos los sonidos los producen cosas que vibran. Las ondas sonoras hacen vibrar el tímpano y otras partes del oído. La información de las vibraciones se envía al cerebro y oímos los sonidos.

**Los sonidos** *entran en el oído y hacen vibrar el tímpano, que hace vibrar unos huesos pequeños. Estos huesecillos agitan un tubo en espiral, llamado cóclea. Dentro de la cóclea hay un líquido que mueve unos pelillos que envían señales al cerebro. Entonces oímos los sonidos.*

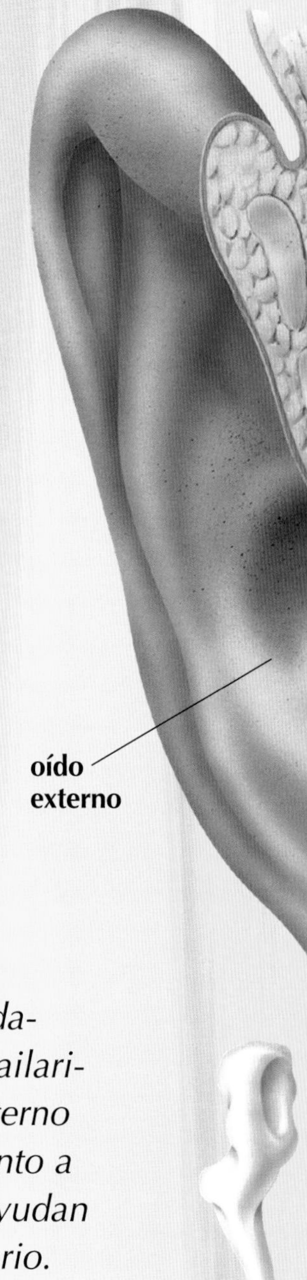


**Tener buen equilibrio** *es fundamental para las bailarinas. En el oído interno hay tres canales junto a la cóclea que nos ayudan a mantener el equilibrio. Informan al cerebro sobre los movimientos del cuerpo.*

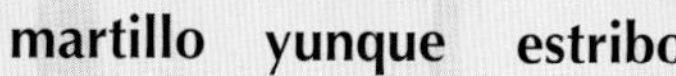

**Esta trompetilla antigua** *actúa como un oído externo más grande, que aumenta el volumen de los sonidos. Los audífonos modernos tienen pequeños micrófonos y altavoces.*

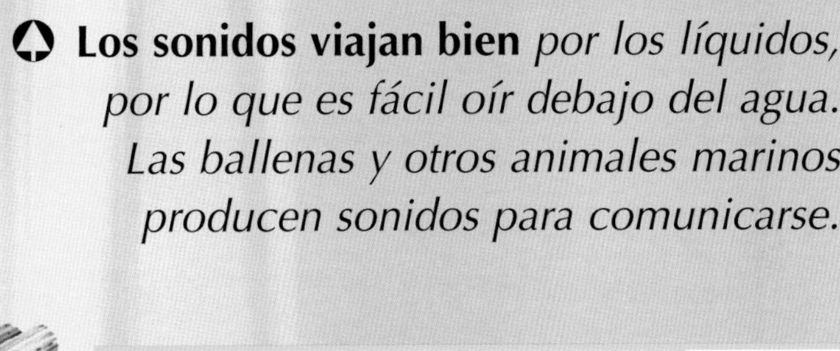

**Los sonidos viajan bien** *por los líquidos, por lo que es fácil oír debajo del agua. Las ballenas y otros animales marinos producen sonidos para comunicarse.*

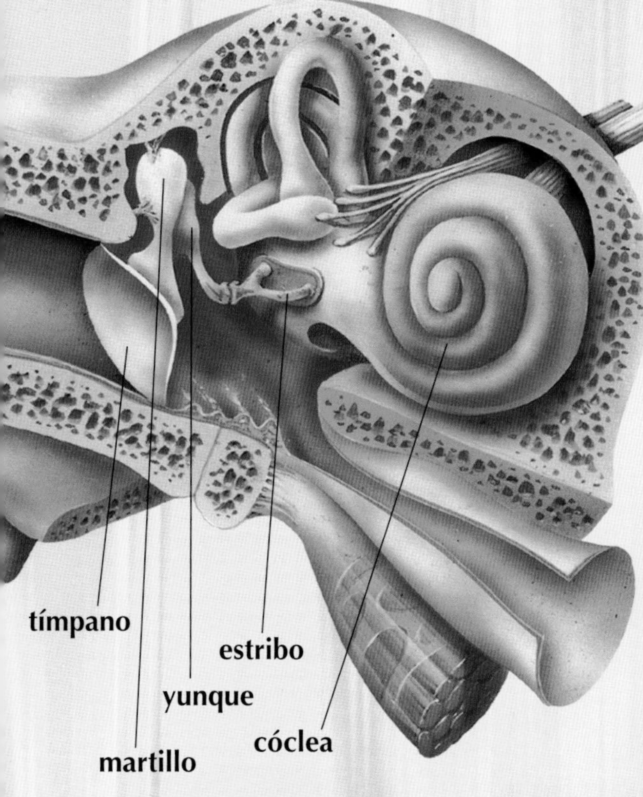


**Un diminuto hueso** *llamado martillo está conectado al tímpano. El tímpano hace vibrar el martillo. Entonces, el martillo mueve el yunque, que, a su vez, mueve el estribo. Por último, el estribo hace vibrar la cóclea.*

RÉPLICA DE TÍMPANO

**PROYECTO**

Para fabricar un tímpano, corta un trozo grande de una bolsa de plástico. Estíralo sobre el borde superior de una lata grande y sujétalo con una goma elástica. Echa azúcar sobre el plástico. Sujeta cerca una bandeja metálica y golpéala con una cuchara de madera. El tímpano vibrará con el sonido y los granos de azúcar saltarán.

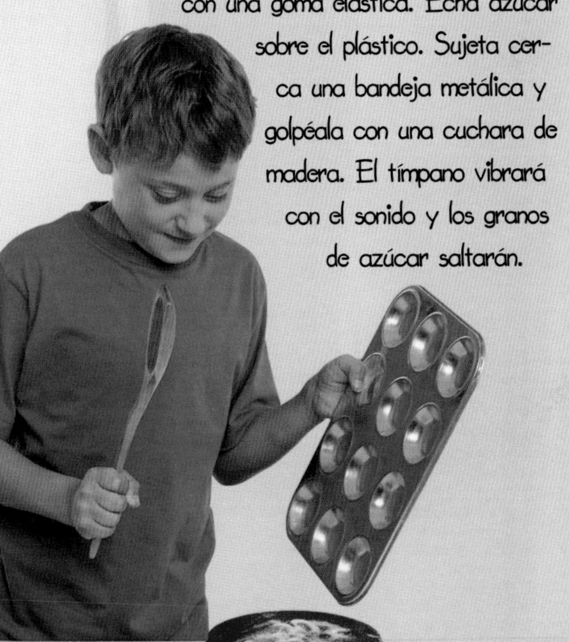

# Vista

**Los ojos nos sirven para ver. Los rayos de luz entran en los ojos a través de una abertura central, la pupila.**

Dentro de cada ojo hay una lente, o cristalino, que desvía la luz con gran precisión. Así, los rayos de luz llegan a la retina, en la parte posterior del ojo, donde crean una imagen boca abajo. Los nervios envían información sobre la imagen al cerebro, que nos permite verla al derecho.

**De día,** *los ojos no necesitan dejar pasar mucha luz, por lo que las pupilas son pequeñas. De noche, cuando hay menos luz, se agrandan para dejar pasar tanta luz como sea posible. Pequeños músculos cambian el tamaño del iris de color.*

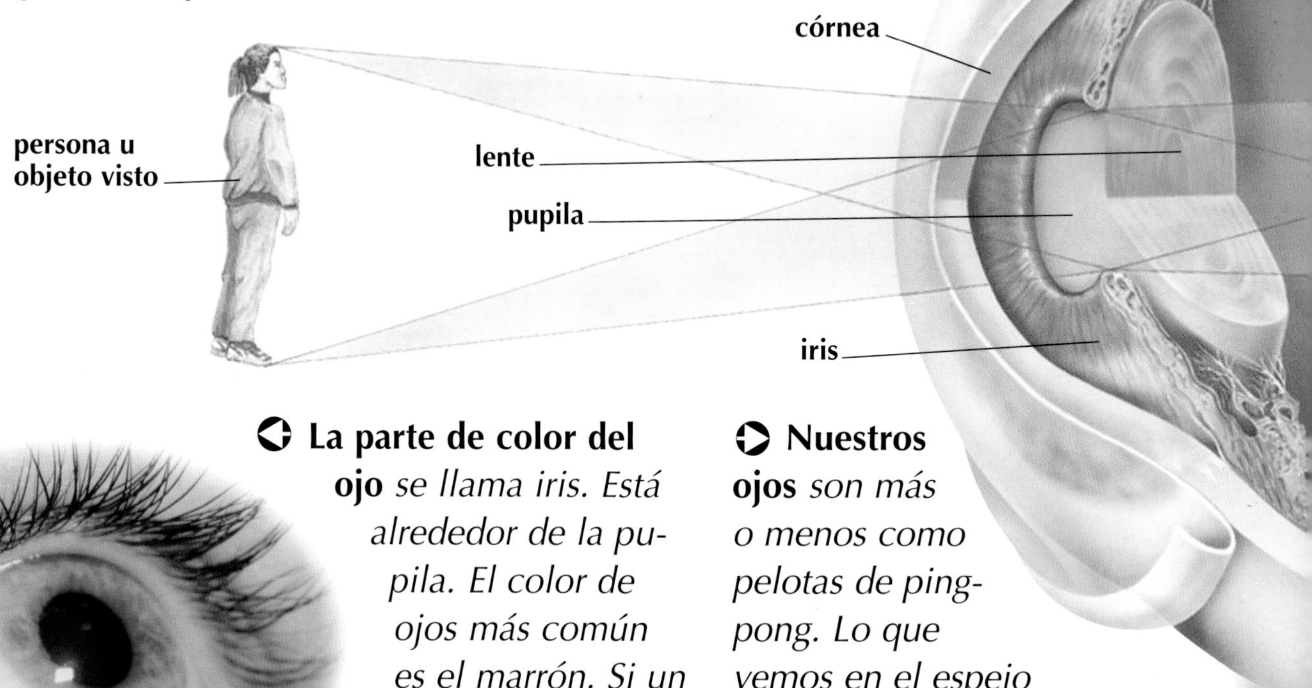

pupila pequeña de día

córnea

persona u objeto visto

lente

pupila

iris

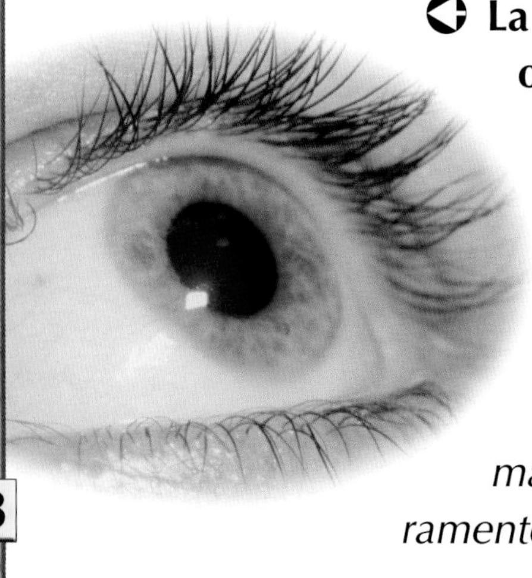

**La parte de color del ojo** *se llama iris. Está alrededor de la pupila. El color de ojos más común es el marrón. Si un progenitor tiene los ojos azules y el otro marrones, el hijo seguramente los tendrá marrones.*

**Nuestros ojos** *son más o menos como pelotas de ping-pong. Lo que vemos en el espejo es tan sólo una parte. La superficie del ojo está protegida por un escudo transparente: la córnea.*

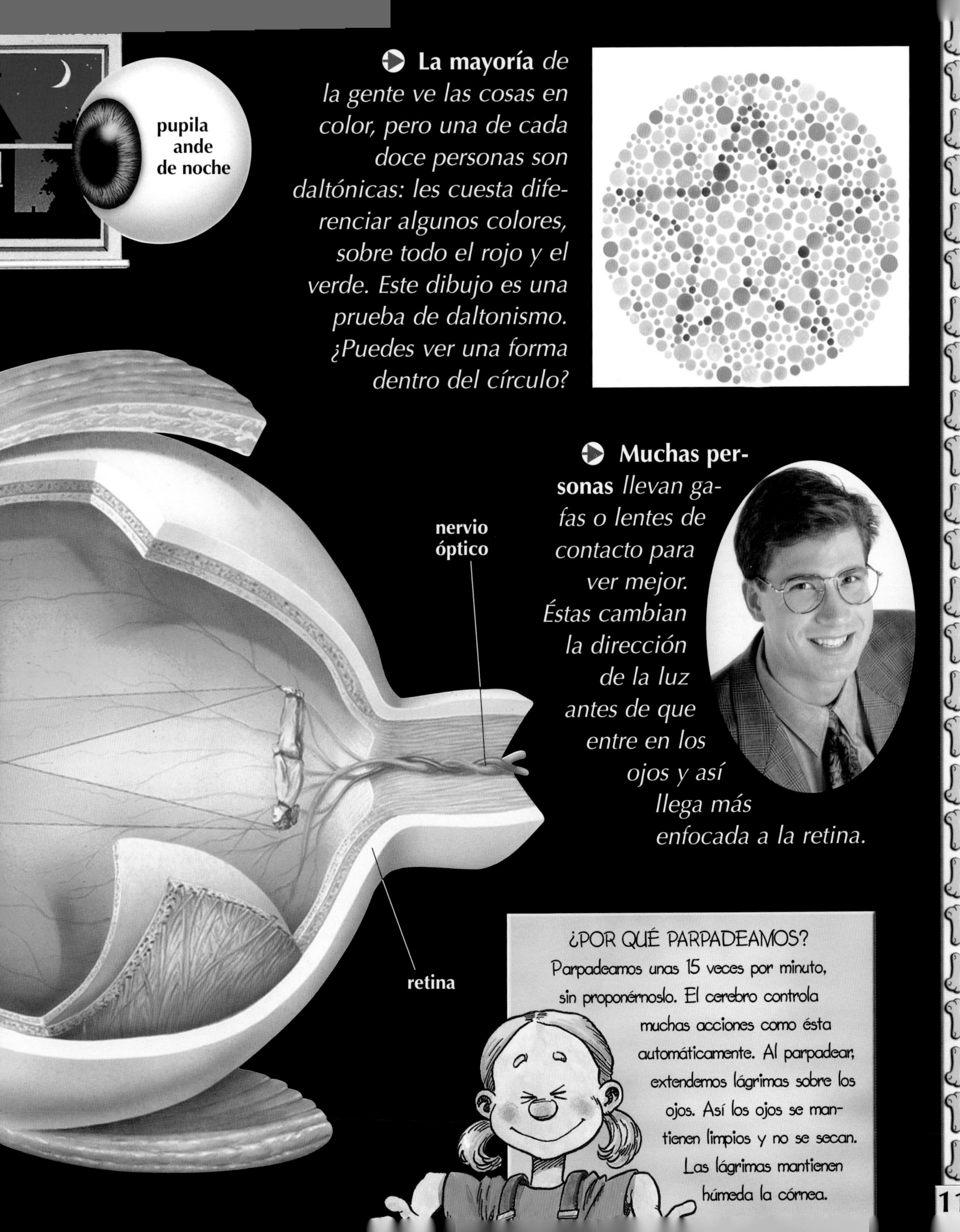


**La mayoría** *de la gente ve las cosas en color, pero una de cada doce personas son daltónicas: les cuesta diferenciar algunos colores, sobre todo el rojo y el verde. Este dibujo es una prueba de daltonismo. ¿Puedes ver una forma dentro del círculo?*

**Muchas personas** *llevan gafas o lentes de contacto para ver mejor. Éstas cambian la dirección de la luz antes de que entre en los ojos y así llega más enfocada a la retina.*

¿POR QUÉ PARPADEAMOS?

Parpadeamos unas 15 veces por minuto, sin proponérnoslo. El cerebro controla muchas acciones como ésta automáticamente. Al parpadear, extendemos lágrimas sobre los ojos. Así los ojos se mantienen limpios y no se secan. Las lágrimas mantienen húmeda la córnea.

# Tacto

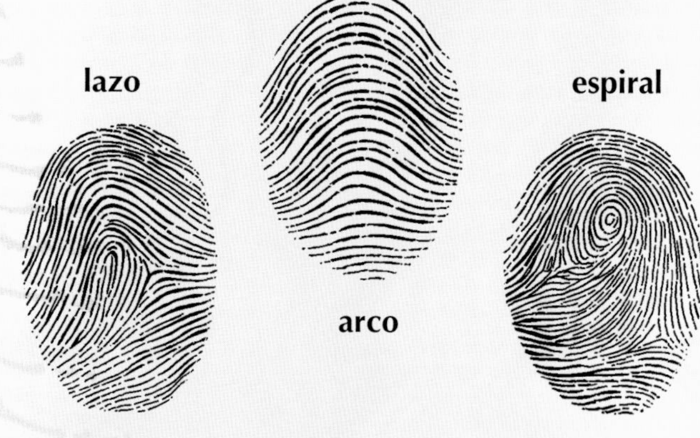


▲ **La yema de los dedos** *de cada persona tiene un dibujo distinto: es lo que llamamos huella dactilar. Éstos son los principales tipos.*

**Cuando tocamos algo, las terminaciones nerviosas que hay justo debajo de la superficie de la piel envían mensajes al cerebro a través del sistema nervioso central. El cerebro interpreta los mensajes.**

Los nervios nos ayudan a notar si algo está duro, blando o afilado, por ejemplo. También podemos sentir el calor y el frío. Algunas partes del cuerpo, como las yemas de los dedos, tienen muchas más terminaciones nerviosas que otras. También hay muchas en las plantas de los pies. Su piel, que puede medir hasta 3 mm, es mucho más gruesa que en otras partes del cuerpo.

▼ **El sentido del tacto** *nos aporta información sobre lo que nos rodea. Nos permite saber sobre las cosas sin verlas.*

**Las personas ciegas** *pueden leer y escribir usando un sistema que se llama Braille. Las letras del alfabeto Braille son un sistema de puntos en relieve que se pueden palpar y entender con las yemas de los dedos. El alfabeto Braille lo inventó un francés llamado Louis Braille (1809–1852). Perdió la vista a los tres años y luego fue organista y profesor.*

PROYECTO

PALPA Y ADIVINA

Mete muchos objetos diferentes en una bolsa. Elige cosas de tacto distinto, como una manzana, una naranja, un muñeco de peluche, un cepillo, una piedra, un lápiz... Pide a un amigo que meta una mano en la bolsa y adivine lo que toca. Luego pide a tu amigo que meta objetos distintos en la bolsa. Es tu turno: palpa y adivina.

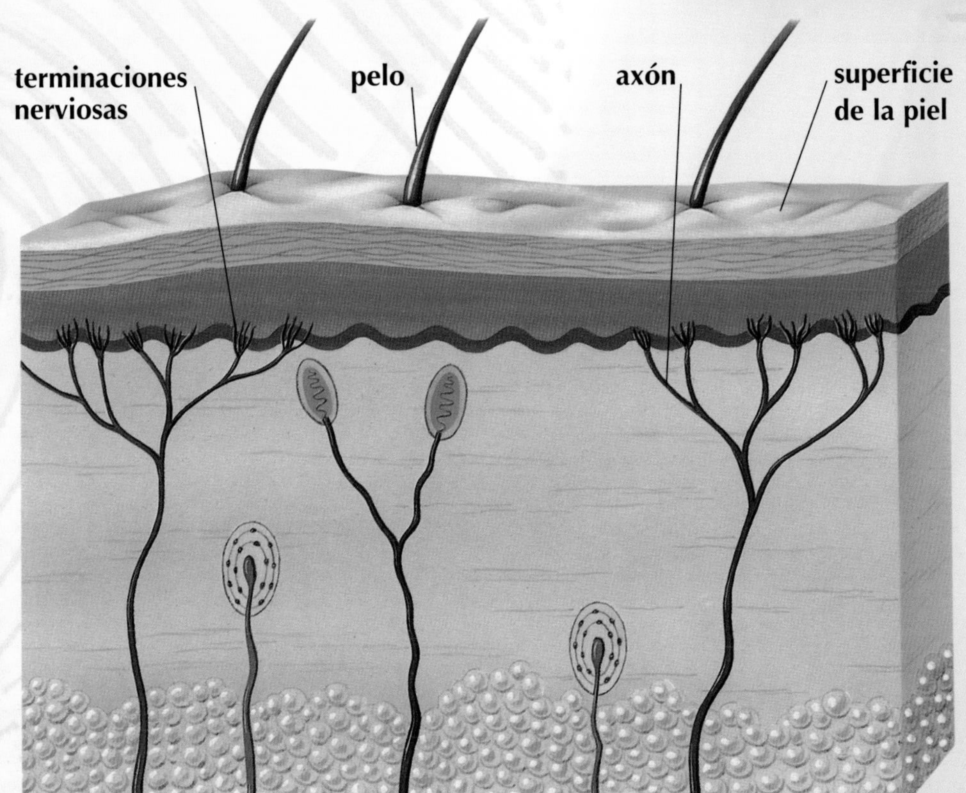


**Las terminaciones nerviosas** *están justo debajo de la superficie de la piel. Envían mensajes a través de finos axones. Las señales nerviosas pueden viajar por el cuerpo a 400 km/h, para llegar rápidamente al cerebro.*

# Cómo nace un bebé

**Todos nosotros empezamos como una célula diminuta dentro del cuerpo de nuestra madre. Un espermatozoide de nuestro padre se unió con un óvulo de nuestra madre. El óvulo empezó a crecer y dio lugar a un bebé.**

Los bebés crecen en el útero de la madre. Hasta que la célula (el óvulo) se convierte en un bebé totalmente desarrollado, pasan unos nueve meses. A medida que el bebé crece, el útero de la madre se ensancha para que tenga espacio. Cuando está listo, los músculos de la madre empujan para ayudarlo a salir.

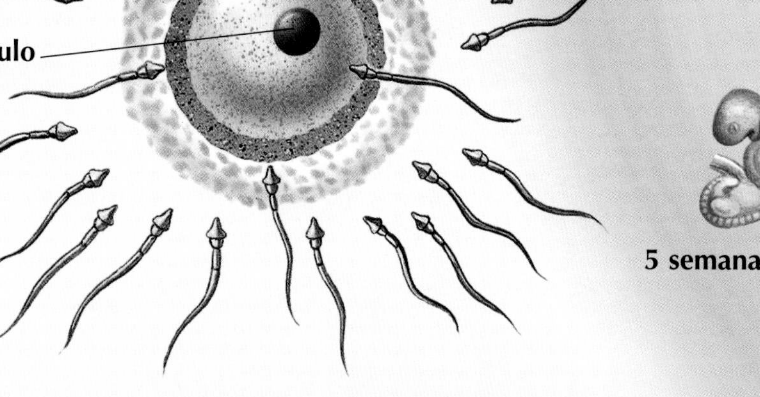


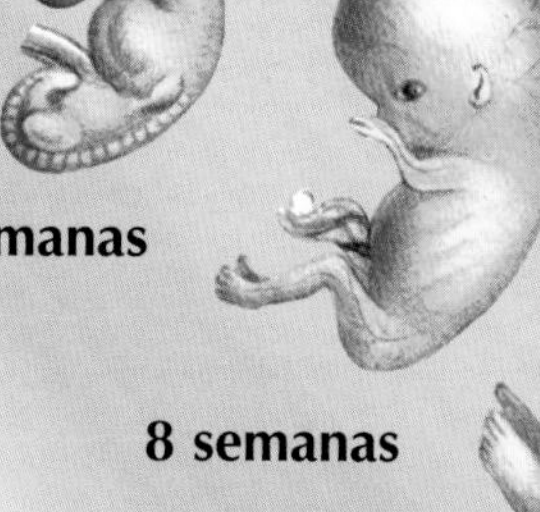


**El hombre produce espermatozoides.** *Cuando un espermatozoide se une con el óvulo de una mujer, el óvulo fecundado crece y se convierte en un bebé.*

**Estos órganos** *ayudan a una mujer y a un hombre a concebir un bebé. Los óvulos se forman en los ovarios de la mujer y bajan por las trompas de Falopio hasta cerca del útero. Los espermatozoides se forman en los testículos del hombre y van al pene.*

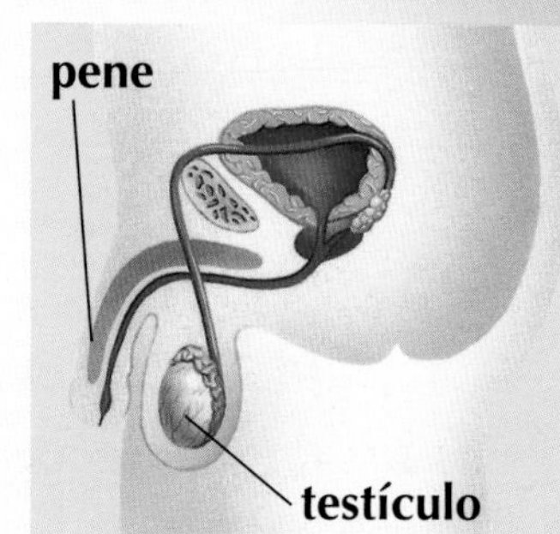


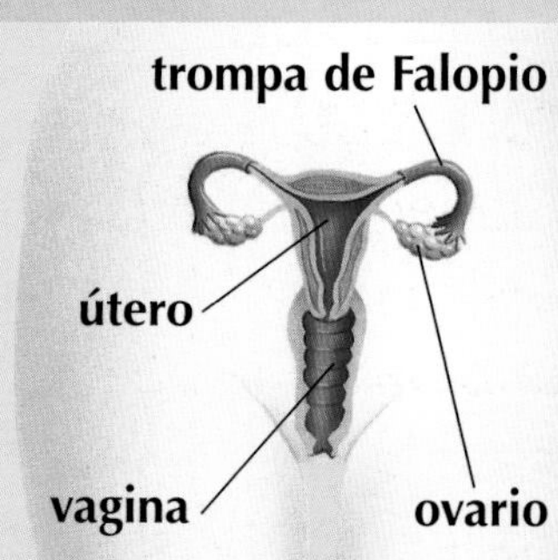

**Los médicos** *pueden comprobar la salud de un bebé antes de que nazca. Usan un escáner que muestra una imagen del interior del útero de la madre. Incluso pueden ver si es niño o niña.*

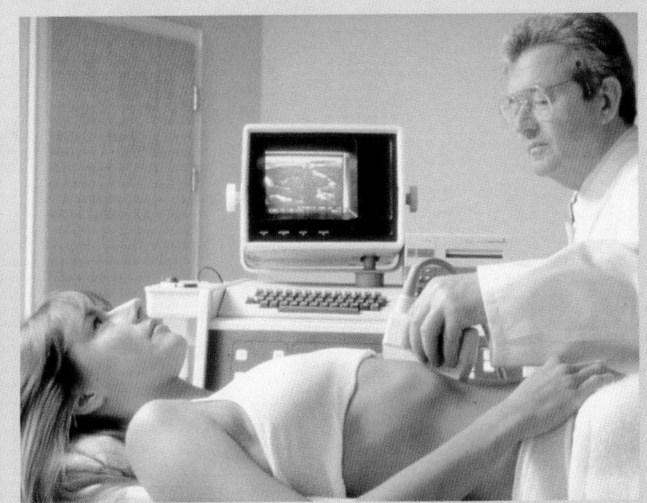

**Cuando los mismos padres** *tienen varios hijos, éstos son hermanos o hermanas. A veces, una madre tiene dos bebés al mismo tiempo; entonces son gemelos o mellizos y celebrarán su cumpleaños el mismo día.*

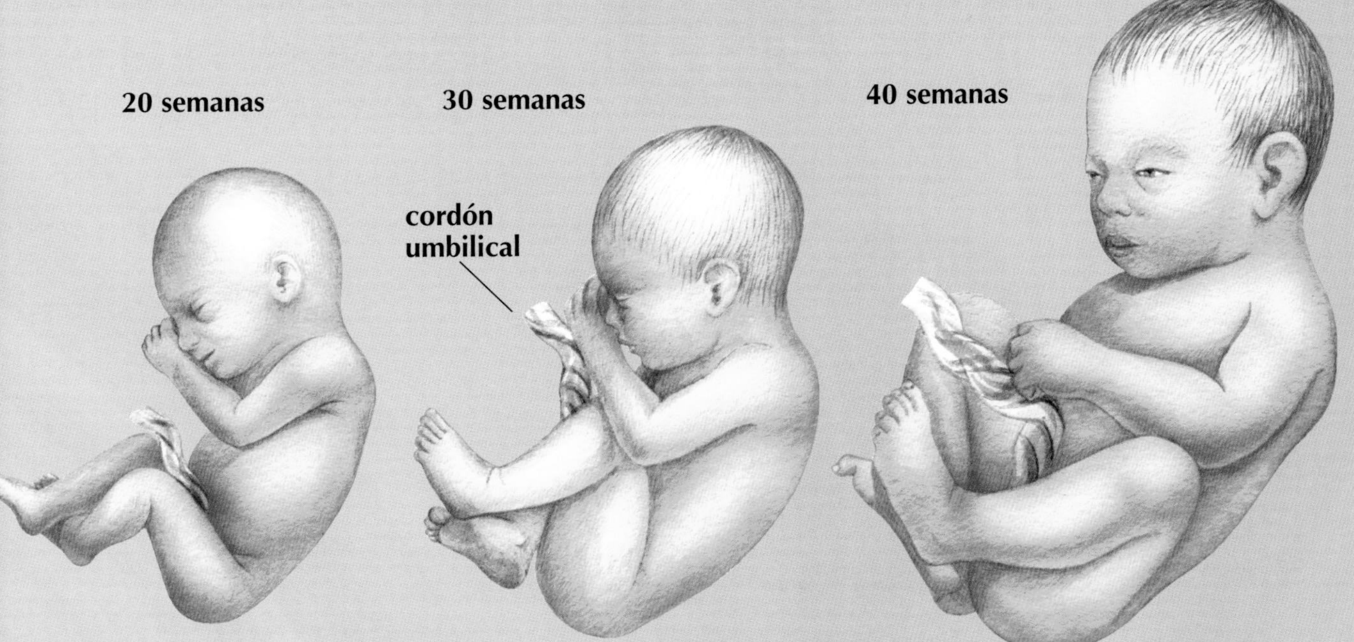


**Un bebé crece** *muy rápidamente en una bolsa de líquido cálido en el útero. Obtiene alimento y oxígeno del cuerpo de la madre a través de un tubo llamado cordón umbilical. Tras 8 semanas, mide unos 4 cm y tiene todos los órganos importantes. Cuando está listo para nacer, el bebé mide unos 50 cm. En cuanto nace, se le corta el cordón umbilical. Esto deja una marca al bebé en el estómago, que es lo que llamamos ombligo.*

# Crecer

**Los bebés necesitan muchos cuidados y cariño, ya que no saben cuidar de sí mismos. Pero los bebés crecen y aprenden muy deprisa, y los niños pequeños pronto saben hacer muchas cosas.**

Con dos años, un niño mide aproximadamente la mitad de la altura que tendrá de adulto. Los niños crecen rápidamente; a los nueve años, miden tres cuartos de su altura de adulto. Cuando llegan a la adolescencia, ya se han convertido en jóvenes adultos y empiezan a tomar sus decisiones y a independizarse. Cuando son adultos, suelen irse de casa de sus padres y, finalmente, tendrán sus propios hijos.

**A los niños les encanta jugar** *y aprenden mucho jugando. Cuando varios niños juegan juntos, aprenden a ayudarse unos a otros, además de aprender sobre lo que tocan.*

**Un bebé aprende** *muchísimo en poco tiempo. Aprende a usar las manos y los pies para gatear, antes de levantarse y dar sus primeros pasos.*

¡QUÉ ALTO!

La persona más alta del mundo fue Robert Wadlow (1918–1940). Con 10 años era más alto que la mayoría de los adultos y, finalmente, llegó a medir 2,72 m. Muchos adultos no miden ni dos tercios de esa altura.

**A casi todos los niños** *les gusta ir a la escuela, donde hacen amigos y se lo pasan bien. La escuela ayuda a los niños a prepararse para la vida adulta.*

**Cuando terminan de estudiar,** *la mayoría de las personas buscan un trabajo y empiezan a trabajar. Algunos trabajos (por ejemplo, doctor, abogado o profesor) necesitan una formación de muchos años.*

**Las personas mayores** *suelen retirarse del trabajo y dedican más tiempo a sus hobbys favoritos, como puede ser el bricolaje o la jardinería. Cada vez más personas viven más de 100 años. Jeanne Calment, que nació en Francia en 1875, falleció en 1997 a la increíble edad de 122 años.*

# Cuidar la salud

**Para mantenernos sanos, tenemos que cuidar nuestro cuerpo. Podemos comer adecuadamente, hacer mucho ejercicio, dormir todo lo que necesitamos y lavarnos para estar limpios.**

A veces no podemos hacer nada por evitar caer enfermos. Pero si llevamos una vida sana, seguramente nos mejoraremos con mayor rapidez.

Podemos evitar lo que sabemos que hace daño al cuerpo, como fumar, beber mucho alcohol o tomar drogas.

**A veces tenemos que ir al hospital,** *donde los médicos y las enfermeras nos ayudan a recuperarnos. Si te rompieses un hueso, tendrías que ir al hospital a recibir un tratamiento.*

También podemos vacunarnos contra muchas enfermedades, por vía oral o con una inyección. Una vacuna nos introduce una forma suave e inocua de la enfermedad para impedir que más tarde podamos contraer esa enfermedad.

**Muchos adultos** *van a un gimnasio para hacer ejercicio y mantenerse en forma. Los ejercicios de danza aumentan la flexibilidad.*

**Las moscas y otros animales** *pueden propagar gérmenes y enfermedades. Por eso es importante tener cuidado al almacenar y servir la comida, para que esté en buen estado.*

**Practicar deporte** *es una manera divertida de hacer ejercicio. El ejercicio ayuda a que los músculos, y también el corazón y los pulmones, sigan funcionando bien. También ayuda a mantener unos huesos fuertes. La natación aporta fuerza y flexibilidad, mientras que correr es bueno para la resistencia. Si no estás acostumbrado a hacer ejercicio, empieza poco a poco.*

**ATENCIÓN**

Tomar drogas es una manera segura de hacer daño a tu cuerpo y arruinar tu salud. Nunca tomes nada que creas que puede ser una droga o sobre lo que tengas dudas.

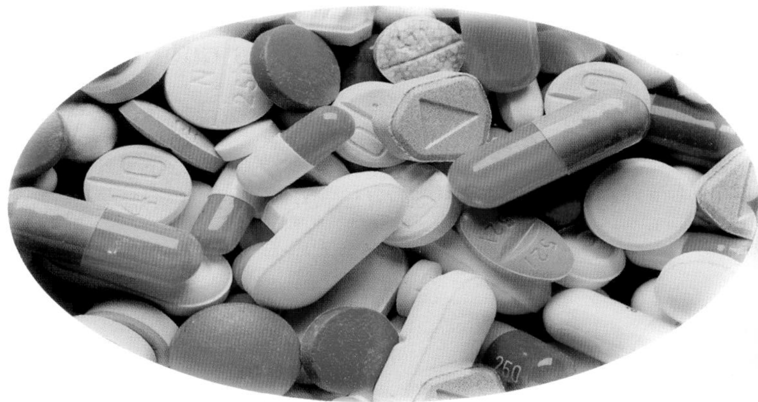

**Cuando estamos enfermos,** *puede que el médico nos recete pastillas o algún otro medicamento. Sigue siempre las indicaciones de tu médico y nunca tomes nada sin permiso.*

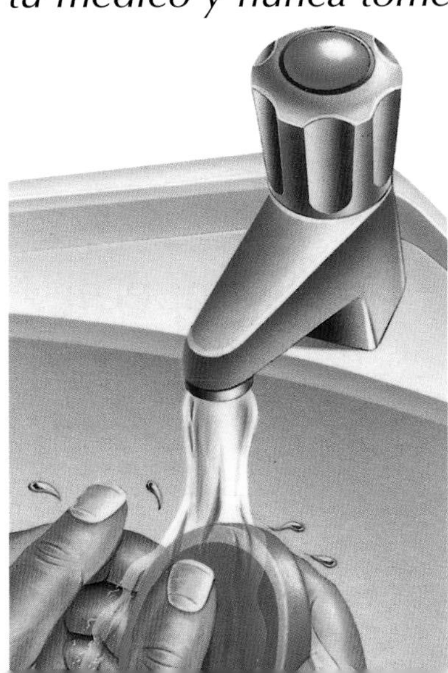

**Lavarnos con agua y jabón** *nos ayuda a estar limpios y a eliminar los gérmenes. Lávate siempre las manos después de ir al baño.*

# Cuestionario

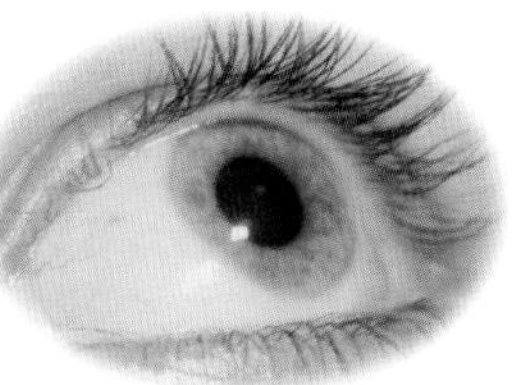

1. ¿Qué parte del cuerpo nos ayuda a pensar y a movernos? (p. 90)
2. Estamos formados por miles de millones de pequeñas unidades vivas. ¿Cómo se llaman? (p. 91)
3. ¿Cómo se llama nuestra estructura ósea? (p. 92)
4. Al final del día, ¿qué es posible, que seas más alto o más bajo? (p. 92)
5. ¿Cuántos músculos hay aproximadamente en el cuerpo humano? (p. 94)
6. ¿Qué músculo trabaja junto con el bíceps? (p. 95)
7. ¿Cuántos litros de sangre contiene el cuerpo de una persona adulta? (p. 96)
8. ¿Cómo se llaman los vasos sanguíneos por los que sale la sangre del corazón? (p. 97)
9. Cuando corres, ¿tu corazón late más deprisa o más lentamente? (p. 98)
10. ¿Qué usan las personas que padecen asma para que les sea más fácil respirar? (p. 99)
11. ¿Qué vibra en la garganta para producir sonidos? (p. 100)
12. ¿Por qué tosemos? (p. 100)

13. ¿Dónde está la médula espinal? (p. 102)
14. ¿Qué mitad del cerebro controla la parte izquierda del cuerpo? (p. 103)
15. ¿Cuántas horas al día necesitan dormir los bebés? (p. 104)
16. ¿Qué podrías hacer si tu cuerpo necesita oxígeno adicional? (p. 104)
17. ¿Pueden varias personas tener las mismas huellas dactilares? (p. 106)
18. ¿De qué están hechas las uñas? (p. 107)
19. ¿Cómo se llaman los dientes más afilados que tenemos? (p. 108)
20. ¿Qué podemos ponernos para corregir los dientes torcidos? (p. 109)
21. ¿Adónde van los alimentos mezclados cuando salen del estómago? (p.110)
22. ¿Qué hace el intestino grueso? (p. 111)
23. ¿Por qué nos es útil la fibra? (p. 112)
24. ¿Qué tipo de alimentos son el pan y la pasta? (p. 113
25. ¿Qué parte de la lengua detecta las cosas amargas? (p. 114)
26. ¿Qué nervio va de la nariz al cerebro? (p. 115)
27. ¿Qué hueso mueve el martillo? (p. 117)
28. ¿El sonido viaja a través de los líquidos? (p. 117)
29. ¿En qué parte del ojo se desvía la luz? (p. 118)
30. Con la luz del día, ¿nuestras pupilas son grandes o pequeñas? (p. 118)
31. ¿Adónde envían mensajes las terminaciones nerviosas? (p. 120)
32. ¿Cómo se llama el alfabeto que usan las personas ciegas? (p. 121)
33. ¿En qué parte del cuerpo de la madre crece el bebé? (p. 122)
34. ¿Qué es el ombligo? (p. 123)
35. ¿Los bebés aprenden rápida o lentamente? (p. 124)
36. ¿Cuánto medía la persona más alta del mundo? (p. 125)
37. ¿Cómo actúa una vacuna? (p. 126)
38. ¿Qué puede ayudar a que nuestros músculos, corazón y pulmones sigan funcionando bien? (p.127)

# Animales

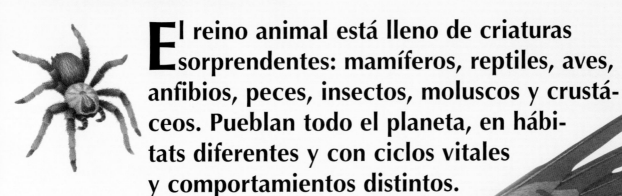

**El reino animal está lleno de criaturas sorprendentes: mamíferos, reptiles, aves, anfibios, peces, insectos, moluscos y crustáceos. Pueblan todo el planeta, en hábitats diferentes y con ciclos vitales y comportamientos distintos. Tenemos mucho que aprender sobre los animales, y también hay cosas que podemos aprender de ellos.**

¿Qué mamíferos vuelan? ¿Qué es un marsupial? ¿Dónde viven los pingüinos? Éstas y muchas otras preguntas tienen respuestas fascinantes que nos enseñan cosas sobre las criaturas con las que compartimos la Tierra.

También debemos aprender a respetar y cuidar a los animales amenazados por nuestra forma de vida.

# Mamíferos

**En el grupo de los mamíferos hay muchos animales. Los mamíferos tienen pelo o una piel gruesa para no pasar frío. Las crías se alimentan con leche de sus madres.**

Hay mamíferos en todo el planeta, desde los polos hasta los trópicos. La mayoría de los mamíferos son terrestres, pero las ballenas viven en el mar y los murciélagos pueden volar. Son animales de sangre caliente.

**Este impala** *tiene unos cuernos curvados. Los machos a veces los usan para pelear. Los impalas viven en manadas en África. Sus principales enemigos son los leones, los leopardos y los perros salvajes.*

**Algunos mamíferos,** *como este gato, tienen bigotes. Los bigotes les ayudan a sentir las cosas y a orientarse.*

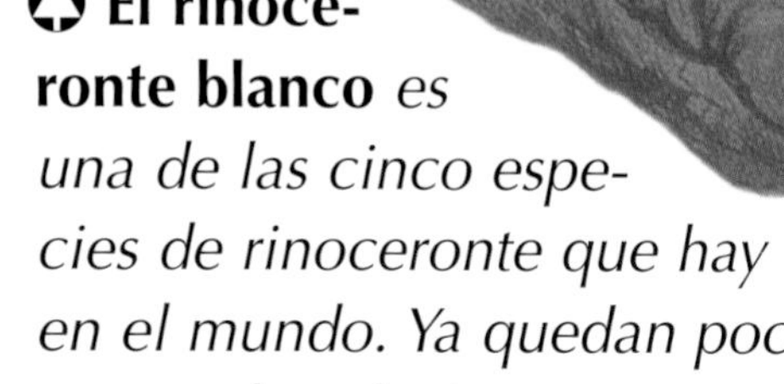

**El rinoceronte blanco** *es una de las cinco especies de rinoceronte que hay en el mundo. Ya quedan pocos en estado salvaje.*

**Los osos** *son grandes mamíferos de patas fuertes y enormes zarpas. Los osos polares viven en las regiones árticas. A mediados del invierno, las hembras cavan guaridas en la nieve para dar a luz a sus cachorros, protegidas del frío y del viento. Los cachorros permanecen en la guarida unos tres meses. Su madre los alimenta con su leche, aunque ella no come nada. En primavera sale a buscar comida, como las focas.*

**Los cerdos de granja** *son descendientes de los jabalíes salvajes. Los granjeros los crían por su carne. Todos los gorrinos maman leche de la madre al mismo tiempo.*

El mamífero más grande es la ballena azul y, de los terrestres, el elefante africano. La jirafa es el más alto y el guepardo es el más rápido. El más pequeño es el murciélago de nariz porcina.

**El puerco espín** *está cubierto de largas púas, que levanta y hace sonar para alejar a sus enemigos.*

# Simios y monos

**Los simios generalmente son más grandes que los monos y no tienen cola. Hay cuatro tipos de simio. Los gorilas y los chimpancés sólo viven en África; los orangutanes y los gibones sólo viven en el sudeste asiático.**

La mayoría de los simios y monos viven en las selvas tropicales o en llanuras cubiertas de hierba. Normalmente, viven en grandes grupos. Cada grupo tiene un líder, que suele ser un macho viejo fuerte. Tienen buena vista, buen oído y buen olfato.

**Los mandriles macho** *tienen caras llenas de color. Los mandriles viven en los bosques de África, en grupos familiares. Suelen estar en el suelo, pero duermen en los árboles. Comen frutos y pequeños animales.*

**Los orangutanes** *viven en reservas en las selvas tropicales de Borneo y Sumatra. En malayo, el nombre de este simio significa "hombre del bosque".*

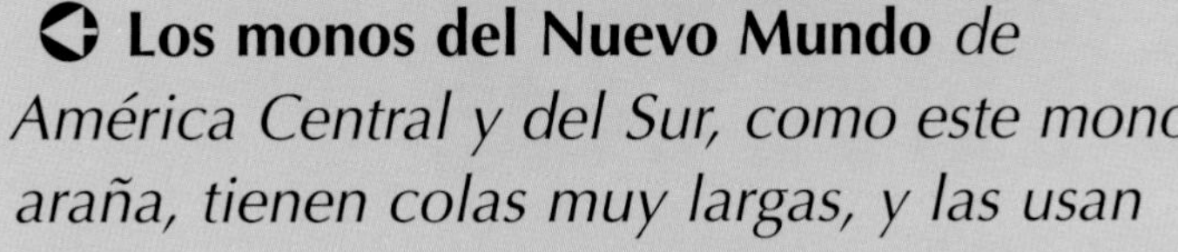

**Los monos del Nuevo Mundo** *de América Central y del Sur, como este mono araña, tienen colas muy largas, y las usan para sujetarse a las ramas y balancearse entre los árboles.*

UNA MONADA DE MÓVIL

PROYECTO

Calca el mono de la derecha y recorta la silueta. Úsala como plantilla para dibujar tres monos en una cartulina y recórtalos. Dibújales la cara. Haz un pequeño agujero en cada mono y ata un trozo de hilo en cada uno. Ata los monos a una tira de cartulina enrollada y fija los nudos con pegamento.

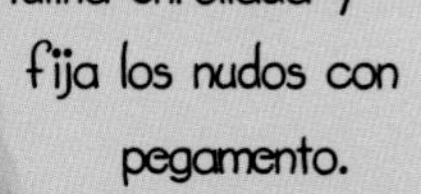

**Los chimpancés** *tienen buenas manos. Las usan para acicalarse y quitarse parásitos unos a otros. Estos simios, semejantes a los humanos, también usan palos para obtener miel de las colmenas y piedras para cascar los frutos secos.*

**El gorila** *es el simio más grande. Los machos pueden superar los 1,8 m de altura (como un hombre alto). Son muy fuertes, pero también son pacíficos y dóciles. Sólo comen plantas.*

# Elefantes

**Hay dos especies (o dos tipos) de elefante: el africano y el asiático. El elefante africano es el animal terrestre más grande. Los machos pueden llegar a medir 4 m hasta los hombros: más del doble que un hombre alto. Y pueden pesar hasta 7 toneladas, ¡lo equivalente a 90 personas!**

El elefante asiático es más pequeño y tiene orejas más pequeñas. Vive en la India, Sri Lanka y el sudeste de Asia.

**A los elefantes les encanta bañarse.** *Incluso pueden ducharse sorbiendo agua con la trompa y rociándola luego sobre su cuerpo. Cuando nadan en el río, a veces usan la trompa como tubo respirador: aunque ellos se sumerjan, sacan la trompa para poder respirar.*

¿LOS ELEFANTES SE CUIDAN EL CUTIS?

¡Sí! Para que no se les agriete la piel, los elefantes se revuelcan y rebozan en barro fresco, que se seca sobre su cuerpo. Esta capa les protege del sol abrasador y también de las moscas y las garrapatas.

**Los elefantes asiáticos** *se usan en la industria maderera, pues pueden levantar y transportar cargas muy pesadas. Una persona se sienta detrás de la cabeza del animal para dirigirlo.*

Las elefantas viven en grupos familiares, que a menudo se unen en grandes manadas. Cada grupo está dirigido por la hembra más vieja, que decide adónde debe ir la manada en busca de comida y agua. Los elefantes machos adultos suelen vivir solos.

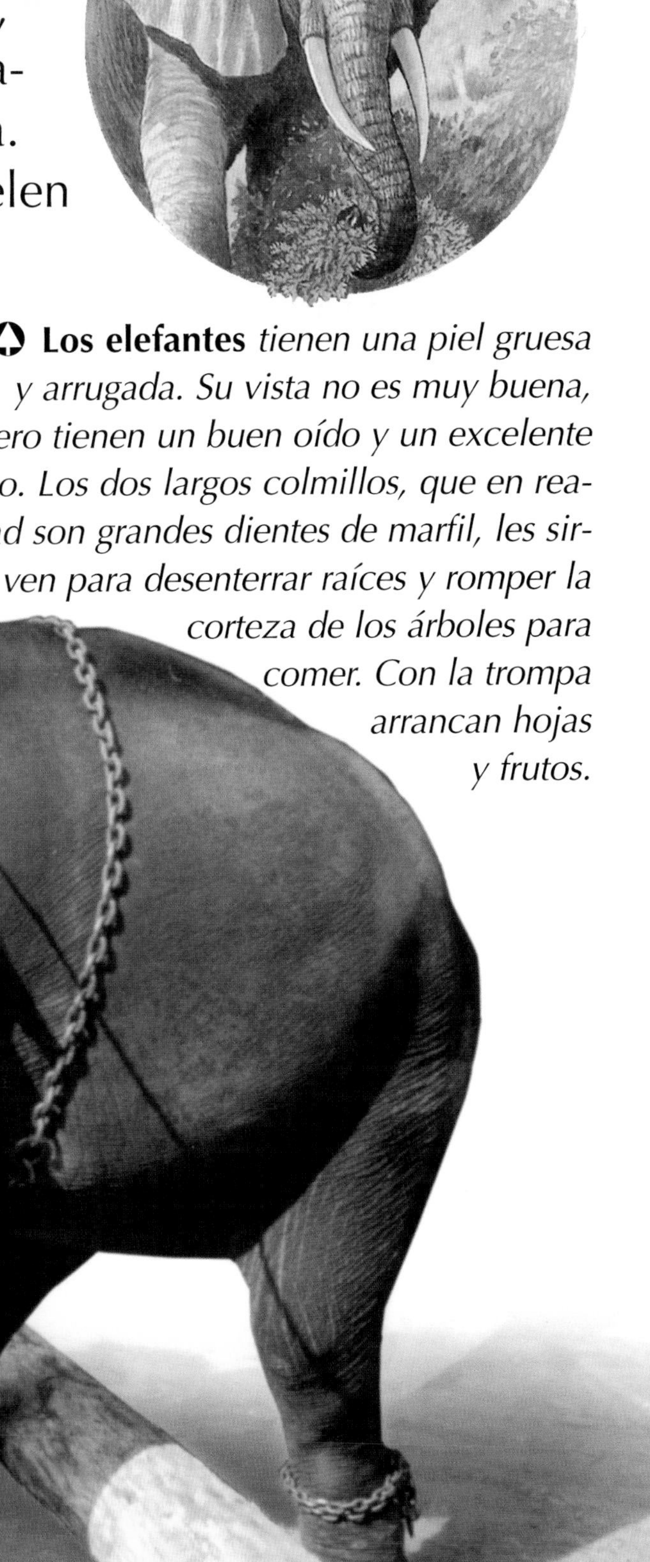

**Los elefantes** *tienen una piel gruesa y arrugada. Su vista no es muy buena, pero tienen un buen oído y un excelente olfato. Los dos largos colmillos, que en realidad son grandes dientes de marfil, les sirven para desenterrar raíces y romper la corteza de los árboles para comer. Con la trompa arrancan hojas y frutos.*

# Felinos

**Hay varias especies, o tipos distintos, de felinos. Incluso los felinos salvajes más grandes son parientes de nuestros gatos domésticos.**

Todos los felinos son carnívoros. Tienen cuerpos fuertes aptos para la caza. Para ayudarles a cazar su presa, tienen una vista muy aguda y un buen olfato. Además, son muy rápidos. Aunque su tamaño y pelaje varía, todos los felinos tienen una forma parecida.

**Los gatos domésticos** *están acostumbrados a vivir con personas y a que los alimente su propietario. Sin embargo, a veces cazan ratones y pájaros.*

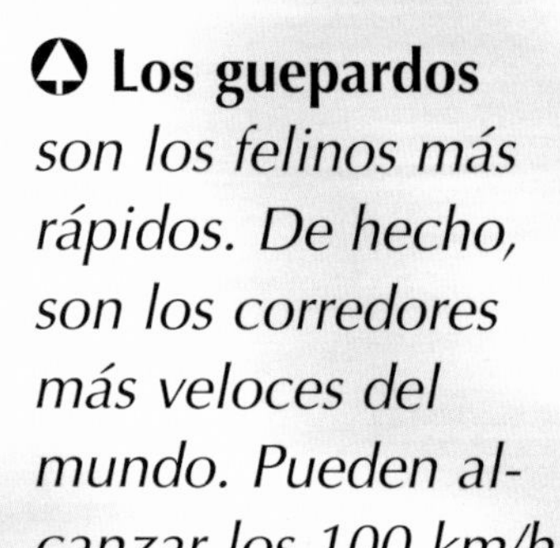

**Los guepardos** *son los felinos más rápidos. De hecho, son los corredores más veloces del mundo. Pueden alcanzar los 100 km/h.*

**Miembros de la familia de los felinos:** *se parecen, pero tienen modos de vida distintos.*

**Los tigres** *son los felinos más grandes. De la cabeza a la cola, pueden medir hasta 3,6 m. Las hembras son muy buenas madres con sus cachorros. A diferencia de los gatos domésticos y de muchos grandes felinos, a los tigres les gusta el agua. Durante la parte más calurosa del día, les gusta refrescarse en los estanques. Estos fuertes animales son excelentes nadadores y cruzan fácilmente los ríos.*

**Los leones** *son los únicos felinos que viven en grupos, o manadas. Los machos tienen espesas melenas de pelo. Ellos suelen descansar mientras dejan que las leonas se encarguen de la caza. Otros machos pueden desafiar al macho más fuerte, que debe pelear para conservar su rango de macho dominante.*

¿POR QUÉ TIENEN MANCHAS LOS LEOPARDOS?

Porque así es difícil verlos. El pelo amarillo con manchas negras parece la luz brillando entre las hojas. Esto se llama camuflaje y ayuda a los leopardos a esconderse de sus presas.

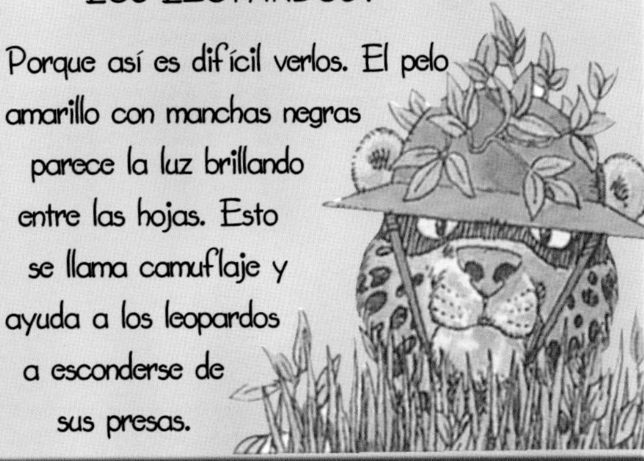

# Ballenas y delfines

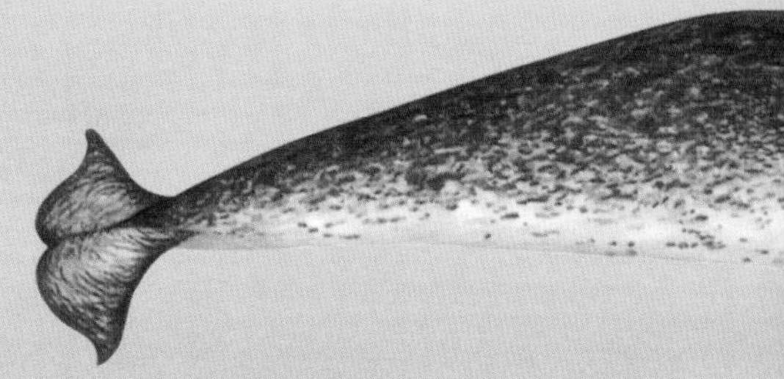

**Las ballenas y los delfines no son peces, son mamíferos. A diferencia de los peces, no pueden respirar debajo del agua. Por eso suben a menudo a la superficie a coger aire.**

Las ballenas y los delfines respiran por un orificio nasal que tienen encima de la cabeza. Cuando expelen el aire usado, suelen expulsar un chorro de agua al mismo tiempo.

**La ballena azul** *es el animal más grande del planeta. Puede medir hasta 33 m y pesar más de 150 toneladas. Las ballenas azules nadan en todos los océanos, normalmente solas o en pequeños grupos. En lugar de dientes, tienen unas tiras de barbas, también llamadas ballenas. Cuando tragan agua, pequeños camarones (krill) quedan atrapados en estas barbas.*

**ballena azul**

**Los delfines comunes** *pueden saltar del agua a gran velocidad. Los delfines nadan a unos 30 km/h, más del triple de lo que pueden alcanzar los humanos más rápidos.*

**El narval** *es una pequeña ballena del Ártico. Sólo tiene dos dientes, y el izquierdo se desarrolla en forma de larga espiral. Las orcas y los cachalotes también tienen dientes, y los delfines son pequeñas ballenas con dientes.*

**Los calderones,** *como el de la parte superior de la foto, tienen la cabeza grande y redonda. Viven en grandes grupos, llamados bancos, de cientos o miles de miembros. El otro es un delfín mular.*

### BALLENAS A ESCALA

**PROYECTO**

Dibuja ballenas y delfines a escala. Puedes usar la escala 1:100. Esto significa que debes dibujar un centímetro por cada metro real, por lo tanto, tu ballena azul medirá 33 cm. Las longitudes reales de estos animales son: el delfín común, 2 m; el delfín mular, 4 m; el narval, 6 m; el calderón, 8 m; la orca, 9 m; y la gran ballena azul, 33 m.

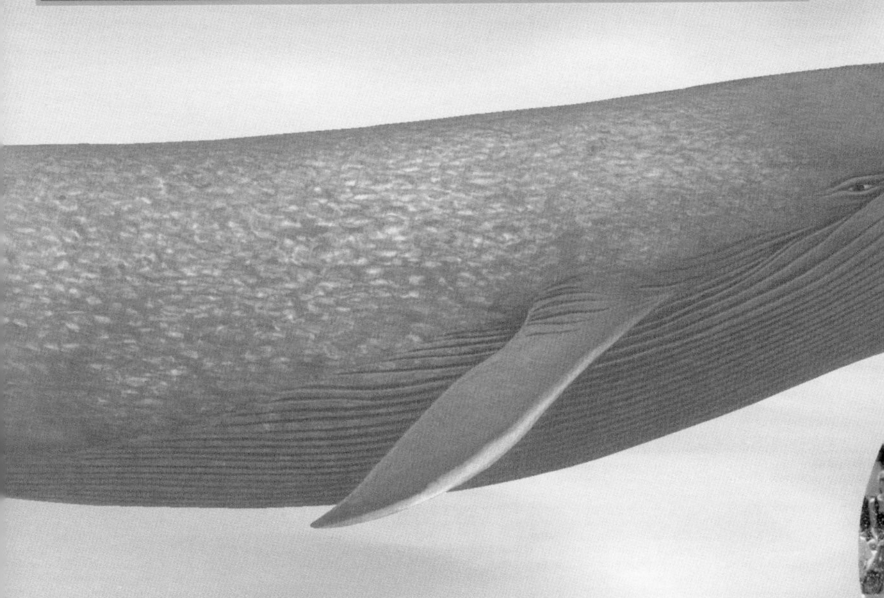

**Algunos delfines y ballenas** *viven en cautividad en parques zoológicos y delfinarios. Las orcas son excelentes artistas; pueden dar saltos de hasta 5 m.*

# Murciélagos

**Los murciélagos son diferentes de todos los demás mamíferos porque pueden volar. No tienen alas de plumas como los pájaros, sino que tienen capas dobles de piel entre finos huesos.**

Hay cerca de mil tipos distintos de murciélagos. Casi todos son nocturnos, es decir, sólo son activos por la noche. Durante el día duermen y, por la noche, salen a buscar alimento. La mayoría de los murciélagos sólo comen insectos, pero algunos también se alimentan de frutos y néctar, y otros cazan pequeños animales. Viven en casi todo el planeta, excepto en las frías regiones polares.

**Los murciélagos** *descansan y duermen colgados de los pies. Suelen vivir en cuevas, donde puede haber miles de murciélagos apilados en las paredes y los techos. En una cueva de Texas, se hallaron 20 millones de murciélagos coludos en una sola colonia.*

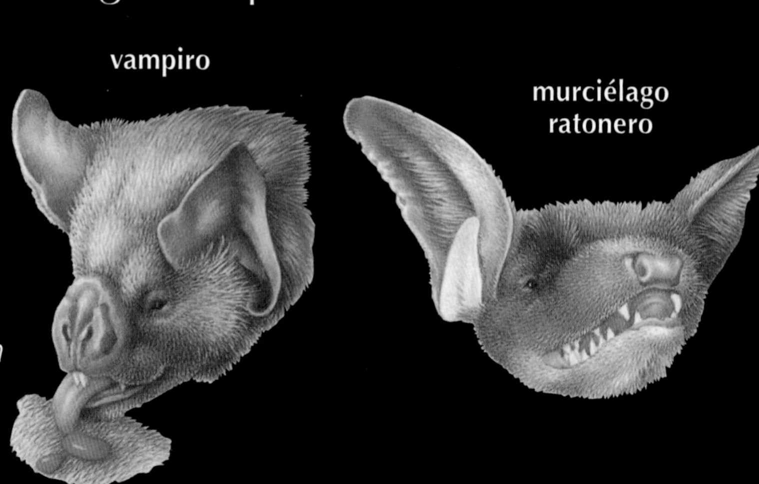


**Tres murciélagos distintos.** *El vampiro vive en América Central y del Sur. Usa sus dientes afilados y su lengua en forma de trompa para chupar la sangre de otros animales. El cuerpo de un vampiro sólo mide unos 10 cm de largo, pero sus alas tienen una envergadura de hasta 18 cm.*

**Los murciélagos usan el eco** *de sus agudos chillidos para cazar insectos. Los ecos les ayudan a hacerse una imagen sonora de lo que les rodea. Apenas necesitan usar los ojos, pero no es cierto que sean ciegos.*

**Todos los murciélagos** *tienen unas orejas grandes y muy sensibles para orientarse con el eco de los agudos sonidos que producen. La mayoría tiene dientes afiladísimos.*

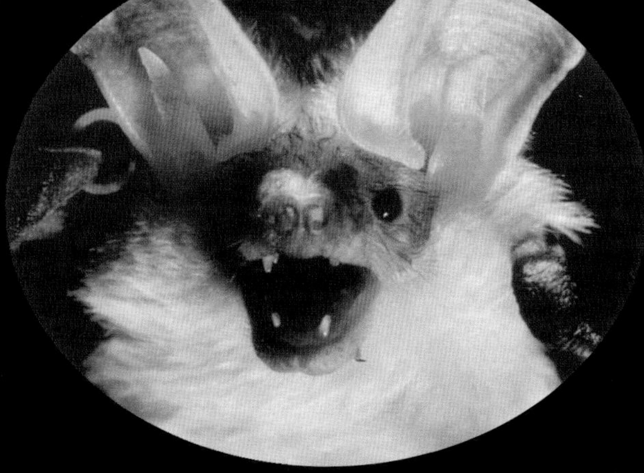

**Los murciélagos** *son criaturas pequeñas con grandes alas. Sus largos brazos acaban en cuatro dedos y un fuerte pulgar ganchudo. Con las alas plegadas, usan los pulgares para trepar por los árboles o las rocas.*

**murciélago de herradura**

¿LOS MURCIÉLAGOS PESCAN?

Algunos murciélagos pescan, del mismo modo que lo hacen algunos pájaros. El murciélago pescador de México vive cerca de manglares. Cuando caza, se lanza en picado sobre el agua y, con sus patas traseras en forma de garra, atrapa pequeños peces y se los come.

# Marsupiales

**El pequeño opósum de la miel** *se alimenta de polen y néctar. Su cola, de 10 cm, es más larga que su cuerpo. La usa para sujetarse, como los monos.*

**Los marsupiales son un grupo de mamíferos especiales. A diferencia de todos los demás animales, las hembras tienen una bolsa. Como sus crías son muy pequeñas cuando nacen, se quedan en la bolsa y se alimentan de la leche de su madre hasta que crecen suficientemente. En la bolsa, la cría está caliente y a gusto.**

La mayoría de los marsupiales, como los canguros, los koalas o los uombats, viven en Australia. La zarigüeya, más pequeña, vive en América del Norte y del Sur.

**Los ualabíes** *parecen pequeños canguros. Tienen una cola larga y grandes patas traseras. Se desplazan dando saltos, como los canguros.*

CARRERA DE CANGUROS

**PROYECTO**

Dibuja dos canguros en una cartulina y recórtalos. Hazles un agujero justo debajo de la cabeza y pasa un cordel por el agujero. Ata un extremo de cada cordel a la pata de una silla y tumba a los corredores de espaldas a un par de metros de distancia. Ahora tú y un amigo podéis hacer correr a vuestros canguros dando pequeños tirones del cordel. La silla es la meta.

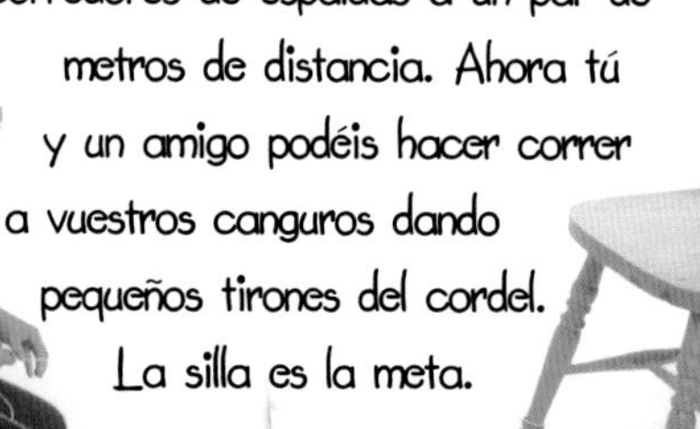

**Los koalas** *son escaladores expertos. Pasan la mayor parte del tiempo encaramados a los eucaliptos, comiendo brotes tiernos. Aunque parecen ositos, no tienen nada que ver con la familia de los osos.*

**Esta canguro hembra** *tiene una cría en su bolsa, también llamada marsupio. Gracias a sus enormes patas posteriores, puede dar saltos de más de 9 m.*

**Cuando la cría de canguro** *ya ha salido de la bolsa, si hay peligro, vuelve a esconderse dentro, se enrosca y asoma la cabeza.*

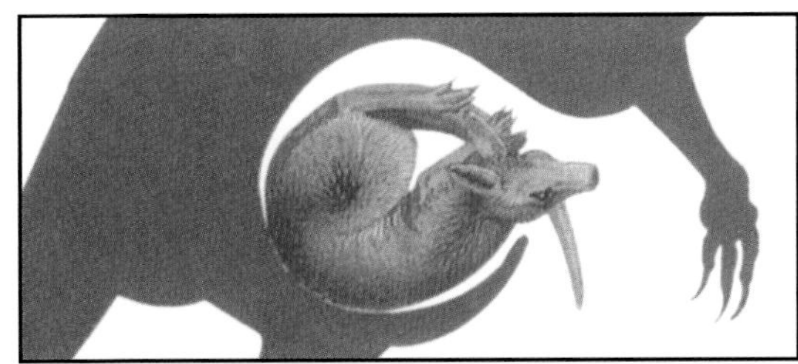

¿LOS CANGUROS BOXEAN?

A veces, los canguros macho ponen a prueba sus fuerzas. De pie sobre sus patas traseras, pelean con las patas delanteras y parece que estén boxeando. También se apoyan en la cola para dar patadas con las patas traseras, lo cual hace más daño.

# Reptiles

**Las serpientes, los lagartos y los cocodrilos son reptiles. A diferencia de los mamíferos, estos animales de piel escamosa son de sangre fría. Por eso necesitan tomar mucho el sol para calentarse.**

Hay reptiles terrestres y acuáticos. La mayoría vive en regiones cálidas; y algunos, en el desierto. Si hace demasiado calor, o mucho frío en invierno, se esconden en madrigueras.

La mayoría tiene cuatro patas, pero las serpientes son largos reptiles sin patas. Todas las serpientes son carnívoras, y algunas matan a sus presas

**La mayoría de los reptiles ponen huevos,** *blandos y coriáceos. Las serpientes ponen sus huevos en agujeros poco profundos y los cubren con tierra. Cuando las crías salen del cascarón, tienen que cuidarse solas.*

**La iguana** *tiene una armadura que la protege de sus enemigos. Tiene escamas puntiagudas y una cresta detrás de la cabeza. Vive en las regiones secas y los desiertos de América. Se alimenta de hormigas. La hembra pone los huevos en un agujero en el suelo.*

**Las boas esmeralda** *viven en las selvas tropicales de América del Sur. Se enroscan en las ramas de los árboles, al acecho de sus presas: pájaros y murciélagos. Son rápidas y nadan muy bien.*

con el veneno de sus colmillos huecos.

La serpiente más larga es la pitón reticulada del sudeste asiático. Puede medir hasta 9 m. El lagarto más grande es el dragón de Komodo, de la isla de Komodo, en Indonesia. Puede medir 3 m.

**Los camaleones** *son lentos y viven en los árboles. Si ven un insecto a su alcance, lo cazan con un rápido movimiento de su lengua, larga y pegajosa. Pueden cambiar de color según su estado de ánimo o el entorno.*

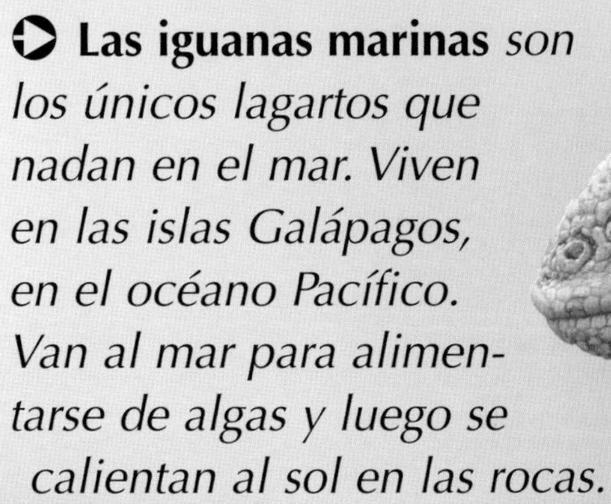

**Las iguanas marinas** *son los únicos lagartos que nadan en el mar. Viven en las islas Galápagos, en el océano Pacífico. Van al mar para alimentarse de algas y luego se calientan al sol en las rocas.*

# Tortugas y cocodrilos

**Las tortugas tienen un duro caparazón de láminas óseas. Las tortugas marinas se mueven lentamente por la tierra, pero son excelentes nadadoras. Las tortugas terrestres pasan todo el tiempo en tierra.**

Los cocodrilos y los caimanes pertenecen al grupo de reptiles crocodilianos. Son animales grandes y fuertes, de enormes colas y poderosas mandíbulas. Viven en el agua o sus cercanías, principalmente en los ríos de países cálidos. En largos períodos de tiempo caluroso y seco, los cocodrilos pueden dormir enterrados en el barro, hasta que cambie el tiempo.

**Las tortugas verdes** *pasan casi todo el tiempo en el mar. Sólo salen para dormir y para poner los huevos. En la época de anidamiento, pueden viajar miles de kilómetros para poner sus huevos en la playa donde nacieron.*

**Los careys** *viven cerca de las costas rocosas y los arrecifes de coral. Las hembras ponen unos 150 huevos de una vez.*

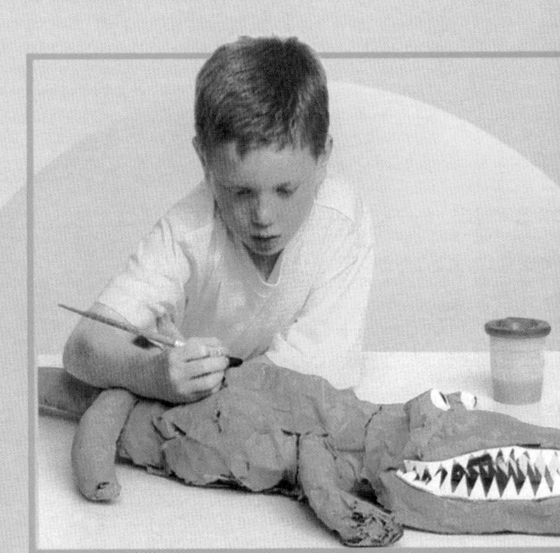

**El gavial** *es un tipo de cocodrilo con un hocico largo y puntiagudo. Tiene unos 100 dientes afilados, que usa para cazar peces y ranas. Los gaviales viven en los grandes ríos de Malasia y el norte de la India.*

**Las tortugas gigantes** *de las islas Galápagos son enormes. Pueden pesar más de 91 kg.*

**Los caimanes del Misisipí** *viven en los ríos y los pantanos del sudeste de EE.UU. Las hembras son buenas madres: llevan en la boca a sus crías recién salidas del cascarón hasta un estanque cercano. Pueden llegar a medir más de 4,5 m de largo.*

**PROYECTO**

COCODRILO DE PAPEL

Arruga hojas de periódico en bolas de diferentes tamaños y disponlas en forma de cocodrilo. Forma dos mandíbulas y cuatro patas. Luego, pégalo todo junto con cinta adhesiva. Mezcla tiras finas de papel de periódico con cola para empapelar y recubre todo el cocodrilo con esta pasta. Pon tres capas y déjalo secar. Añade unos dientes afilados de cartulina, dos ojos y pinta el cocodrilo de verde.

# Aves

**Las aves son los únicos animales con plumas. Tienen alas y la mayoría son expertos voladores. Hay más de 9.000 tipos distintos de aves, que viven por todo el planeta.**

Las hembras ponen huevos, y la mayoría construye nidos para protegerlos. Cuando las crías salen del cascarón, los adultos las alimentan hasta que aprenden a volar.

DIFERENTES NIDOS

**águila pescadora** **hornero**

**Las gaviotas** *planean sobre el mar y, cuando ven un pez, se lanzan en picado. Muchas aves marinas anidan en acantilados.*

**Los picos de las aves** *tienen formas distintas para usos distintos. El guacamayo usa su pico ganchudo para cascar frutos secos. El tucán recoge fruta con su pico largo y muy ligero. Y el águila rasga carne.*

**tucán**

**guacamayo**

tejedor

zampullín cuellirrojo

**El pavo real macho** *abre las plumas de la cola en forma de abanico para atraer a la hembra.*

Polo Norte

Polo Sur

**Los charranes árticos** *crían a sus pequeños cerca del Polo Norte. En verano vuelan hacia el Sur, hasta la Antártida. Y en otoño regresan al Norte, completando un viaje de 36.000 km.*

**PROYECTO**

AVE DEL PARAÍSO

Dibuja un ave del Paraíso en una cartulina azul con un lápiz blanco. Recorta trozos de papel de colores que encajen en la cabeza y en el cuerpo. Pega formas de pluma en el cuerpo y añade unas tiras largas de papel de seda en la cola. No olvides las patas, el pico y un botón para el ojo. También puedes crear una selva tropical de fondo, con ramitas y hojas de verdad.

**águila de cabeza blanca**

# Aves de rapiña

**Las aves que cazan animales para alimentarse se llaman aves de rapiña. Las águilas y los halcones tienen picos ganchudos y fuertes garras afiladas. Vuelan deprisa y tienen una vista excelente. Pueden abalanzarse en picado sobre su presa desde gran altura.**

**Los búhos** *son cazadores nocturnos con muchas ventajas. Su cara redonda encauza los sonidos a sus oídos, ocultos bajo unas plumas. También pueden girar la cabeza por completo, para ver detrás suyo con sus grandes ojos.*

La mayoría de los búhos cazan de noche en silencio. Sus plumas tienen un borde suave que amortigua el sonido de las alas.

Los buitres son animales carroñeros. Cuando un animal como el león acaba de comer su presa, los buitres acuden a comerse los restos.

**El halcón peregrino** *es el ave más rápida. Puede volar a más de 350 km/h cuando se lanza en picado sobre su presa. Come otras aves, sobre todo palomas.*

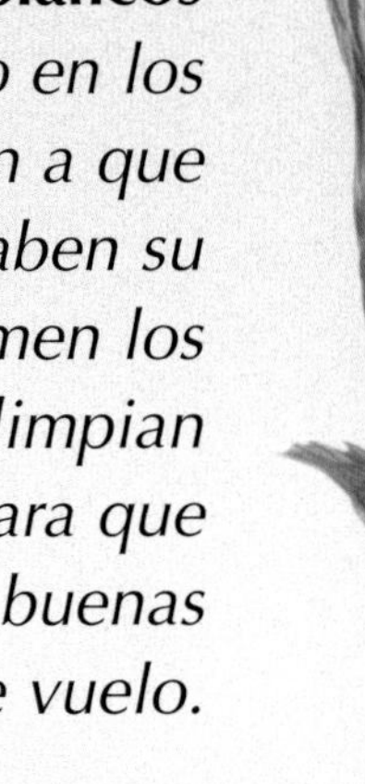

**Los buitres dorsiblancos** *encuentran alimento en los prados de África. Esperan a que los grandes felinos acaben su comida y luego se comen los restos. Después se limpian bien las plumas, para que siempre estén en buenas condiciones de vuelo.*

El ave de rapiña más grande es el cóndor de los Andes, una cordillera de América del Sur. Llega a pesar hasta 14 kg y puede volar largas distancias gracias a sus enormes alas. Tiene una envergadura de 3 m y vuela a alturas de hasta 7.000 m.

**El águila de cabeza blanca** *se alimenta de peces, aves acuáticas y conejos. Estas águilas viven en las costas y junto a los ríos y lagos, en América del Norte.*

¿QUÉ AVES USAN HERRAMIENTAS?

Los alimoches usan piedras como herramientas. Les gusta comer huevos de avestruz, pero son demasiado grandes y duros para romperlos con el pico. Así que toman piedras y las dejan caer sobre los huevos.

**El águila pescadora** *habita en casi todas las regiones del planeta. Es un hábil pescador: vuela en círculo sobre el agua y se sumerge con las patas hacia delante para atrapar el pez con sus garras. A veces llega a sumergirse por completo debajo del agua.*

# Pingüinos

**Como todas las aves, los pingüinos están cubiertos de plumas. Sus plumas cortas y gruesas son impermeables; así no pasan frío en los mares helados.**

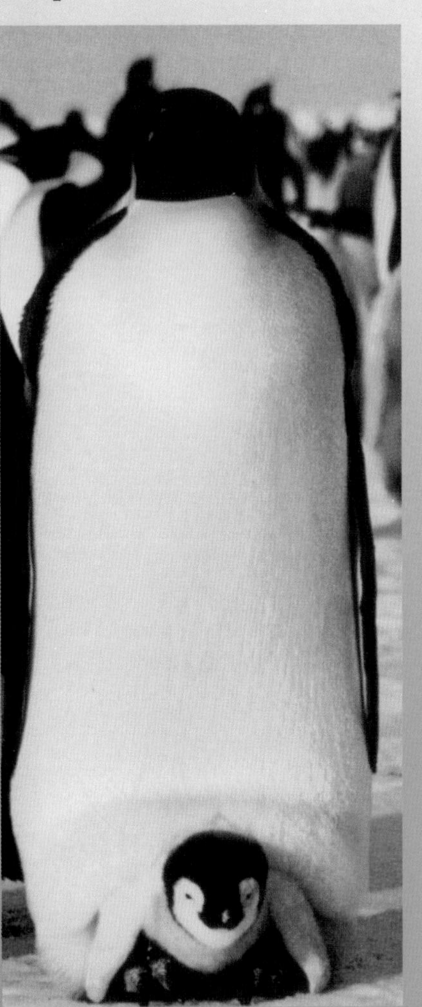

Los pingüinos tienen un pico muy duro para poder alimentarse. También tienen dos pequeñas alas, pero no pueden volar. Las usan como aletas. Pasan casi todo el tiempo en el mar, y son hábiles y rápidos nadadores.

Hay 18 tipos de pingüinos. Todos viven cerca de las costas de los fríos océanos del sur. Muchos viven en la región helada de la Antártida.

**El pingüino emperador de la Antártida** *sostiene sus huevos y sus polluelos sobre los pies para darles calor. Mientras el macho se encarga de esto, la hembra busca comida en el mar.*

**Estos pingüinos de Adelia** *están en un témpano de hielo frente a las costas de la Antártida. Para salir del mar, los pingüinos primero se sumergen y luego salen disparados del agua a gran velocidad para aterrizar en el hielo.*

**Los pingüinos enanos** *son los más pequeños: miden 40 cm. Los pingüinos emperador son los más grandes, con 120 cm de altura.*

**Los pingüinos** *se sumergen en al agua a gran profundidad, usando sus pies como timones, para buscar alimento: peces, calamares y krill (pequeños camarones). Salen regularmente a la superficie para respirar. El pájaro bobo de corona blanca puede nadar a 27 km/h.*

**El pingüino de penacho amarillo** *tiene unas plumas largas amarillas o naranjas sobre los ojos. A menudo anida en acantilados, usando guijarros o hierba. También se le conoce como pingüino saltarrocas, porque camina dando saltos.*

PINGÜINO SUJETALIBROS

**PROYECTO**

Llena de arena una botella de plástico. Con cinta adhesiva, pega una bola dosificadora de detergente al cuello de la botella. Pega un pico de cartulina a la cabeza. Mezcla tiras de papel de diario con cola para empapelar y recubre el pingüino. Déjalo secar y píntalo de blanco. Pinta de negro la cabeza, la espalda y las aletas. Deja dos círculos blancos para los ojos.

# Anfibios

**Las ranas, los sapos, los tritones y las salamandras son anfibios. Estos animales pasan parte de su vida en tierra y otra parte en el agua, pero no viven en el mar.**

Los anfibios van al agua a poner sus huevos. Las hembras pueden ponerlos en un estanque, un arroyo o sus orillas. La mayoría de las ranas y los sapos ponen grupos de entre 1.000 y 20.000 huevos.

Los sapos suelen tener la piel más áspera que las ranas, a menudo cubierta de verrugas. Los sapos prefieren vivir en lugares más secos.

**Las ranas arborícolas** *tienen ventosas redondas en los extremos de los dedos que les ayudan a agarrarse a los troncos, las ramas y las hojas.*

**Las ranas de flecha venenosa** *de América del Sur son muy venenosas. Las hembras ponen hasta seis huevos en tierra. Cuando nacen los renacuajos, el macho los lleva en su espalda hasta el hueco de un árbol lleno de agua o a una planta acuática.*

CICLO VITAL DE LA RANA

De los huevos de la rana nacen renacuajos, dentro del agua. Luego se les desarrollan las patas. Finalmente, las ranas jóvenes pueden salir del agua.

**Las ranas** *tienen unas potentes patas traseras, excelentes para nadar (nosotros copiamos su estilo cuando nadamos a braza). También les son muy útiles para saltar en tierra. Las ranas comunes pueden dar saltos de 60 cm, y hay una rana sudafricana que puede saltar más de 3 m.*

¿HAY RANAS "INCUBADORAS"?

Hay ranas macho que pueden coger hasta 15 huevos con la lengua y ponérselos en la boca. Los guardan en su saco vocal, hasta que nacen los renacuajos. Cuando las ranas jóvenes están listas, saltan fuera de la boca.

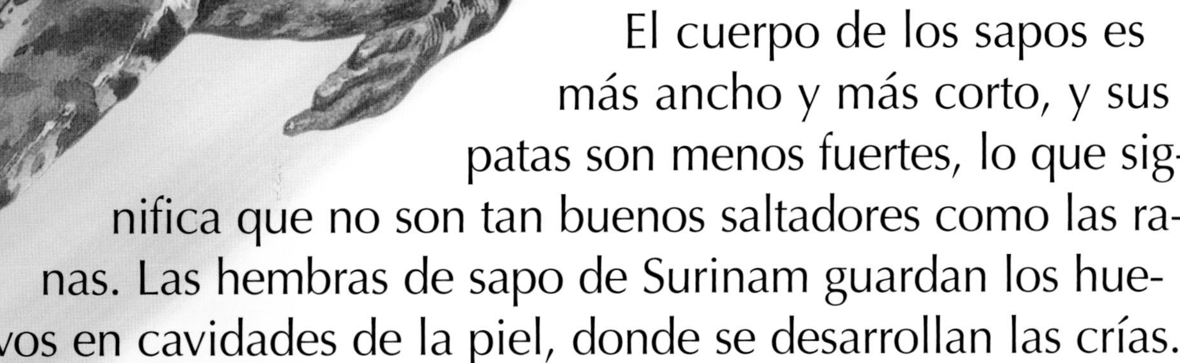

El cuerpo de los sapos es más ancho y más corto, y sus patas son menos fuertes, lo que significa que no son tan buenos saltadores como las ranas. Las hembras de sapo de Surinam guardan los huevos en cavidades de la piel, donde se desarrollan las crías.

**Esta salamandra gigante** *de piel suave vive en los ríos, los lagos y los bosques fríos y húmedos del oeste de EE.UU. Puede llegar a medir 30 cm. La mayoría de las salamandras son silenciosas, pero ésta emite un grito grave.*

# Peces

**Hay más de 20.000 tipos diferentes de peces en los océanos, lagos y ríos de nuestro planeta. Como otros animales, los peces viven tanto en las regiones cálidas como en los fríos mares polares.**

Muchos peces tienen cuerpos aerodinámicos y aletas para nadar mejor. En lugar de pulmones tienen branquias, para poder respirar debajo del agua. Los peces tienen la misma temperatura corporal que las aguas en las que viven.

**El pez trompeta,** *largo y delgado, puede llegar a medir casi 1 m. Tiene los ojos lejos de la boca. Compara su forma con la de la manta y la del pez erizo.*

**Los caballitos de mar** *son muy curiosos. Nadan en posición vertical y viven cerca de las algas, a las que se agarran con la cola. Estos peces pueden cambiar de color.*

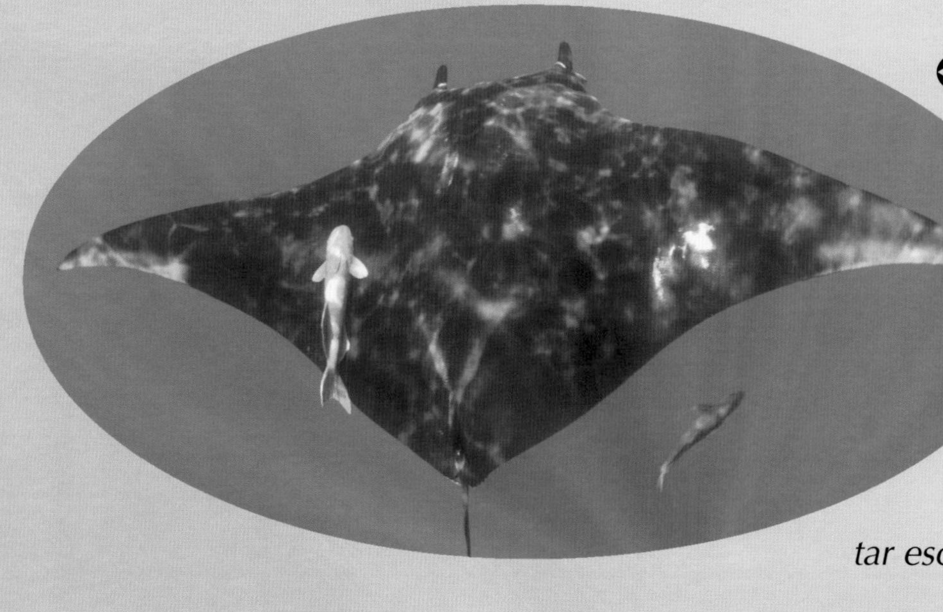

**La manta gigante** *se alimenta de pequeñas criaturas marinas mientras nada por el océano. Las mantas tienen el cuerpo plano. Suelen nadar cerca del fondo del mar o estar escondidas entre la arena.*

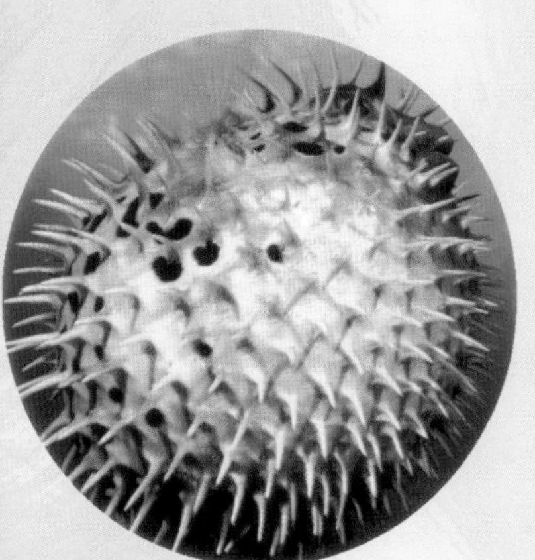

CÓMO RESPIRAN LOS PECES

1. Un pez traga agua por la boca.

2. El agua fluye por las branquias y el oxígeno pasa a la sangre.

3. Luego el pez expulsa el agua por los opérculos.

branquias

opérculos

**Este pez erizo** *se infla cuando ve un peligro. Ningún enemigo se atrevería a comerse esta bola de espinas.*

**El pez león** *tiene todo el cuerpo cubierto de aletas y una hilera de espinas venenosas. Puede llegar a medir hasta 38 cm.*

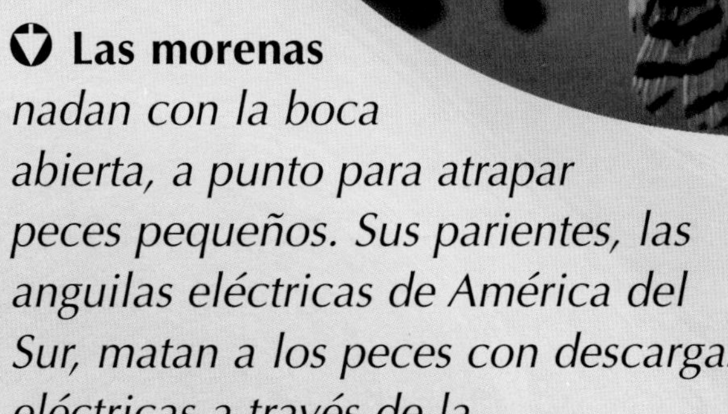

**Las morenas** *nadan con la boca abierta, a punto para atrapar peces pequeños. Sus parientes, las anguilas eléctricas de América del Sur, matan a los peces con descargas eléctricas a través de la cola. Miden hasta 1,8 m.*

**El pez mariposa** *presenta unos vistosos colores y marcas que resaltan a los lados.*

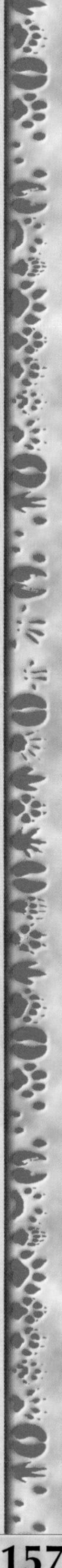

# Tiburones

**Los tiburones son los cazadores más fieros del océano. Son muy temidos por las personas, aunque muchos tiburones son inofensivos.**

La mayoría de los peces tienen una vejiga natatoria, que es una especie de bolsa de aire que les permite flotar. Los tiburones no tienen vejiga natatoria, por lo que no pueden parar de nadar si no quieren hundirse. Los tiburones presentan otra gran diferencia con respecto a casi todos los demás peces: su esqueleto no es de hueso, sino de cartílago elástico.

**El tiburón tigre** *se considera peligroso, pero los tiburones sólo atacan si huelen sangre. Todos los tiburones tienen un excelente olfato y muy buen oído, lo cual les ayuda a cazar de noche.*

El inofensivo tiburón ballena es el pez más grande del planeta: puede llegar a medir más de 12 m. Usa su enorme boca como cuchara para atrapar pequeñas criaturas marinas. El tiburón más pequeño es el tiburón enano, de tan sólo 15 cm.

**Los tiburones** *tienen dos o tres hileras de dientes. Cada una o dos semanas se forman nuevos dientes para sustituir a los dientes viejos o desgastados.*

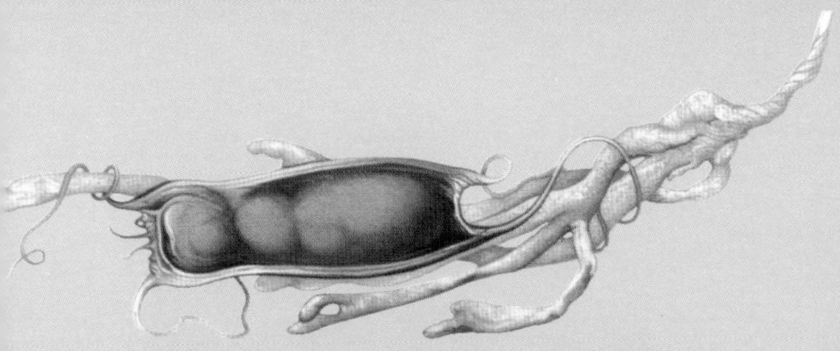

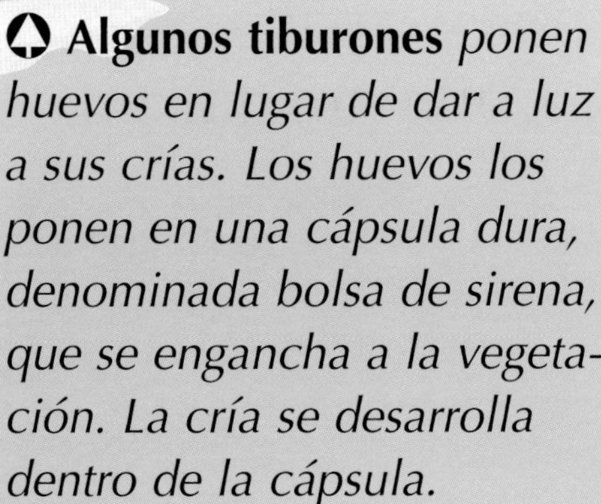

**Algunos tiburones** *ponen huevos en lugar de dar a luz a sus crías. Los huevos los ponen en una cápsula dura, denominada bolsa de sirena, que se engancha a la vegetación. La cría se desarrolla dentro de la cápsula.*

**Los tiburones grises de arrecife** *viven cerca de los arrecifes de coral, donde encuentran alimento abundante.*

**Una jaula metálica** *protege a los submarinistas de los grandes tiburones curiosos. El gran tiburón blanco (aquí con las fauces abiertas para morder el cebo) puede llegar a medir más de 6 m.*

# Insectos

antenas
cabeza
tórax
abdomen

**Los insectos son animales diminutos que se encuentran por todo el planeta: desde los desiertos hasta los lagos helados, pasando por las selvas tropicales.**

Los insectos no tienen columna vertebral. Están protegidos por un esqueleto externo duro o caparazón. Todos los insectos tienen seis patas, y la mayoría tienen alas y pueden volar. Muchos insectos tienen dos pares de alas, pero las moscas sólo tienen un par.

**En esta avispa** *podemos ver las tres partes principales del cuerpo de un insecto: la cabeza, el tórax y el abdomen. Las patas y las alas están unidas al tórax; y las antenas, a la cabeza.*

**Los escarabajos** *viven por todo el planeta. Algunos viven en el agua, y muchos pueden volar. Este escarabajo cornudo es de Borneo, en Asia.*

**Las mariquitas** *son un tipo de escarabajo. Se alimentan de pulgones, unos insectos que están en las plantas. Las alas duras externas protegen las alas que usan para volar, que están debajo.*

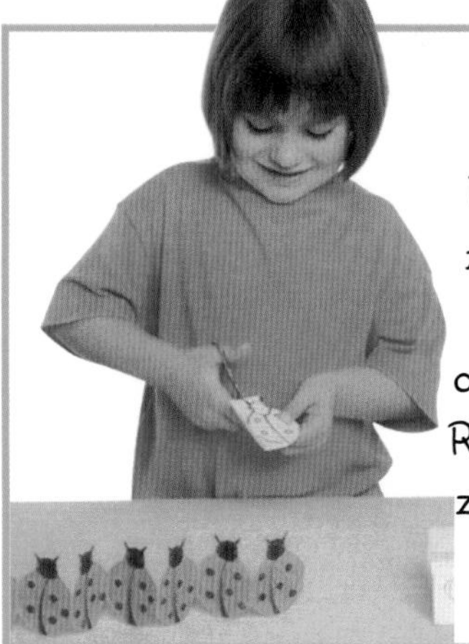

PROYECTO

ZIGZAG DE MARIQUITAS

Dobla una tira larga de papel en zigzag. Luego dibuja una mariquita en uno de los extremos, asegurándote de que una parte del cuerpo de la mariquita toca cada borde del papel. Recorta la mariquita, pero sin cortar los bordes del zigzag. Despliega el papel y colorea tus mariquitas. También puedes hacer otro zigzag de abejas.

**Las termitas** *viven en colonias y construyen grandes nidos llamados termiteros. Cada colonia está dirigida por un rey y una reina. Las termitas soldado defienden el nido. Las demás son obreras.*

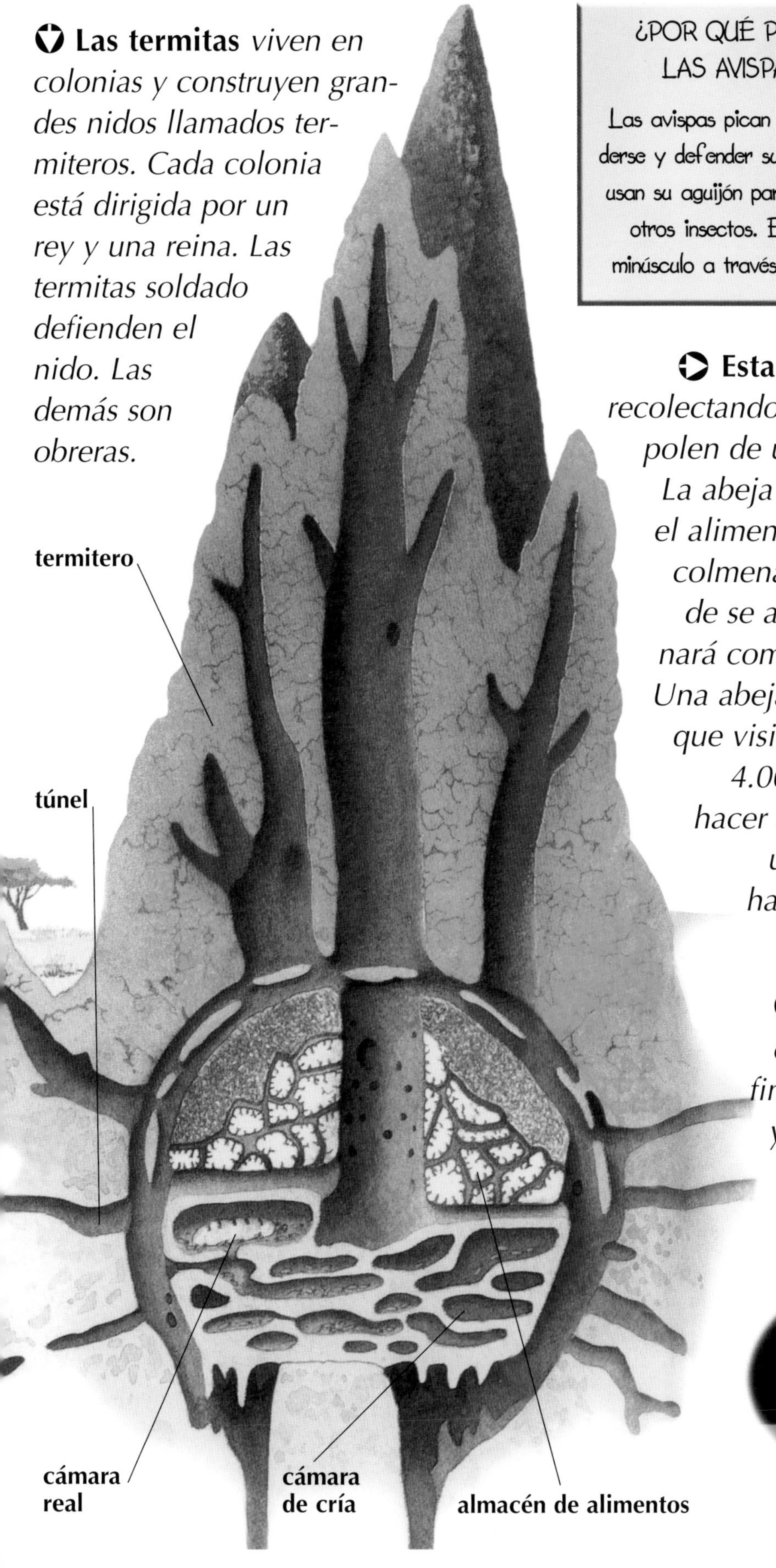

termitero

túnel

cámara real

cámara de cría

almacén de alimentos

¿POR QUÉ PICAN LAS AVISPAS?

Las avispas pican para defenderse y defender sus nidos. También usan su aguijón para aturdir o matar a otros insectos. En realidad, el aguijón es un tubo minúsculo a través del cual la avispa inyecta veneno.

**Esta abeja** *está recolectando néctar y polen de una flor. La abeja llevará el alimento a su colmena, donde se almacenará como miel. Una abeja tendría que visitar más de 4.000 flores para hacer una cucharada de miel. En una colmena grande puede haber 60.000 abejas obreras.*

**Los mosquitos hembra** *chupan sangre. Clavan un finísimo tubo en los pájaros y los mamíferos, incluidos los humanos, y absorben un poco de sangre.*

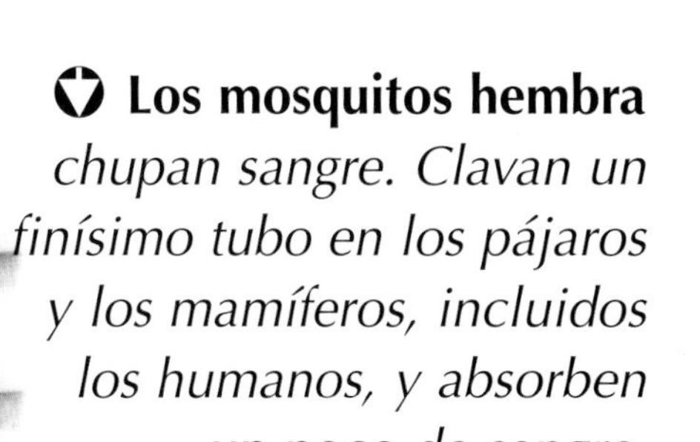

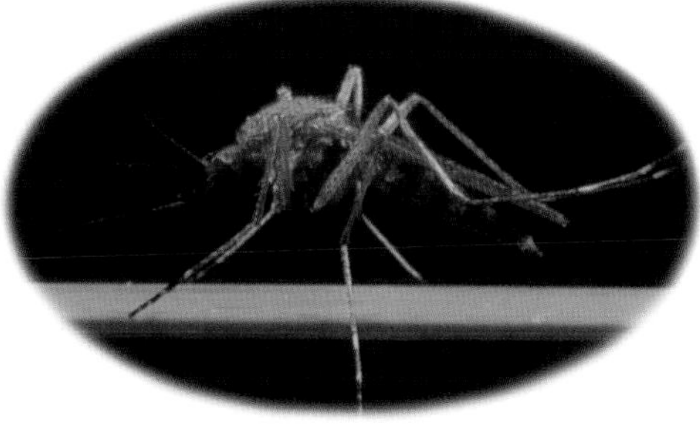

# Mariposas y polillas

**Las mariposas tienen unas alas finas y delicadas, cubiertas de pequeñas escamas superpuestas de bonitos colores.**

Como muchos insectos, las mariposas se transforman a medida que se desarrollan. Este cambio se llama metamorfosis.

De los huevos salen orugas. Cada oruga se transforma en una crisálida, que finalmente se convierte en una hermosa mariposa de vistosos colores.

La mariposa de alas de pájaro Reina Alexandra es

**Esta mariposa ojo de pavo real** *tiene ocelos en las alas. Estas manchas pueden confundir o asustar a un pájaro hambriento, pues pueden parecerle los ojos de un animal más grande. Y de este modo se salva.*

**Oruga de esfinge.** *En otros insectos, esta fase se llama larva. Las larvas de los insectos pequeños también se llaman gusanos o cresas. Las esfinges (arriba a la derecha) se alimentan del néctar de las flores, bebiéndolo con sus largas lenguas en forma de trompa. Tienen el cuerpo grande y vuelan rápido.*

**PROYECTO**

HUELLAS DE MARIPOSA

Dobla una hoja de papel por la mitad. Ábrela y deja caer gotas de pintura de diferentes colores alrededor del doblez central. Dobla las dos mitades y presiona el papel. Al abrirlo, verás una bonita mariposa. Cuando estén secas, puedes recortar tus mariposas y colgarlas.

**Los machos y las hembras** *de las mariposas suelen ser muy diferentes. Esta mariposa es un macho de niña celeste. La hembra es marrón.*

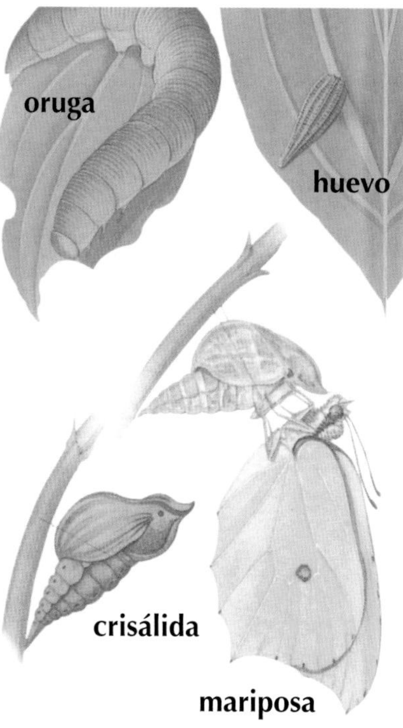


**Del huevo** *de una mariposa sale una oruga, que luego se transforma en una crisálida o pupa. Dentro de la crisálida se desarrolla una mariposa. Al final sale la mariposa.*

la más grande, con una envergadura de más de 28 cm.

Las polillas vuelan de noche. La mayoría no tiene colores tan vistosos como las mariposas. Cuando están quietas, no pliegan las alas, sino que las dejan planas.

**Las mariposas** *tienen un excelente sentido del olfato. Principalmente, usan las antenas para oler, pero también pueden hacerlo a través de una especie de "narices" que tienen en las patas.*

**A diferencia de la mayoría de las polillas,** *el pavón nocturno vuela de día. Las hembras emanan un intenso aroma que los machos pueden percibir desde más de 1 km de distancia.*

# Arañas

**Las arañas tienen cosas en común con los insectos, pero pertenecen al grupo de los arácnidos, junto con los escorpiones, las garrapatas y los ácaros.**

Las arañas tienen ocho patas, mientras que los insectos tienen seis. Muchas arañas tejen telarañas para cazar moscas y otros pequeños insectos. Tienen colmillos. Muchas paralizan a sus presas con veneno antes de matarlas, pero sólo unas pocas son venenosas para las personas.

**La mayoría de los arácnidos** *tienen ocho ojos. Sin embargo, las arañas no tienen buena vista, sino que tocan las cosas para saber lo que ocurre a su alrededor.*

**Una araña saltadora** *tiene ojos grandes para avistar mejor su próximo banquete. Algunas arañas tienen ocho ojos, otras sólo dos, y otras ninguno.*

**La araña terafosa** *utiliza un sistema inteligente para cazar insectos. La araña cava una madriguera, la forra de seda y cubre la entrada con una trampilla. Entonces espera. Cuando un insecto pasa cerca, la araña nota que el suelo se mueve. Salta afuera, atrapa al insecto y lo arrastra rápidamente a la madriguera.*

**Hay unos 40.000** *tipos distintos de arañas, y puede haber millones de arañas de cada tipo. En un prado, puede haber hasta 500 arañas en un metro.*

**Las arañas hembra** *ponen hasta 2.000 huevos y los envuelven con hilos de seda. De ahí saldrán las crías de araña.*

**Las arañas de jardín** *tejen bonitas telarañas circulares. Cuando un insecto queda atrapado, la araña nota que los hilos se mueven. Entonces sale rápidamente y envuelve a su presa en hilos de seda. Las telarañas se estropean con facilidad, por lo que las arañas pasan mucho tiempo reparándolas. Es más fácil ver las telarañas cuando hay humedad en el ambiente.*

# Moluscos y crustáceos

**Algunos moluscos, como los pulpos, tienen el cuerpo blando. Otros, como los caracoles, están protegidos por un caparazón. Casi todos los moluscos viven en el mar.**

Los crustáceos se caracterizan por tener caparazón. Algunos, como la cochinilla, viven en la tierra. Pero la mayoría vive en el mar, como el cangrejo, la langosta y la gamba.

**Los pulpos** *son moluscos con ocho patas. Muchos son muy pequeños, pero los más grandes tienen tentáculos de hasta 3,5 m. Los pulpos pueden cambiar de color según el entorno, para pasar desapercibidos.*

**El cuerpo blando del caracol de jardín** *tiene un pie muscular que le sirve para deslizarse por el suelo. Si se ve amenazado por otro animal, el caracol esconde todo su cuerpo en el caparazón.*

Todos los moluscos y los crustáceos nacen de huevos y la mayoría pasa por una fase de larva.

El crustáceo más grande del mundo es el cangrejo araña gigante, con una envergadura de casi 4 m.

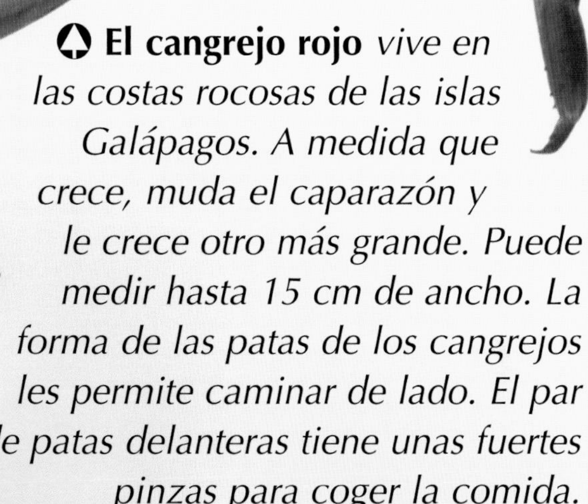

**El cangrejo rojo** *vive en las costas rocosas de las islas Galápagos. A medida que crece, muda el caparazón y le crece otro más grande. Puede medir hasta 15 cm de ancho. La forma de las patas de los cangrejos les permite caminar de lado. El par de patas delanteras tiene unas fuertes pinzas para coger la comida.*

**La langosta** *es uno de los crustáceos más grandes. Camina por el fondo marino con sus ocho patas.*

**El cangrejo ermitaño** *se refugia en los caparazones de los caracoles de mar. Algunos matan y se comen al caracol; así tienen comida y casa. Cuando se le queda pequeño, busca otro.*

**Los calamares** *están emparentados con los pulpos. Toman agua y luego la expulsan por un embudo que tienen detrás de la cabeza. Así se impulsan hacia atrás.*

LA TINTA DEL CALAMAR

Los calamares y los pulpos disparan un chorro de tinta cuando quieren escapar de un enemigo. Esto enturbia el agua y confunde al enemigo; así al molusco le da tiempo de escapar.

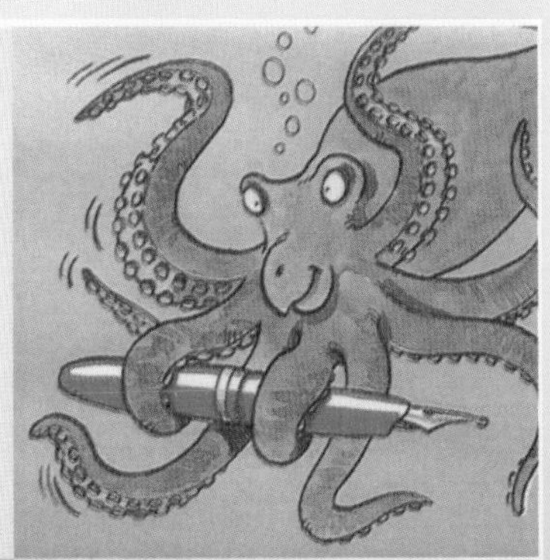

# Cuestionario

1. *¿Con qué se alimentan las crías de los mamíferos? (p. 130)*
2. *¿Dónde dan a luz los osos polares? (p. 131)*
3. *¿Qué cuatro tipos de simios conoces? (p.132)*
4. *¿Dónde viven los orangutanes? (p. 132)*
5. *¿Cuál es el animal terrestre más grande? (p. 134)*
6. *¿Qué comen los elefantes? (p. 135)*
7. *¿Cuáles son los felinos más rápidos? (p. 136)*
8. *¿A qué gran felino le gusta el agua? (p. 137)*
9. *¿Cuánto mide una ballena azul? (p. 138)*
10. *¿Qué tiene el narval en la cabeza? (p. 139)*
11. *¿En qué se diferencian los murciélagos de los demás mamíferos? (p. 140)*
12. *¿Qué usan los murciélagos para cazar insectos? (p. 141)*
13. *¿Cómo se llama la bolsa de los canguros? (p. 143)*
14. *¿En qué árboles viven los koalas? (p. 143)*
15. *¿Los reptiles son animales de sangre caliente o de sangre fría? (p. 144)*
16. *¿Dónde viven las boas esmeralda? (p. 144)*
17. *¿Cuántos huevos puede poner una hembra de carey? (p. 146)*
18. *¿De dónde son las tortugas gigantes? (p. 147)*
19. *¿Con qué finalidad abre la cola el pavo real macho? (p. 149)*
20. *¿Qué ave toma su nombre del bonito nido que teje? (p. 149)*
21. *¿Cómo llamamos a las aves que cazan animales para alimentarse? (p. 150)*
22. *¿Cuál es el ave más rápida? (p. 150)*
23. *¿Qué comen los pingüinos? (p. 153)*
24. *¿Cuál es el pingüino más grande? ¿Y el más pequeño? (p. 153)*
25. *¿Cómo se agarran a las ramas las ranas arborícolas? (p. 154)*
26. *¿Cuál es una de las principales diferencias entre las ranas y los sapos? (p. 154)*
27. *¿Qué usan los peces para respirar? (p. 157)*
28. *¿Cómo matan a sus presas las anguilas eléctricas? (p. 157)*
29. *¿Qué les ocurre a los tiburones si paran de nadar? (p. 158)*
30. *¿Cuál es el tiburón más pequeño? (p. 158)*
31. *¿Cuáles son las tres partes principales del cuerpo de un insecto? (p. 160)*
32. *¿Qué tipo de insecto es una mariquita? (p. 160)*
33. *En el ciclo vital de una mariposa, ¿qué fase viene después de la oruga? (p. 162)*
34. *¿En qué se diferencian las mariposas y las polillas cuando están quietas? (p. 163)*
35. *¿Cuántas patas tiene una araña? (p. 164)*
36. *¿Cómo cazan insectos las arañas de jardín? (p. 165)*
37. *¿Qué cangrejo roba la casa a otras criaturas marinas? (p. 167)*
38. *¿Es verdad que los cangrejos caminan de lado? (p. 167)*

# Hace mucho tiempo

**La historia de la vida en la Tierra nos remonta a los comienzos de nuestro planeta. Recientemente hemos aprendido mucho sobre la historia de la vida, incluyendo el fascinante período que llamamos la era de los dinosaurios.**

Durante muchos millones de años, la tierra estuvo dominada por dinosaurios carnívoros y herbívoros, mientras los plesiosauros nadaban en los océanos y los pterosaurios surcaban los cielos. Luego, todos estos reptiles, muchos de ellos gigantescos, se extinguieron. Su lugar lo ocuparon los mamíferos, que llegarían a dominar el planeta. A través del estudio de fósiles, podemos intentar descifrar cómo ocurrió todo.

# Vida primitiva

**En la Tierra hay formas de vida que se desarrollan y cambian desde hace miles de millones de años. Los científicos creen que las formas más simples de vida aparecieron en los océanos, posiblemente hace más de 3.000 millones de años.**

Sólo podemos imaginar cómo eran las primeras plantas y los primeros animales. Se cree que muchos de los primeros animales marinos tenían el cuerpo blando, sin caparazón, huesos ni otras partes duras. Había medusas, gusanos y otras criaturas parecidas a las estrellas de mar. Los primeros peces tenían cabeza, espina dorsal y cola, pero ni aletas ni mandíbulas. En lugar de morder, sorbían.

**Peces rápidos protegidos por corazas** *como este* Coccosteus *dominaban los mares hace 370 millones de años. Medía unos 40 cm y tenía colmillos y afiladas crestas óseas en sus fuertes mandíbulas. Podía cazar fácilmente crustáceos más lentos.*

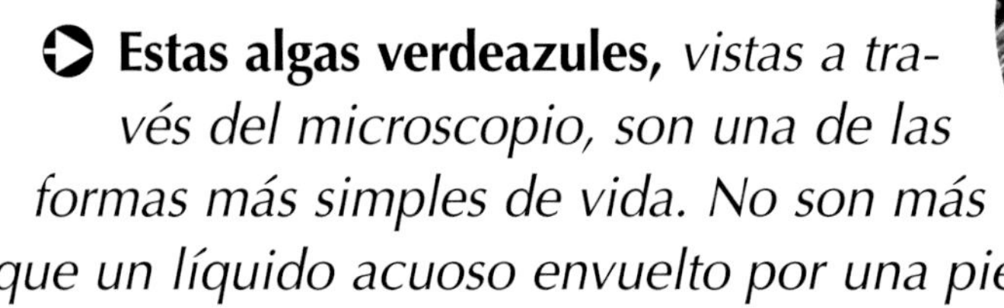

**Estas algas verdeazules,** *vistas a través del microscopio, son una de las formas más simples de vida. No son más que un líquido acuoso envuelto por una piel.*

**Las zonas costeras** *poco profundas de los mares primitivos estaban llenas de algas rojas, verdes y pardas. Hoy hay unos 7.000 tipos de algas.*

**Estas medusas, plumas marinas y gusanos** *vivían en los océanos hace 650 millones de años. No tenían columna vertebral.*

**Los científicos** *creían que el* Coelacanth *se extinguió hace 70 millones de años. Pero en 1938, un pescador pescó uno en el océano Índico. Este antiguo pez puede llegar a medir 2 m.*

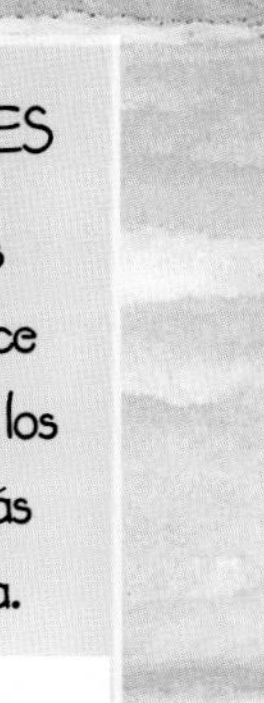

LA EDAD DE LOS TIBURONES

Los antepasados de los tiburones actuales nadaban en los mares hace 400 millones de años. Son uno de los animales con columna vertebral más antiguos que aún viven hoy en día.

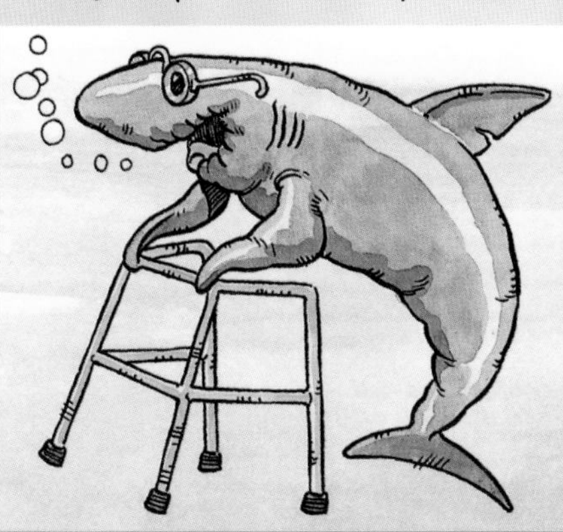

# Evolución

**La mayoría de los científicos creen que las distintas formas de vida de la Tierra se desarrollaron y cambiaron muy lentamente a lo largo de millones de años. Este proceso gradual se llama evolución.**

Los animales y las plantas han evolucionado con el tiempo. Pequeños cambios en una generación representaban grandes cambios en un período de millones de años. A medida que el planeta cambiaba, unos animales se adaptaban mejor que otros. Los que se adaptaban bien a su entorno, sobrevivían y se multiplicaban; los demás acababan extinguiéndose.

**En 1832, el científico Charles Darwin** *(1809–1882) llegó a América del Sur. Allí descubrió fósiles de animales extinguidos. El estudio de estos fósiles y de animales vivos le llevó a desarrollar su famosa teoría de la evolución.*

**El caballo** *ha evolucionado desde hace 50 millones de años. El primer caballo,* Hyracotherium, *vivía en bosques pantanosos y era del mismo tamaño que un zorro actual. El caballo moderno,* Equus, *apareció hace 3 millones de años.*

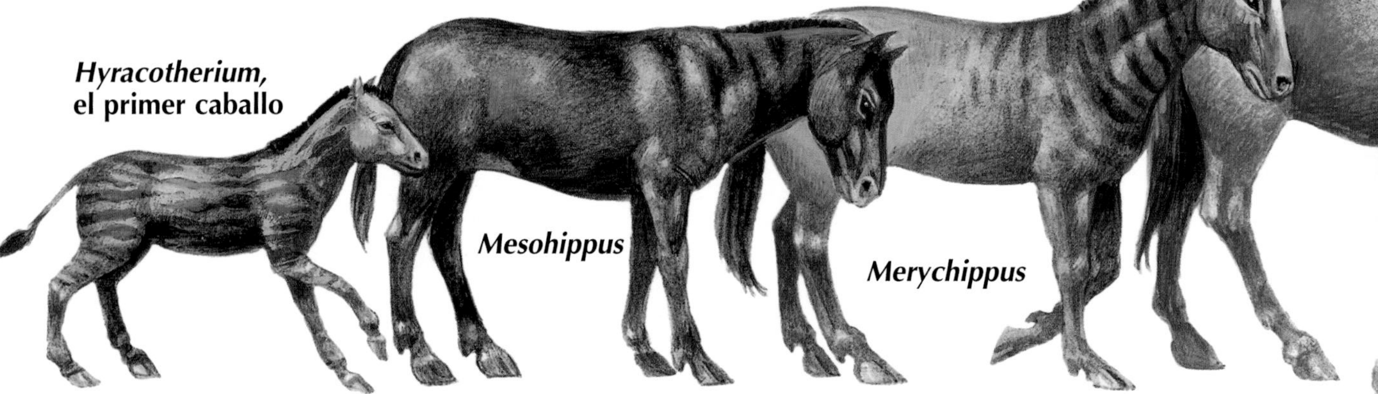

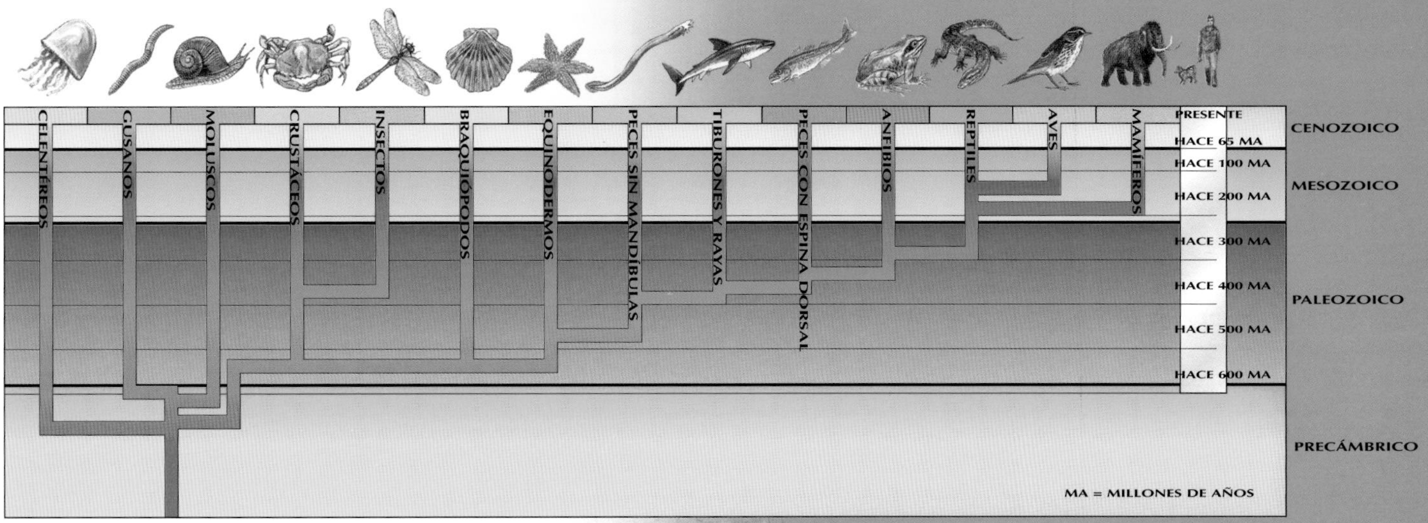

CELENTÉREOS
GUSANOS
MOLUSCOS
CRUSTÁCEOS
INSECTOS
BRAQUIÓPODOS
EQUINODERMOS
PECES SIN MANDÍBULAS
TIBURONES Y RAYAS
PECES CON ESPINA DORSAL
ANFIBIOS
REPTILES
AVES
MAMÍFEROS

PRESENTE
HACE 65 MA
HACE 100 MA
HACE 200 MA
HACE 300 MA
HACE 400 MA
HACE 500 MA
HACE 600 MA

CENOZOICO
MESOZOICO
PALEOZOICO
PRECÁMBRICO

MA = MILLONES DE AÑOS

**Este gráfico** *muestra cómo ha evolucionado la vida a lo largo de millones de años. No hace tanto que aparecieron los seres humanos.*

**Las jirafas** *desarrollaron patas y cuellos largos para poder comer las hojas de las ramas más altas, a las que no alcanzaban otras criaturas.*

***Equus*, el caballo moderno**

***Pliohippus***

# La era de los anfibios

**Hace 360 millones de años, algunas criaturas marinas salieron del agua y reptaron hacia tierra firme. En aquella época ya había muchos peces diferentes en el mar, así como plantas e insectos en la tierra.**

Algunos animales podían vivir tanto en la tierra como en el agua. Son los anfibios, que significa "que tienen una doble vida". Los bosques y los pantanos húmedos eran su hábitat ideal. Los anfibios ponían sus huevos en el agua. De los huevos nacían renacuajos que vivían en el agua hasta que se convertían en adultos y, entonces, salían a la tierra. Así viven también hoy en día anfibios como las ranas y los sapos.

Los primeros anfibios eran mucho más grandes que los actuales. Aquellos gigantes primitivos se extinguieron hace 200 millones de años, con una excepción: una salamandra gigante que vive en China y que puede llegar a medir 1,8 m.

**El *Ichthyostega*** *fue uno de los primeros anfibios. Medía aproximadamente 1 m. Entre los altos helechos vivían libélulas gigantes y otros insectos.*

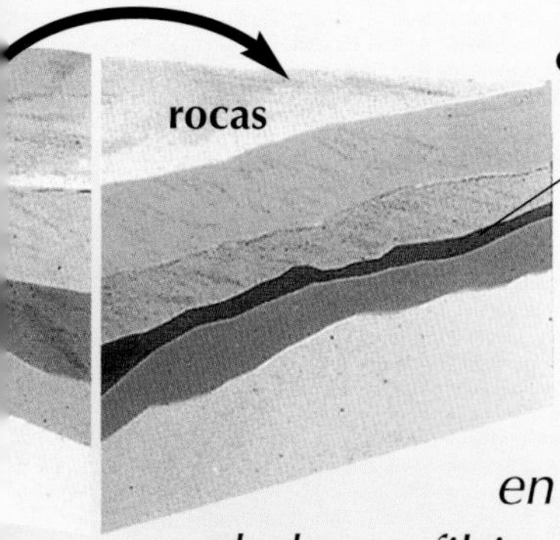

**Las hojas y ramas** *muertas formaban capas de materia vegetal en los bosques pantanosos de los anfibios primitivos. Esta materia se convirtió en turba, que quedó cubierta por rocas. Y la presión la transformó en carbón.*

**Algunas hojas** *se conservaron intactas durante la formación de carbón y dieron lugar a fósiles como éste. Estos fósiles nos aportan información sobre el pasado.*

**Esta rana toro norteamericana** *es un buen ejemplo de anfibio moderno. La rana toro pasa casi todo el tiempo cerca del agua. Las ranas respiran a través de pulmones, así como a través de la piel. En la actualidad hay unos 4.000 tipos distintos de anfibios, como ranas, sapos, tritones y salamandras.*

***Ichthyostega***

# Reptiles primitivos

**Hace 300 millones de años, en los bosques pantanosos del planeta aparecieron los primeros reptiles (el nombre "reptil" viene del verbo "reptar").**

Los reptiles eran pequeños animales, parecidos a los lagartos, que se alimentaban básicamente de insectos y gusanos. Hace 280 millones de años, los anfibios ya eran menos abundantes y había muchos tipos de reptiles de diferentes tamaños.

Los reptiles presentaban una gran diferencia con respecto a los anfibios: podían vivir en la tierra todo el tiempo, no necesitaban poner los huevos en el agua. Sus huevos estaban protegidos por una cáscara coriácea y ya contenían alimento y agua en su interior. Cuando salían del cascarón, las crías de los reptiles eran versiones en miniatura de sus padres, a diferencia de los anfibios. Los reptiles fueron los verdaderos primeros habitantes terrestres.

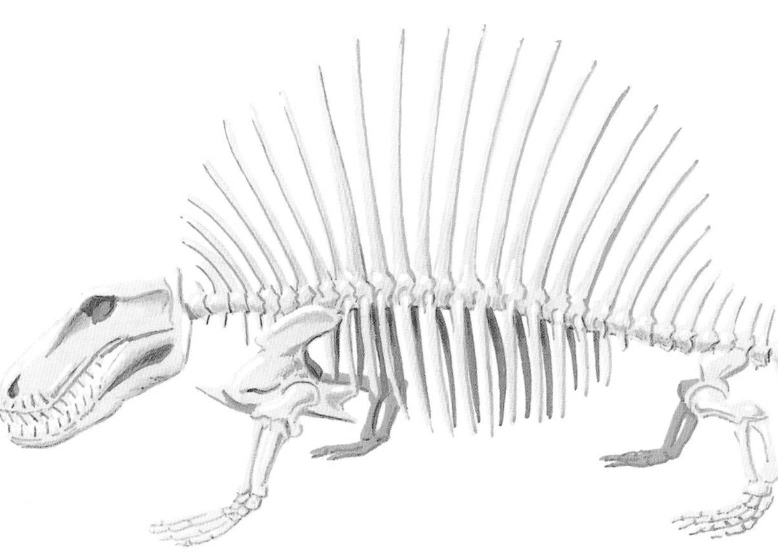

**El *Dimetrodon*** *era un gran reptil con cresta dorsal, que podía medir más de 3,6 m de largo. En el esqueleto del reptil se puede ver cómo la enorme cresta, o aleta, de la espalda se sustentaba con largos huesos que salían de la columna vertebral.*

**Los mesosaurios** *eran reptiles que buscaban comida en el mar. Cazaban peces con sus finísimos dientes, que se entrelazaban al cerrar las mandíbulas.*

¿QUÉ REPTIL ERA EL REY?

Los arcosaurios, o "reptiles dominantes", se desarrollaron después de los reptiles primitivos. Unos parecían cocodrilos. Otros caminaban sobre las patas traseras, como los dinosaurios posteriores.

**Algunos reptiles** *desarrollaron crestas en la espalda. Les servían para absorber el calor del sol y calentarse más rápidamente. Si el reptil tenía demasiado calor, la cresta desprendía calor como un radiador.*

**El *Lycaenops*** *era un reptil rápido y muy feroz, que atacaba y mataba a reptiles herbívoros y a anfibios más lentos. Vivió hace 230 millones de años.*

Con el paso de millones de años, se desarrollaron muchos tipos de reptiles de piel escamosa. Unos se alimentaban de plantas; y otros, de otros animales. Primero tenían las patas a los lados del cuerpo. Más tarde, algunos las tenían debajo, por lo que podían correr más deprisa.

# Dinosaurios

**La era de los dinosaurios se divide en tres períodos: el Triásico (hace 240–205 millones de años), el Jurásico (hace 205–138 millones de años) y el Cretácico (hace 138–65 millones de años). Los primeros dinosaurios aparecieron en la Tierra hace 230 millones de años, en el Triásico.**

**Se han descubierto cientos** *de esqueletos de dinosaurios en los yermos del Parque Provincial de los Dinosaurios, en Alberta, Canadá. La lluvia y la nieve han erosionado las rocas, dejando al descubierto los fósiles. Los primeros coleccionistas llegaron a la zona a principios del siglo* XX.

Dinosaurio significa "lagarto terrible", aunque estos reptiles sólo estaban remotamente emparentados con los lagartos y la mayoría de ellos no eran terribles. Dominaron la tierra durante 165 millones de años. Algunos dinosaurios eran enormes; otros eran bastante pequeños. Unos eran carnívoros; otros sólo comían plantas.

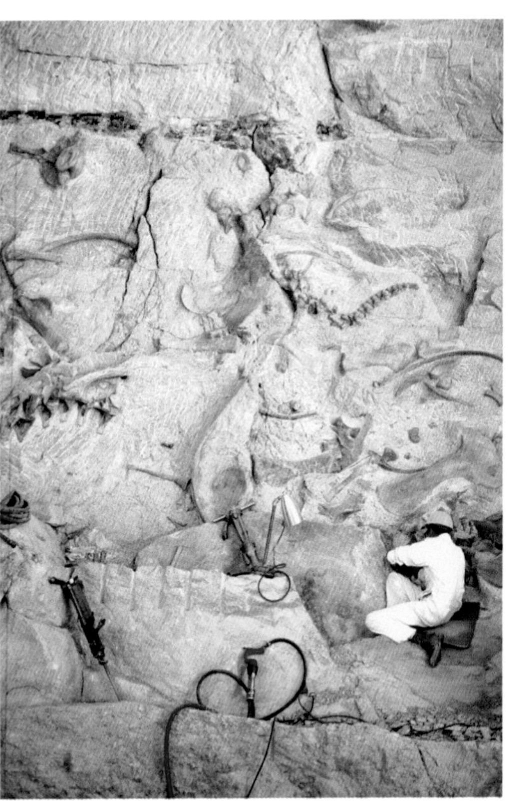

**Este científico** *trabaja en el Monumento Nacional de los Dinosaurios, en Utah, EE.UU., donde se han hallado más de 5.000 fósiles de dinosaurios. Los hallazgos más comunes son los de* Stegosaurus. *Los huesos grandes se llevan en camión o en helicóptero a los museos, donde se unen y se exponen.*

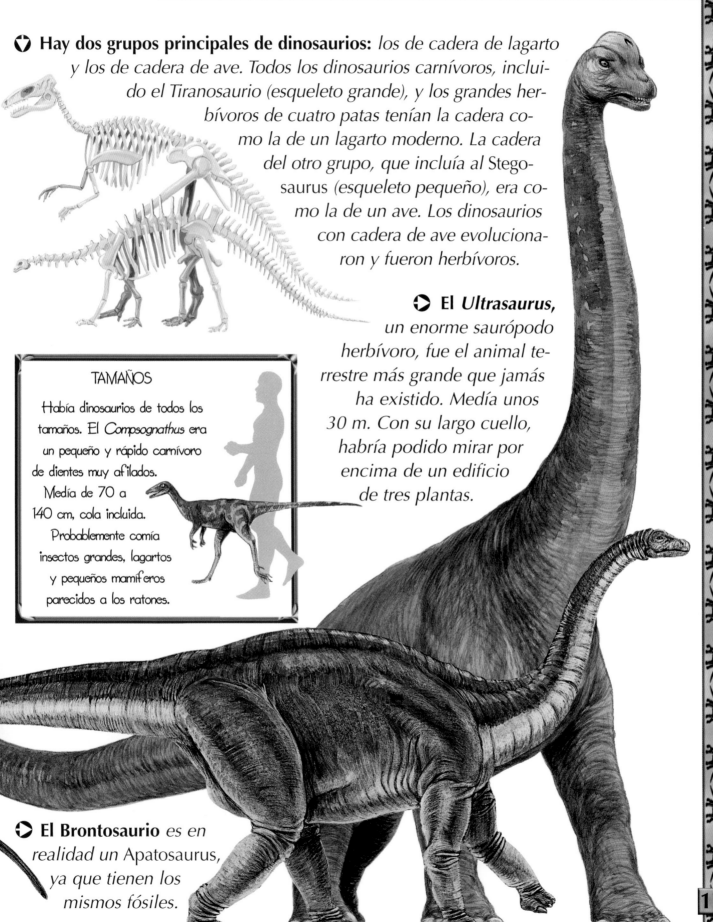

**Hay dos grupos principales de dinosaurios:** *los de cadera de lagarto y los de cadera de ave. Todos los dinosaurios carnívoros, incluido el Tiranosaurio (esqueleto grande), y los grandes herbívoros de cuatro patas tenían la cadera como la de un lagarto moderno. La cadera del otro grupo, que incluía al Stegosaurus (esqueleto pequeño), era como la de un ave. Los dinosaurios con cadera de ave evolucionaron y fueron herbívoros.*

**El *Ultrasaurus,*** *un enorme saurópodo herbívoro, fue el animal terrestre más grande que jamás ha existido. Medía unos 30 m. Con su largo cuello, habría podido mirar por encima de un edificio de tres plantas.*

TAMAÑOS

Había dinosaurios de todos los tamaños. El *Compsognathus* era un pequeño y rápido carnívoro de dientes muy afilados. Medía de 70 a 140 cm, cola incluida. Probablemente comía insectos grandes, lagartos y pequeños mamíferos parecidos a los ratones.

**El Brontosaurio** *es en realidad un Apatosaurus, ya que tienen los mismos fósiles.*

# Dinosaurios carnívoros

**Los dinosaurios carnívoros eran animales de constitución fuerte. Caminaban erguidos sobre las dos patas traseras. Sus brazos, más cortos, terminaban en afiladas garras.**

Los grandes carnívoros, como el Tiranosaurio, tenían el cuello corto y la cabeza enorme. Sus dientes eran fuertes y afilados. Casi todos los carnívoros tenían largas colas musculares. La sostenían recta para mantener mejor

**El *Baryonyx*** *tenía largas garras curvadas en los pulgares (izquierda). El Tiranosaurio tenía dientes enormes (derecha). Podían medir hasta 18 cm y estaban afiladísimos. Los dientes descubiertos nos ayudan a saber qué comían los dinosaurios.*

**El Tiranosaurio** *medía unos 12 m de largo y pesaba más de 6 toneladas. Tenía los ojos orientados hacia delante, lo que le permitía calcular muy bien la distancia para atacar a dinosaurios más pequeños.*

el equilibrio. Gracias a sus fuertes patas traseras, los carnívoros eran los dinosaurios más rápidos.

## ¿QUIÉN ERA EL MÁS RÁPIDO?

No sabemos a qué velocidad podían correr los dinosaurios, pero los científicos creen que el *Struthiomimus* era uno de los más rápidos. Medía 4 m de largo, tenía un aspecto parecido a un avestruz y puede que alcanzase los 50 km/h. El *Struthiomimus* era omnívoro: comía animales y plantas. Con sus largas garras podía coger hojas y frutos de los árboles bajos. También comía insectos y lagartos.

**El *Allosaurus*** *era uno de los carnívoros más grandes, después del Tiranosaurio. Medía 11 m de largo. No sabemos de qué color eran los dinosaurios, pero podrían haber tenido vistosos colores.*

**PROYECTO**

## MOLDEA UN DIENTE DE CARNÍVORO

Toma una gran bola de arcilla y dale forma de diente de dinosaurio carnívoro. Da textura a la superficie y haz unas marcas para que tenga un aspecto antiguo y fosilizado. Deja secar la arcilla un par de días. Cuando esté seca, pinta tu feroz diente.

**El *Oviraptor*** *medía unos 2 m y tenía una cresta en la cabeza. Esta criatura con forma de ave se comía los huevos de otros dinosaurios. Los robaba con sus manos de tres dedos y los abría con sus fuertes mandíbulas.*

# Dinosaurios herbívoros

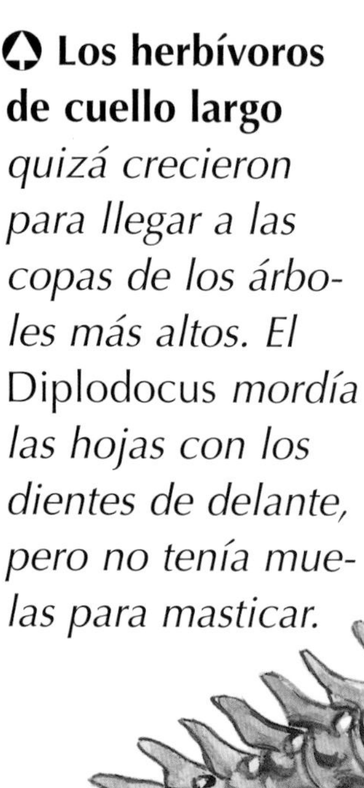

**Los herbívoros de cuello largo** *quizá crecieron para llegar a las copas de los árboles más altos. El* Diplodocus *mordía las hojas con los dientes de delante, pero no tenía muelas para masticar.*

**Los dinosaurios herbívoros se alimentaban de las plantas a las que alcanzaban.** Los pequeños herbívoros comían raíces y plantas del suelo. Por ejemplo, el *Scutellosaurus*, del tamaño de un gato, tenía hileras de prominencias óseas en la espalda y la cola para defenderse de los grandes carnívoros. En cambio, los saurópodos, de cuello largo, comían hojas de las copas de los árboles.

### ¿QUIÉN TENÍA EL CUELLO MÁS LARGO?

El *Mamenchisaurus*, un enorme herbívoro encontrado en China, tenía el cuello más largo de todos los animales conocidos. Su cuello medía 15 m (¡más largo que ocho hombres altos juntos!).

**El *Iguanodon*** era un dinosaurio grande y pesado. Era un pacífico herbívoro que caminaba tanto sobre las dos patas traseras como a cuatro patas. Sus pulgares eran puntiagudos; quizá los usaba para defenderse si le atacaba un carnívoro hambriento.

### DESCUBRE UN *DIPLODOCUS*

**PROYECTO**

Recorta pajillas y úsalas como huesos para formar un esqueleto completo de *Diplodocus* sobre una base de cartón. Unta cada pajilla con cola y pégalas bien en su sitio. Deja que se sequen. Luego, extiende más cola entre los huesos y alrededor del esqueleto. Esparce arena por encima. Al cabo de unos minutos, retira el exceso de arena. ¡Habrás desenterrado tu propio fósil de *Diplodocus*!

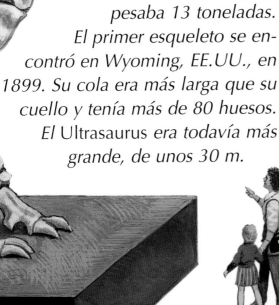

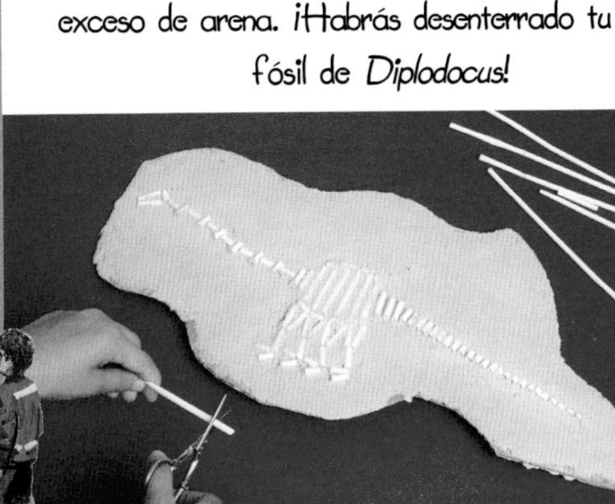

**El *Diplodocus*** medía unos 27 m de largo y pesaba 13 toneladas. El primer esqueleto se encontró en Wyoming, EE.UU., en 1899. Su cola era más larga que su cuello y tenía más de 80 huesos. El Ultrasaurus era todavía más grande, de unos 30 m.

# ¿Criaturas de sangre fría o caliente?

**Los reptiles actuales son animales de sangre fría. Esto significa que su temperatura corporal varía según la temperatura del entorno. Tienen que esperar a calentarse con el sol para poder moverse. Los científicos han pensado tradicionalmente que los dinosaurios eran criaturas de sangre fría.**

Sin embargo, algunos científicos creen que los dinosaurios de cuello largo debieron de ser animales de sangre caliente, porque necesitaban una presión sanguínea alta para que la sangre les llegara al cerebro.

Recientemente se ha sugerido que, de hecho, todos los dinosaurios eran criaturas de sangre caliente. En tal caso, obtenían calor y energía de lo que comían. Realmente parece que no se enfriaban y se volvían lentos como los reptiles modernos.

**Los dinosaurios con placas,** *como el* Tuojiangosaurus, *tal vez usaban las placas óseas de la espalda para absorber el calor del sol y calentarse. En tal caso, quizá eran animales de sangre fría.*

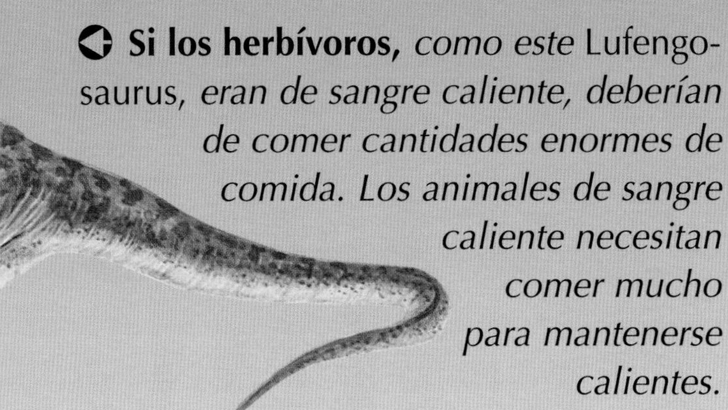

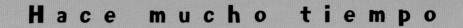

**Si los herbívoros,** *como este* Lufengosaurus, *eran de sangre caliente, deberían de comer cantidades enormes de comida. Los animales de sangre caliente necesitan comer mucho para mantenerse calientes.*

**El dragón de Komodo,** *de sangre fría, es el lagarto más grande que existe hoy en día. Puede llegar a medir 3 m. Al ser de sangre fría, sólo necesita comer su propio peso en comida cada dos meses. Un león, de sangre caliente, necesita comer su propio peso en comida cada semana.*

**PROYECTO**

A LA CAZA DEL DINOSAURIO

Recorta formas de dinosaurio en cartulina. Haz ranuras para encajar los dinosaurios en macetas de plástico. Pon arena en las macetas para estabilizarlas. Ahora intenta meter una pelota en una maceta para cazar un dinosaurio.

# Hábitat de los dinosaurios

Tiranosaurio

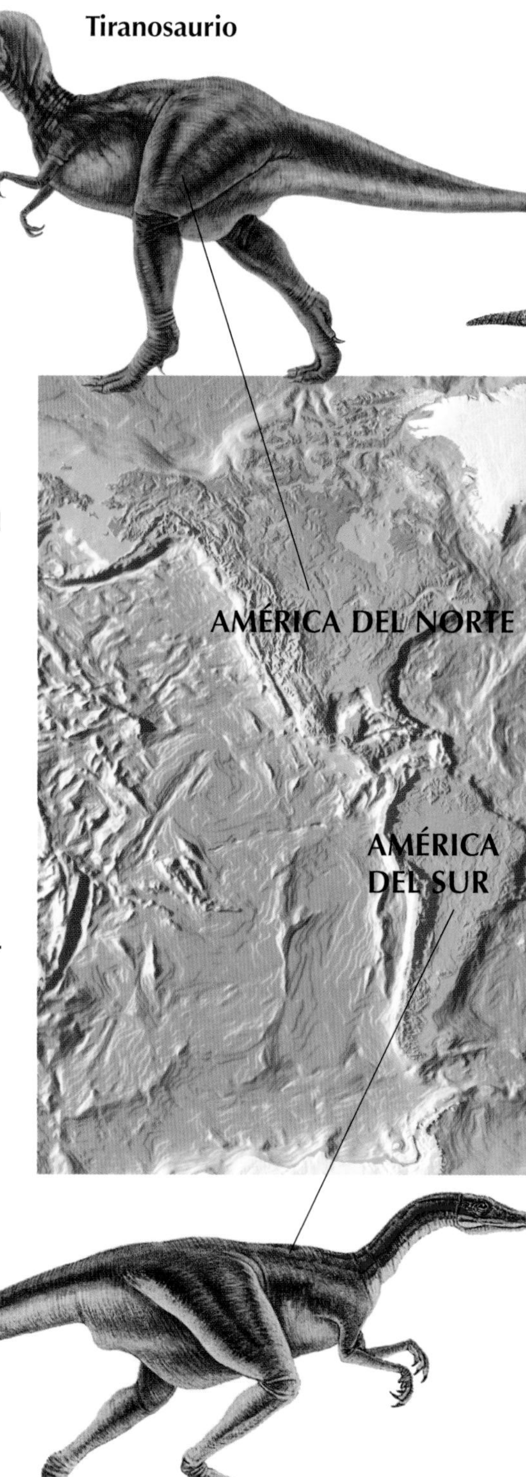


**Se han hallado fósiles de dinosaurios por todo el planeta. De hecho, se han encontrado dinosaurios parecidos en continentes distintos, a pesar de que sabemos que eran animales terrestres y no podían atravesar nadando vastos océanos.**

Durante la era de los dinosaurios, el supercontinente original se iba separando lentamente en varios continentes. Por tanto, al principio los dinosaurios pudieron cruzar de un continente a otro por tierra.

hace 200 millones de años

hace 100 millones de años

hoy

**Los continentes** *estaban unidos en un supercontinente. Pero, durante los 165 millones de años que vivieron los dinosaurios, se fueron separando y éstos se dispersaron por el planeta.*

***Staurikosaurus***

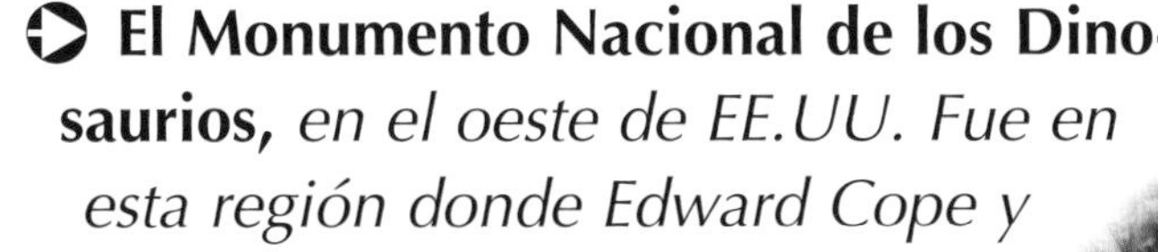

**El Monumento Nacional de los Dinosaurios,** *en el oeste de EE.UU. Fue en esta región donde Edward Cope y Othniel Marsh hicieron grandes hallazgos de dinosaurios hace unos 100 años.*

***Iguanodon***

EUROPA

ASIA

ÁFRICA

AUSTRALIA

***Tuojiangosaurus***

***Minmi***

**Este mapa del mundo** *muestra dónde se han hecho grandes hallazgos. Aún se siguen encontrando restos de dinosaurios.*

***Barosaurus***

**Coleccionistas de dinosaurios:** *1 Dr. Robert Plot; 2 Mary Mantell; 3 Dr. Gideon Mantell; 4 Sir Richard Owen; 5 Edward Cope; 6 Othniel Marsh.*

# En manada

**Estas huellas de dinosaurio** *se hallaron en Queensland, Australia. En la era de los dinosaurios, Australia se estaba separando de la Antártida.*

**Sabemos muchas cosas sobre cómo vivían los dinosaurios gracias al descubrimiento de huellas fósiles, que nos muestran cómo se movían y si viajaban solos, en pequeños grupos o en grandes manadas.**

El *Apatosaurus* era uno de los grandes herbívoros. Unas huellas descubiertas en Texas (todas ellas de hace 150 millones de años) revelan que estos dinosaurios vagaban por las llanuras de América del Norte en manadas, quizá a un ritmo similar al de los elefantes modernos. Manadas de hasta cien herbívoros podrían haber recorrido largas distancias en busca de comida. Los dinosaurios más jóvenes y pequeños caminaban en el medio de la manada para estar más protegidos en caso de ataque.

**PROYECTO**

DEJA HUELLA

Pon pintura en un molde de horno o un recipiente similar. Cubre el suelo con papel de periódico. Pon la pintura en un extremo y, en el otro, un cubo de agua y una toalla. Mete los pies en la pintura, camina por el papel y lávate los pies al final. Pide a un amigo que haga lo mismo, y comparad las huellas.

**El *Hypsilophodon*** *era un pequeño y rápido herbívoro que vivía en manadas. El primer* Hypsilophodon *se descubrió en 1849. Entonces se le confundió con un* Iguanodon.

**El *Tarbosaurus,*** *encontrado en China, era tan parecido al Tiranosaurio, encontrado en América del Norte, que debieron de ser parientes muy cercanos.*

**Tiranosaurio**

***Tarbosaurus***

**Una manada de *Apatosaurus*** *de viaje. Durante muchos años, los científicos creyeron que estos dinosaurios vivían en el agua y que usaban sus largos cuellos como tubos de respiración. Las huellas descubiertas demostraron su error.*

**Dinosaurios** *como el* Parasaurolophus *y el* Saurolophus *tenían crestas huecas en la cabeza. Seguramente las usaban para aumentar los sonidos que emitían para avisar de un peligro a otros miembros de la manada.*

# Huevos y nidos

**Es posible que las hembras de dinosaurio fuesen diferentes de los machos, sobre todo en los colores. Se han encontrado dos tipos ligeramente distintos del mismo dinosaurio, y algunos científicos creen que serían machos y hembras.**

Las hembras de dinosaurio ponían huevos, como los reptiles modernos. Los huevos tenían una cáscara coriácea para proteger a las crías. Las madres a menudo los ponían en hoyos o nidos de barro y los cubrían con plantas o arena. Esto lo sabemos por los huevos fosilizados que se han encontrado.

Los primeros huevos se descubrieron en el desierto de Gobi, en Mongolia, en 1923. También sabemos que algunos grupos de dinosaurios construían sus nidos juntos, en colonias. Los científicos creen que algunos dinosaurios volvían al mismo lugar de anidamiento todos los años.

**Una madre** ***Protoceratops*** *observa cómo sus pequeñas crías salen del cascarón. Posiblemente, las madres protegían y alimentaban a sus crías hasta que podían valerse por sí mismas.*

¡QUÉ GRANDE!

Los huevos de dinosaurio más grandes que se han encontrado medían 30 cm, seis veces más que un huevo de gallina.

**Los cocodrilos** *actuales se comportan de un modo probablemente muy parecido a los dinosaurios. Construyen nidos y los cubren con plantas y barro, para mantener los huevos calientes. Cuando las crías nacen, la madre las lleva en la boca hasta un estanque.*

***Maiasaura,*** *que significa "buena madre lagarto", recibió este nombre cuando se descubrió un grupo de sus nidos con crías y huevos fosilizados. Las madres habían cavado nidos de barro de unos 2 m de diámetro y habían puesto hasta 20 huevos, de 20 cm de largo cada uno. Luego, habían tapado los huevos.*

# Cascos, púas y corazas

**Los animales grandes y lentos necesitaban protegerse de los rápidos y feroces carnívoros. Muchos dinosaurios herbívoros tenían una especie de coraza protectora.**

Algunos dinosaurios tenían placas y púas en la espalda y la cola. Otros tenían una especie de pinchos en la piel. Algunos incluso tenían una porra de hueso en el extremo de la cola, que usaban como arma de defensa.

El cráneo de los dinosaurios contenía básicamente músculo y hueso. Había un grupo que usaba el cráneo para embestir durante las peleas.

PROYECTO

**El *Styracosaurus*** *tenía una cresta ósea de la que salían largas púas. También tenía un cuerno nasal, como los rinocerontes modernos. Vivió hace 75 millones de años. Se han encontrado fósiles en EE.UU. y Canadá.*

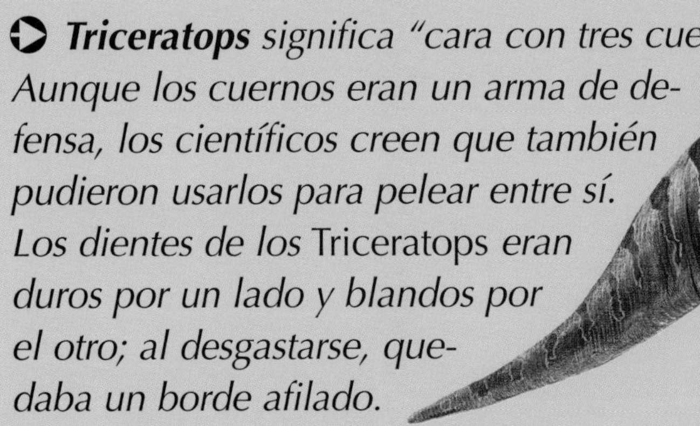

**Triceratops** significa "cara con tres cuernos". Aunque los cuernos eran un arma de defensa, los científicos creen que también pudieron usarlos para pelear entre sí. Los dientes de los Triceratops eran duros por un lado y blandos por el otro; al desgastarse, quedaba un borde afilado.

El ***Euoplocephalus*** tenía placas de coraza ósea, púas en la espalda y una cola en forma de porra. Con sus fuertes músculos blandía la cola contra sus enemigos.

**El mayor dinosaurio de cabeza dura,** Pachycephalosaurus, *tenía un grueso cráneo abombado con el que embestía a sus enemigos. Medía 4,6 m de largo.*

CREA TU DINOSAURIO ACORAZADO

Para hacer tu propio dinosaurio, recorta los laterales de varias cajas de cartón grandes y únelos con cinta adhesiva. Dibuja un dinosaurio grande en el cartón y recórtalo. En otro trozo de cartón, dibuja varias placas para crear una cresta en la espalda del dinosaurio y unas púas para la cola. Recórtalas y pégalas al cuerpo del dinosaurio. Ahora recorta varias hueveras para usarlas como protuberancias óseas. Píntalas de verde y pégalas al cuerpo del dinosaurio. Por último, arruga muchos trozos de papel de seda y pégalos con cola por todo el dinosaurio. Puedes usar un tapón de botella como ojo prehistórico.

# Otros reptiles gigantes

**Durante la larga era de los dinosaurios, en los océanos de nuestro planeta vivían otros reptiles gigantes.**

Al igual que sus parientes los dinosaurios, los reptiles marinos respiraban aire, lo que significa que tenían que salir regularmente a la superficie. Los pulmones llenos de aire impedían a los plesiosauros descender a las profundidades para cazar. Para pesar mas, tragaban piedras.

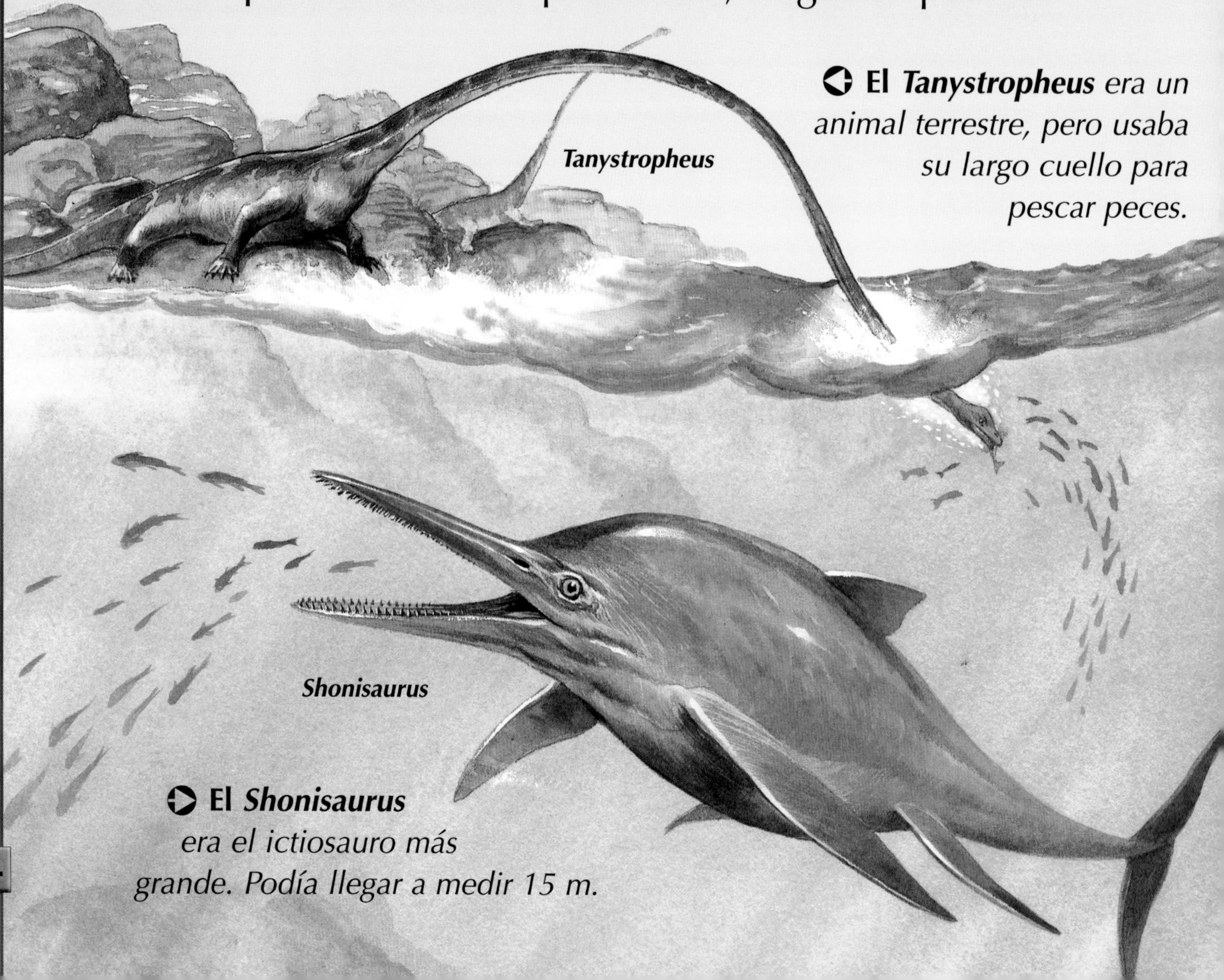

***Tanystropheus***

**El *Tanystropheus*** *era un animal terrestre, pero usaba su largo cuello para pescar peces.*

***Shonisaurus***

**El *Shonisaurus*** *era el ictiosauro más grande. Podía llegar a medir 15 m.*

Ahora los cocodrilos hacen lo mismo. Posiblemente los reptiles marinos ponían sus huevos en nidos de arena en la orilla. Los ictiosauros también eran reptiles, pero parían en el mar.

**El *Elasmosaurus*** *media unos 13 m: era el mayor de los plesiosauros de cuello largo. El* Kronosaurus *era un gigantesco pliosaurio con enormes dientes afilados. El* Archelon *era una tortuga gigante, de casi 4 m. Estos tres reptiles marinos vivieron a finales de la era de los dinosaurios.*

**El *Deinosuchus*** *era el cocodrilo más grande que jamás ha existido. Podía medir hasta 12 m de largo y sus fauces eran enormes. Nadaba en ríos y pantanos. Quizá comía animales terrestres que iban allí a beber.*

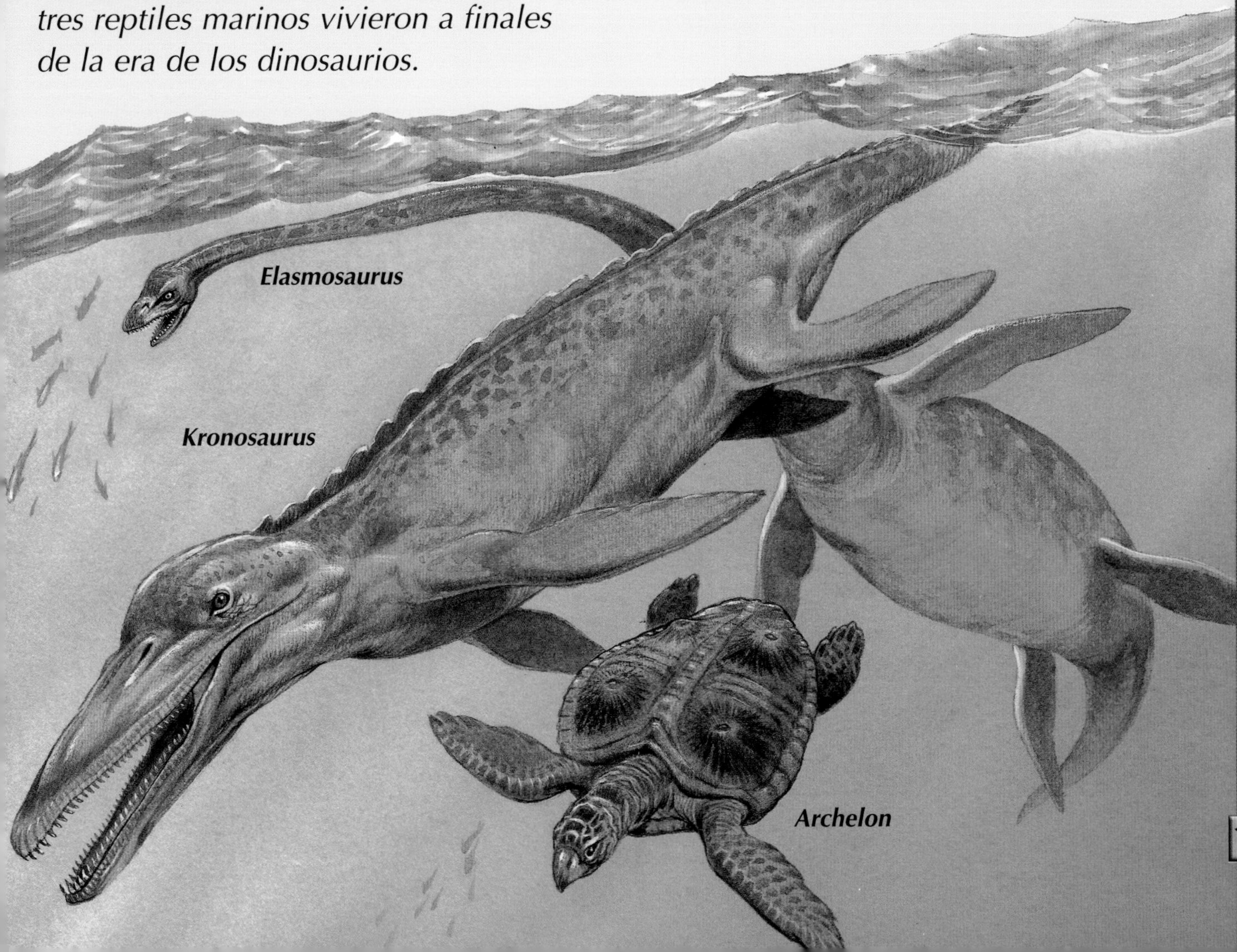

***Elasmosaurus***

***Kronosaurus***

***Archelon***

# Voladores

**Los reptiles empezaron a volar hace 200 millones de años. Mientras los dinosaurios dominaban la tierra, los pterosaurios eran los amos de los cielos, antes de las aves.**

Los pterosaurios volaban con alas de piel, que se extendían desde el cuerpo hasta sus largos dedos a lo largo de los brazos. Se lanzaban desde altos acantilados y batían las alas sobre las corrientes de aire. Sus huesos eran ligeros y delicados. Los científicos creen que tal vez tenían pelo para protegerse del frío y posiblemente eran animales de sangre caliente. Su cerebro era más grande que el de muchos dinosaurios.

***Icarosaurus***

***Coelurosauravus***

**El *Pteranodon*** *volaba sobre el mar y usaba su largo pico sin dientes para pescar peces. Tenía una envergadura de más de 5 m. La larga cresta ósea de la cabeza tal vez le servía como timón, para guiarse y mantener el equilibrio durante el vuelo. Los fósiles de* Pteranodon *encontrados son de hace 80 millones de años.*

**El *Icarosaurus* y el *Coelurosauravus*** *eran animales primitivos parecidos a un lagarto con alas. El* Icarosaurus *vivió hace más de 200 millones de años. Trepaba a los árboles con las alas plegadas. Luego saltaba y planeaba con la ayuda de sus finas alas.*

VOLANDO COMO UNA FLECHA

Es muy fácil hacer un pterosaurio volador. Toma una hoja de papel y dóblala como si hicieras un avión. Cuando hayas terminado de doblar, pon una gota de cola para que el cuerpo de tu criatura voladora se mantenga unido. No olvides dibujar los ojos del pterosaurio. Pinta también las alas, según los colores que ves en esta página. Ahora lanza tu pterosaurio: ¡a volar!

**El mayor pterosaurio** *descubierto hasta ahora, el* Quetzalcoatlus, *tenía una envergadura de unos 12 m. Probablemente pesaba tanto como un hombre grande.*

**El *Rhamphorhynchus*** *vivió hace 145 millones de años. Tenía la cabeza estrecha y dientes puntiagudos. Su larga cola podía ayudarle a mantener el equilibrio y a cambiar de rumbo en el aire.*

**El *Dimorphodon*** *tenía la cabeza grande y pesada. Probablemente era torpe volando. Quizá planeaba en distancias cortas entre árboles y rocas.*

# Las primeras aves

**Uno de los primeros reptiles con forma de ave es el Archaeopteryx, que vivió hace 150 millones de años. Era un pariente cercano de los dinosaurios, pero tenía plumas, como los pájaros, y podía volar un poco.**

Archaeopteryx significa "ala antigua". Más o menos era del tamaño de una gallina y tenía una cola larga y patas largas. Probablemente, más que volar, trepaba.

Hace 90 millones de años, mientras los dinosaurios todavía poblaban la tierra, algunas aves acuáticas empezaban a pescar peces en el mar. Algunas de estas criaturas voladoras quizá se sentían más a gusto en el agua que en tierra o en el aire.

**Los primeros fósiles de *Archaeopteryx*** *se descubrieron en el sur de Alemania en 1861. Las impresiones de las plumas eran tan claras que los científicos creyeron que se trataba de una broma.*

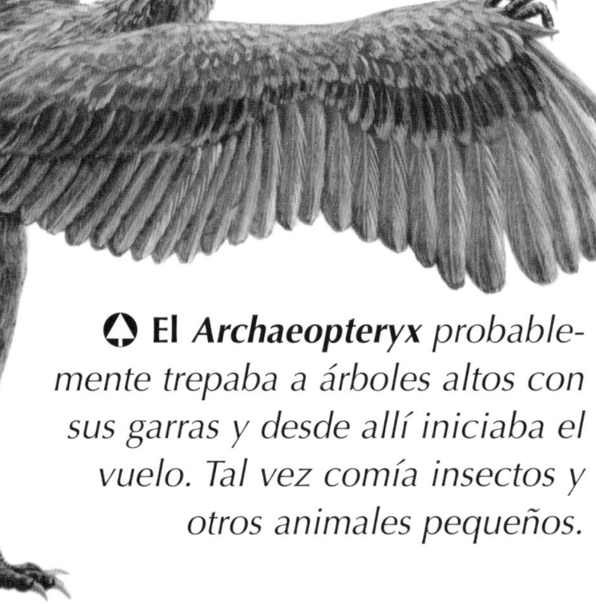


**El *Archaeopteryx*** *probablemente trepaba a árboles altos con sus garras y desde allí iniciaba el vuelo. Tal vez comía insectos y otros animales pequeños.*

¿DE QUÉ COLOR?

No sabemos de qué color eran las primeras aves. Los fósiles de plumas nos permiten ver su forma y tamaño, pero no su color. Quizá los machos y las hembras eran de colores distintos.

**El *Diatryma*** *era un ave que no volaba, pero corría muy deprisa. Tenía un gran pico parecido al de un loro y enormes garras. Era tan grande como una persona alta y vivió hace 50 millones de años. Puede que cazara caballos primitivos.*

**El *Hesperornis*** *era un buen buceador, pero probablemente no podía volar.*

**El *Ichthyornis*** *era como una gaviota moderna; podía volar para pescar peces.*

***Hesperornis***

***Ichthyornis***

# El fin de los dinosaurios

**Los dinosaurios se extinguieron hace 65 millones de años. Los grandes reptiles marinos y voladores desaparecieron al mismo tiempo. No sabemos con seguridad cómo ocurrió.**

Es posible que la Tierra quedara cubierta de polvo y humo volcánico que no dejaron pasar la luz solar durante muchos meses. Las plantas y la mayoría de los animales no podrían haber sobrevivido a una catástrofe así.

**El herbívoro *Saltasaurus*** *fue uno de los últimos dinosaurios conocidos. Al extinguirse los herbívoros, los carnívoros se quedaron sin comida.*

**Quizá muchos volcanes grandes** *entraron en erupción durante varios años. Entonces, la Tierra se calentó demasiado, el aire quedó envenenado y no llegaban los rayos del Sol.*

**El cráter Meteor** *de Arizona, EE.UU., lo formó un meteorito hace 50.000 años. Algunos científicos creen que un asteroide mucho mayor pudo chocar contra la Tierra hace 65 millones de años y provocar el polvo que terminaría matando a los dinosaurios.*

¿DESAPARECIERON TODOS LOS HUEVOS?

Según otra teoría, pequeños mamíferos asaltaron los nidos de los dinosaurios y devoraron tantos huevos que no nacieron más dinosaurios. Esta historia no parece muy probable.

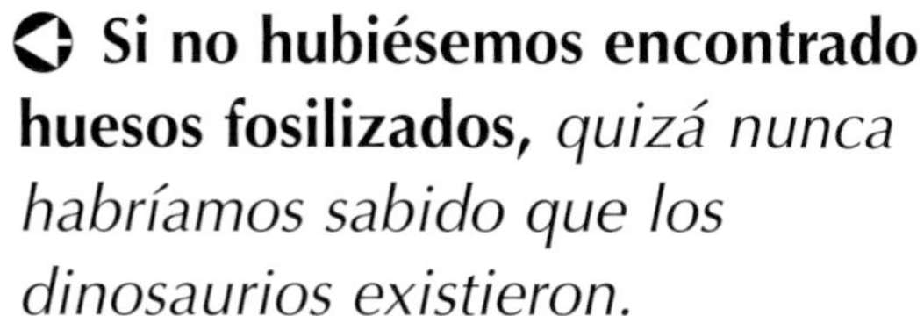

**Si no hubiésemos encontrado huesos fosilizados,** *quizá nunca habríamos sabido que los dinosaurios existieron.*

# Llegan los mamíferos

**Los primeros mamíferos aparecieron hace 200 millones de años. Mientras los dinosaurios dominaron la tierra, los mamíferos eran pequeños.**

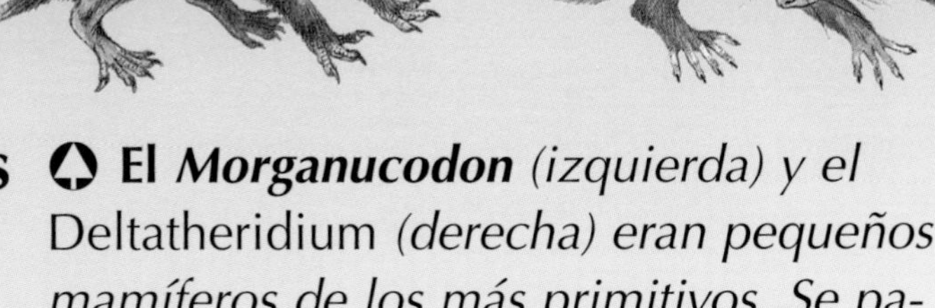

**El *Morganucodon*** *(izquierda) y el* Deltatheridium *(derecha) eran pequeños mamíferos de los más primitivos. Se parecen mucho a las musarañas modernas.*

La mayoría de los primeros mamíferos probablemente permanecían en sus madrigueras durante el día y salían a comer por la noche, mientras los animales más grandes dormían. Pero, al extinguirse los dinosaurios, los mamíferos, de sangre caliente, ocuparon su lugar dominante en la tierra. Crecieron, se hicieron más fuertes y algunos se volvieron carnívoros.

El *Uintatherium* era un enorme mamífero parecido al rinoceronte actual. Medía 4 m de largo y tenía seis cuernos.

**Esta escena muestra** *cómo podía ser el mundo hace 40 millones de años. Mamíferos como los elefantes, los osos, los caballos y los murciélagos actuales empezaban a dominar la tierra y a competir entre sí.*

PROYECTO

DIBUJA UN MAMÍFERO MIXTO

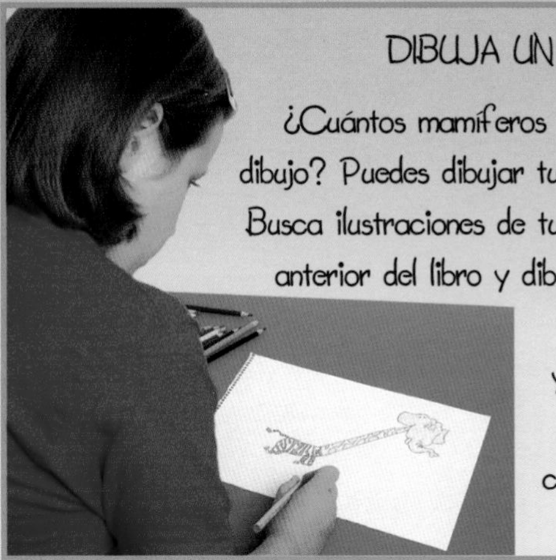

¿Cuántos mamíferos reconoces en este dibujo? Puedes dibujar tu propio mamífero mixto. Busca ilustraciones de tus animales favoritos en el capítulo anterior del libro y dibuja partes de cada uno de ellos, mezclando cabezas, cuerpos y patas. Cualquier combinación es posible, y puedes hacer lo mismo con dinosaurios y con otros reptiles.

**La tupaya común** *posiblemente se parece mucho a los primeros mamíferos que existieron en la era de los dinosaurios. Hay tupayas en casi todas las regiones del mundo.*

**El *Pantolambda*** *era un herbívoro ungulado primitivo del tamaño de una oveja moderna. Quizá le gustaba revolcarse en el barro, como a los hipopótamos de ahora.*

# El hombre primitivo

**Los seres antropomorfos que llamamos "monos del sur" vivieron en África hace 4 millones de años. Sabemos que unos 2 millones de años más tarde, un homínido, el "hombre hábil", fabricaba y utilizaba herramientas de piedra.**

Cientos de miles de años después, el "hombre erguido" aprendió a usar el fuego. A continuación vino el hombre de Neanderthal, que evolucionó hace 250.000 años y se extinguió hace 30.000 años. Entonces ya existía otro ser humano, el "hombre moderno", u *Homo sapiens,* que significa "hombre sabio". Desarrolló la agricultura, cuidaba de animales y realizó pinturas rupestres.

La mayoría de los hombres prehistóricos cazaban grandes animales, como mamuts, y recogían frutos para alimentarse.

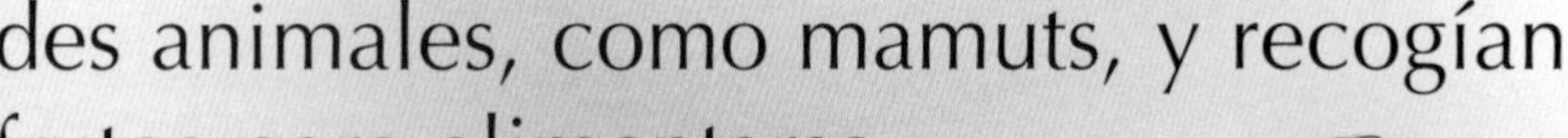

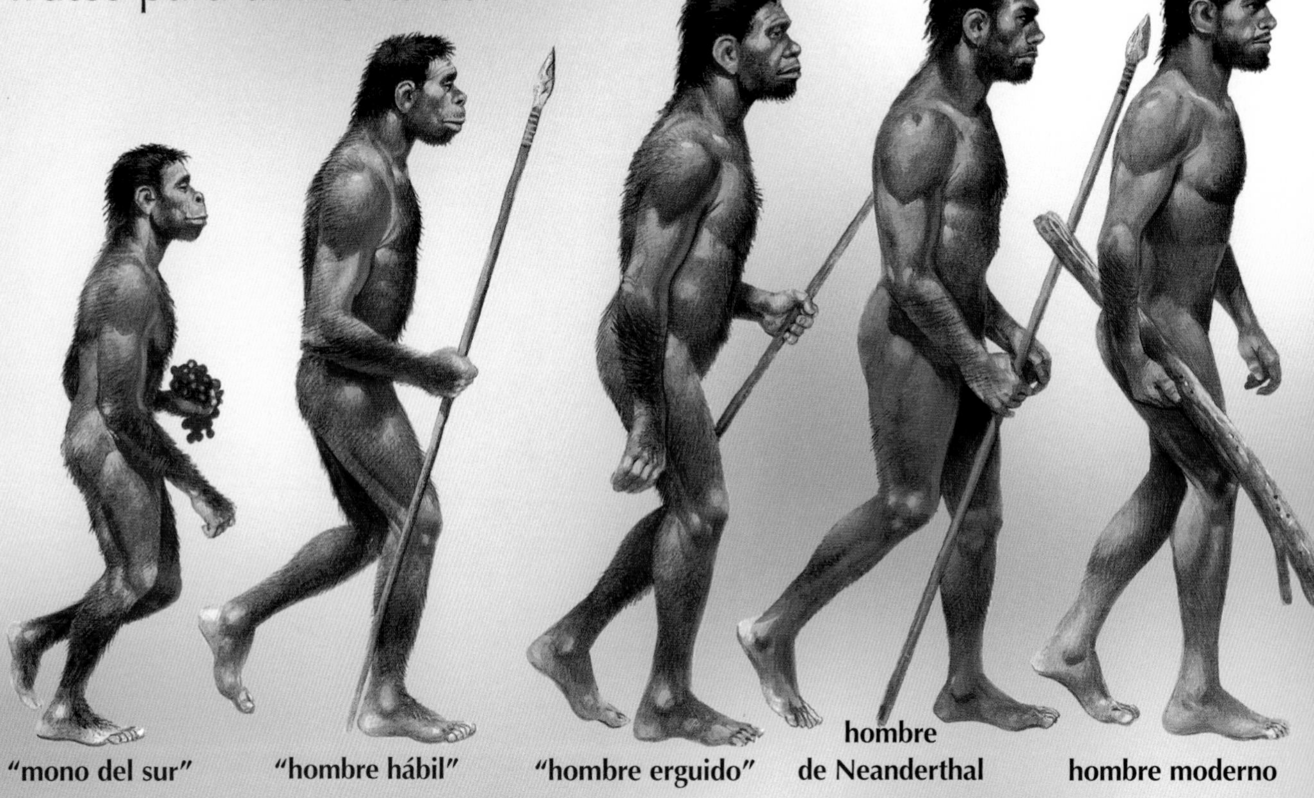

"mono del sur" — "hombre hábil" — "hombre erguido" — hombre de Neanderthal — hombre moderno

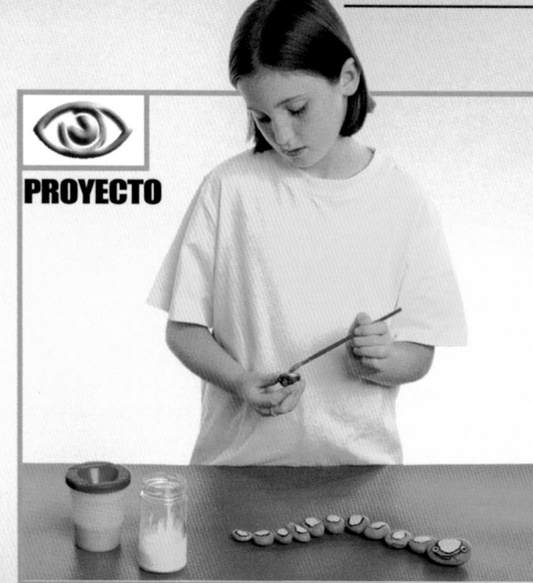

PROYECTO

SERPIENTE DE LA EDAD DE PIEDRA

Puedes convertir una colección de guijarros o piedras redondeadas en una divertida serpiente. Lava bien las piedras y deja que se sequen por completo antes de empezar a pintar. Usa la piedra más grande para la cabeza y ve disminuyendo de tamaño hasta la punta de la cola. Pinta el cuerpo de la serpiente con témpera verde. Espera a que se seque y luego añade marcas amarillas, los ojos y la boca con su lengua bífida. Cuando las piedras estén secas, disponlas de forma serpenteante.

**Las pinturas prehistóricas** *de las cuevas de Lascaux, Francia, las descubrieron cuatro jóvenes en 1940. Estas pinturas de animales se hicieron hace 17.000 años.*

**El llamado "mono del sur",** *o* Australopithecus, *era un antropomorfo primitivo. Luego apareció el "hombre hábil"* (Homo habilis), *que fabricaba herramientas de piedra. Después, el "hombre erguido" utilizó el fuego. Los humanos modernos pertenecemos al grupo del "hombre sabio"* (Homo sapiens).

**Se cree que el "hombre erguido",** *u* Homo erectus, *fue el primero que usó el fuego. El fuego era útil para cocinar, para calentarse y para espantar a los animales que se acercaban a sus hogares. Posiblemente colocaban piedras calientes en el fuego a modo de horno primitivo.*

# Descubriendo dinosaurios

**Algunos insectos prehistóricos** *quedaron atrapados en ámbar, una sustancia pegajosa que rezuma de algunos árboles y luego se endurece.*

**Los dinosaurios se extinguieron millones de años antes de que existieran los primeros humanos. Las primeras personas que hallaron fósiles de dinosaurios no sabían qué eran.**

Hace menos de 200 años, los científicos se dieron cuenta de que eran reptiles extinguidos y, en 1841, el científico británico Sir Richard Owen les dio el nombre de "dinosaurios".

Desde entonces, científicos llamados paleontólogos han estudiado miles de fósiles.

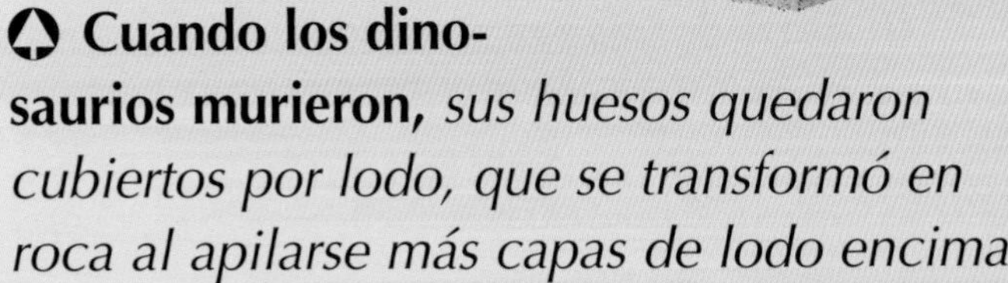

**Cuando los dinosaurios murieron,** *sus huesos quedaron cubiertos por lodo, que se transformó en roca al apilarse más capas de lodo encima. Tras millones de años, la roca se ha erosionado y ha dejado los huesos fosilizados al descubierto.*

**Estos huesos del *Hypacrosaurus*** *muestran claramente la forma de aquel herbívoro. Los huesos fosilizados se suelen encontrar unos cerca de otros, pero a menudo deben reconstruirse como un rompecabezas.*

Así han compuesto la imagen de la vida prehistórica que tenemos hoy en día. Los nombres de los dinosaurios suelen estar en latín y muchos describen un rasgo del animal. Por ejemplo, *Euoplocephalus* significa "cabeza bien acorazada".

**Primero hay que cepillar** *la suciedad de los huesos. Luego se etiqueta y se numera cada hueso. Esto ayuda a juntar después las piezas.*

**Los paleontólogos** *toman muchas notas sobre el lugar donde se descubren los huesos. Toman fotografías y hacen dibujos y diagramas antes de llevarse los huesos. Otros científicos podrán aprender muchas cosas de esas notas.*

**Los huesos se envuelven** *con cuidado en yeso húmedo antes de moverlos de su sitio original. Una vez que el yeso se ha endurecido, los huesos pueden trasladarse con seguridad a un laboratorio. Allí se puede retirar la funda de yeso que los protegía para que los científicos los estudien.*

# Cuestionario

1. *¿Los primeros peces sorbían o mordían la comida? (p.170)*
2. *¿Cuántos tipos de algas hay hoy en día? (p. 171)*
3. *¿Qué famoso científico viajó a América del Sur en 1832? (p. 172)*
4. *El primer caballo era pequeño. ¿Del tamaño de qué animal actual? (p. 172)*
5. *¿Dónde ponen los huevos los anfibios? (p. 174)*
6. *¿Qué significa "anfibio"? (p. 174)*
7. *¿Los primeros reptiles podían vivir todo el tiempo fuera del agua? (p. 176)*
8. *¿Para qué usaban la cresta de la espalda los reptiles que la tenían ? (p. 177)*
9. *¿Qué significa la palabra "dinosaurio"? (p. 178)*
10. *¿Cuándo aparecieron los primeros dinosaurios en la Tierra? (p. 178)*
11. *¿Cómo se llamaba un dinosaurio que robaba huevos? (p. 181)*

12. *¿A qué ave se parecía el* Struthiomimus*? (p. 181)*
13. *¿Qué es un herbívoro? (p. 182)*
14. *¿Cuánto medía de largo el* Diplodocus*? (p. 183)*
15. *¿Con qué se calientan los reptiles cada mañana? (p. 184)*
16. *¿Cuál es el lagarto más grande que existe en la actualidad? (p. 185)*
17. *¿Cómo denominamos la enorme masa de tierra de la que se separaron los continentes? (p. 186)*
18. *¿Dónde hicieron grandes hallazgos los famosos coleccionistas de dinosaurios Cope y Marsh? (p. 187)*
19. *¿Por qué los dinosaurios jóvenes caminaban en el medio de la manada? (p. 188)*
20. *¿En qué estado de EE.UU. se han encontrado huellas de* Apatosaurus*? (p. 188)*
21. *¿Dónde se encontraron los primeros huevos de dinosaurio? (p. 190)*
22. *¿Qué significa el nombre "*Maiasaura*"? (p. 191)*
23. *¿Qué hacía el* Pachycephalosaurus *con la cabeza? (p. 193)*
24. *¿Qué dinosaurio tenía una "cara con tres cuernos"? (p. 193)*
25. *¿Cuánto medía el cocodrilo más grande que jamás ha existido? (p. 195)*
26. *¿Qué tragaban los plesiosauros para descender a las profundidades del océano? (p. 194)*
27. *¿Para qué podía usar el* Pteranodon *la cresta de la cabeza? (p. 196)*
28. *¿Qué envergadura tenía el pterosaurio más grande? (p.197)*
29. *¿Cuándo vivió la primera ave? (p. 198)*
30. *¿Para qué usaba las garras el* Archaeopteryx*? (p. 198)*
31. *¿Cuándo se extinguieron los dinosaurios? (p. 200)*
32. *¿Dónde está el cráter Meteor? (p. 201)*
33. *¿Qué animal moderno es muy parecido a los mamíferos más primitivos? (p. 202)*
34. *¿Qué tenía el* Uintatherium *en la cabeza? (p. 202)*
35. *¿Cuál fue el primer hombre que usó el fuego? (p. 204)*
36. *¿Quién fue primero, el "hombre erguido" o el "hombre hábil"? (p. 204)*
37. *¿Hubo seres humanos al mismo tiempo que los dinosaurios? (p. 206)*
38. *¿Qué usan los científicos para envolver los huesos de los dinosaurios? (p. 207)*

# Tierras y culturas

**Los seres humanos vivimos en seis continentes distintos. Cada uno de estos continentes tiene sus paisajes típicos y sus lugares famosos, que se han desarrollado de una manera única a lo largo de la historia. Las personas viven en selvas tropicales y en desiertos, cerca de océanos y de ríos, en pequeñas aldeas y en grandes ciudades.**

Toda la gente del mundo pertenece a la misma raza humana, aunque está dividida en cientos de naciones y otros grupos. Muchos de estos grupos tienen su lengua, religión, fiestas y costumbres propias, que se basan en su historia particular. Todos podemos aprender cosas del modo de vida de otras personas de otras regiones del mundo.

# América del Norte

**El continente de América del Norte se extiende desde el gélido océano Ártico en el norte hasta las cálidas aguas del mar Caribe en el sur. Incluye dos de los países más grandes del mundo: Canadá y los Estados Unidos de América.**

**El Gran Cañón,** *en Arizona, EE.UU., es el desfiladero más grande del mundo. Mide 350 km de largo y 2 km de hondo.*

El paisaje varía desde los casquetes polares de Groenlandia hasta los inmensos bosques fríos de Canadá, desde las praderas americanas y los desiertos del norte de México hasta las selvas tropicales de América Central. Las Montañas Rocosas recorren prácticamente toda la parte oeste del continente. En el este está Nueva York, la ciudad más grande de EE.UU.

**La isla de Manhattan** *es uno de los cinco distritos municipales de la ciudad de Nueva York. Está rodeada por tres ríos; puentes y túneles la comunican con el resto de la ciudad.*

**Groenlandia** *(a la derecha) es la isla más grande el mundo. La mayor parte de su territorio está dentro del círculo polar ártico.*

**Alaska** *es el más grande de los 50 estados que componen EE.UU., pero es el que tiene menos habitantes. Como en Canadá y Groenlandia, hay mucho hielo y nieve.*

**Esta pirámide mexicana** *la construyeron hace más de 1.000 años los mayas, un pueblo nativo americano. La pirámide era un templo a su dios Kukulcán.*

# Gente de América del Norte

**Los inuit** *viven en el norte de Canadá y Groenlandia. En su lengua, inuit significa "gente".*

**Hace miles de años, los cazadores del noreste de Asia cruzaron por un puente de tierra hasta la región que ahora llamamos Alaska. Los descendientes de aquellas gentes fueron avanzando hacia el sur, por todo el continente.**

Hace unos 1.000 años, los exploradores vikingos zarparon de Europa rumbo a América del Norte. Pero hasta hace 500 años no hubo asentamientos permanentes de europeos.

Estados Unidos es una nación con su estilo de vida propio, pero está formada por personas que llegaron de distintas partes de todo el mundo. El cuarto jueves de noviembre, los estadounidenses celebran el día de acción de gracias. Los primeros pobladores daban así gracias por sobrevivir en el Nuevo Mundo.

**Los pueblos nativos** *que vivían en la costa pacífica del noreste de EE.UU. y Canadá tallaban bonitos totems fuera de sus casas.*

**¿CUÁNDO CRUZÓ EL FERROCARRIL EE.UU. DE COSTA A COSTA?**

El 10 de mayo de 1869, una locomotora de la línea Union Pacific se encontró con otra de la línea Central Pacific en un lugar llamado Promontory, en Utah. Así se completó una vía que atravesaba todo el país de EE.UU.

**El fútbol americano** *se desarrolló a partir del rugby, un deporte británico, hace más de cien años. Los jugadores llevan casco y hombreras.*

**CORONA DE PLUMAS**

**PROYECTO** Recorta una tira de papel ondulado y pega los extremos con cinta adhesiva para que te encaje en la cabeza. Corta trocitos de papel de seda, forma bolas y pégalas con cola en la tira. Recorta formas de pluma de papel de seda y pégalas a pajillas. Encaja los extremos de las pajillas en los huecos del papel ondulado.

**Los mexicanos** *celebran muchas fiestas con bailes en la calle. La gente viste trajes especiales para la ocasión.*

**Montar un potro salvaje** *es una de las habilidades que los vaqueros exhiben en los rodeos. Hace años, los vaqueros conducían grandes rebaños de ganado a las ciudades del ferrocarril. Era una vida muy dura.*

# América del Sur

**El continente de América del Sur se divide en 13 países. El más grande de todos ellos es Brasil, que ocupa casi la mitad de la superficie total del continente.**

La cordillera de los Andes recorre casi toda América del Sur. Es la cordillera montañosa más larga del mundo. El gran río Amazonas nace en los Andes del Perú. Fluye por las llanuras del Brasil, a través de la selva tropical más grande del planeta, hasta desembocar en el océano Atlántico.

**Una gran estatua de Cristo** *domina la ciudad y las abarrotadas playas de Río de Janeiro, en Brasil. La estatua mide 40 m de alto.*

**En la selva del Amazonas,** *hay loros, tucanes y también monos. Muchos animales de la selva tropical están perdiendo su hogar porque los árboles se talan para extraer madera.*

**La cordillera de los Andes** *mide 7.200 km de largo. El pico más alto, el Aconcagua, está en Argentina.*

**Las ruinas** *de la ciudad inca de Machupicchu están en lo alto del valle de un río en los Andes del Perú. Entre las ruinas destacan un palacio real y un templo.*

**La punta más al sur** *del continente es el cabo de Hornos. En 1616, un explorador holandés le dio este nombre por su ciudad natal, Hoorn. Suele haber fuertes tormentas.*

**Las llamas** *pertenecen a la familia del camello. En el Perú, se crían desde hace miles de años por su lana y como animal de carga.*

# Gente de América del Sur

¿CUÁNTO LLUEVE?

En la selva tropical del Amazonas llueve tanto que los brasileños dividen las estaciones en la época de lluvias y la época seca. La lluvia es tan abundante que más de una quinta parte de toda el agua de los ríos del mundo fluye por el río Amazonas.

**Los primeros europeos llegaron a América del Sur en el siglo XVI. Conquistaron las grandes culturas nativas americanas que encontraron, entre las cuales estaba el poderoso imperio inca.**

Actualmente, la mayoría de los suramericanos descienden de europeos y de indígenas, o nativos americanos, y muchos son una mezcla de los dos. La principal lengua del continente es el español, pero en Brasil, el país más grande, se habla portugués.

**Los habitantes de las montañas** *de los Andes hilan la lana de las llamas y las ovejas, la tiñen de vistosos colores y tejen bonitas mantas, chales y faldas.*

**Brasil** *es famoso por su multitudinario carnaval, que atrae a miles de turistas todos los años. Muchos brasileños se disfrazan con trajes de colores alegres.*

**Los gauchos** *son los vaqueros argentinos, famosos por su dominio del caballo. Cuidan del ganado en llanuras llamadas pampas.*

Los diferentes pueblos nativos americanos también hablan cientos de lenguas indígenas.

El fútbol es el deporte más popular en América del Sur. Brasil ha ganado el Mundial cinco veces, y Uruguay y Argentina lo han ganado dos veces cada uno.

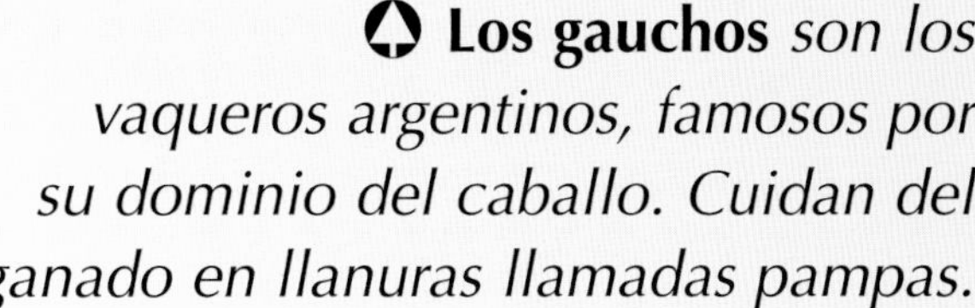

**PROYECTO**

FABRICA UNA MARACA

Usa una botella de plástico vacía de detergente líquido o similar. Mete unas cuantas legumbres e inserta un palo en el cuello de la botella. Fíjalo con cinta adhesiva de modo que el palo no se mueva. Pinta tu maraca con témperas o pinturas en polvo mezcladas con una cucharadita de detergente líquido. Pega adornos de papel de seda ¡y dale ritmo a tu maraca!

**Los aimaras** *viven tradicionalmente de la agricultura y la pesca en barcas de juncos en el lago Titicaca. Este lago está en los Andes, entre el Perú y Bolivia.*

# Europa

**Las regiones del norte de Europa son frías. En ellas se encuentra Escandinavia, que está formada por Noruega, Suecia, Finlandia, Dinamarca e Islandia.**

Las regiones centrales del continente tienen un clima suave, mientras que las regiones del sur bañadas por el mar Mediterráneo son más cálidas y secas. Europa tiene un litoral escarpado, con muchas islas pequeñas.

**En Europa, en la Edad Media** *los reyes y los nobles vivían en castillos, diseñados para resistir los ataques del enemigo. Aún hoy pueden verse en Europa muchos tipos de castillos distintos.*

**En Islandia hay activos muchos géiseres,** *o fuentes termales. Regularmente lanzan hacia arriba agua hirviendo y vapor. Los islandeses usan el agua caliente subterránea para alimentar centrales eléctricas y calentar sus casas.*

**Una playa turística** *de una de las muchas islas griegas. En verano hace sol y buen tiempo en toda la costa del mar Mediterráneo.*

**La carretera que cruza el Puente de la Torre** *de Londres se levanta para que pasen los barcos grandes. Muchos ríos europeos son importantes vías navegables que permiten llegar a los puertos marítimos.*

**La mitad occidental** *de Rusia (que aparece en el mapa) forma parte de Europa. El resto pertenece a Asia.*

Reikiavik
ISLANDIA
MAR DE NORUEGA
OCÉANO ATLÁNTICO
SUECIA
FINLANDIA
NORUEGA
Arcángel
RUSIA
Helsinki
San Petersburgo
Oslo
Estocolmo
MAR DEL NORTE
ESTONIA
Nizhni Nóvgorod
REPÚBLICA DE IRLANDA
LETONIA
Moscú
DINAMARCA
MAR BÁLTICO
Dublín
Copenhague
LITUANIA
KAZAJSTÁN
REINO UNIDO
PAÍSES BAJOS
Minsk
BIELORRUSIA
Don
Londres
Berlín
Varsovia
BÉLGICA
POLONIA
ALEMANIA
Kiev
Volga
París
Sena
UCRANIA
Loira
LUXEMBURGO
REPÚBLICA CHECA
Dniéper
ESLOVAQUIA
FRANCIA
Danubio
Viena
Golfo de Vizcaya
Lyon
MOLDAVIA
Budapest
SUIZA
AUSTRIA
HUNGRÍA
Ródano
Milán
ESLOVENIA
CROACIA
RUMANÍA
Po
BOSNIA-HERZEGOVINA
Bucarest
Duero
MAR NEGRO
PORTUGAL
ANDORRA
Madrid
Tajo
BULGARIA
Lisboa
ITALIA
SERBIA Y MONTENEGRO
Barcelona
Córcega
Sofía
Roma
Estambul
ESPAÑA
Nápoles
MACEDONIA
Ankara
ASIA
Cerdeña
Sevilla
ALBANIA
TURQUÍA
Islas Baleares
GRECIA
Gibraltar
MAR MEDITERRÁNEO
Sicilia
Atenas
NORTE DE ÁFRICA

# Gente de Europa

**Europa incluye muchos países pequeños y pueblos diferentes. La mayoría tiene su lengua y cultura propias.**

En el norte, viven los finlandeses y los lapones, así como los pueblos de lenguas germánicas, como los ingleses, los holandeses y los alemanes. En el sur, la gente habla francés, español e italiano, lenguas que proceden del latín, el idioma de los antiguos romanos. Dentro de Roma (la capital de Italia), se encuentra el Vaticano, el país más pequeño del mundo.

**El flamenco** *es un cante y un baile de España que se acompaña con la guitarra. Los bailaores chasquean los dedos, dan palmas y gritan al ritmo de la música.*

PROYECTO

ABANÍCATE

Para fabricar tu abanico, primero pinta o dibuja vistosos estampados en una hoja larga de papel. Puedes decorarla con cola con purpurina. Una vez seco, dobla el papel en zigzag, asegurándote de que todos los dobleces sean iguales. Grápalos en un extremo y añade un palo de polo como mango de tu abanico.

**Un gondolero,** *o remero, dirige su góndola por uno de los muchos canales de Venecia, en Italia. Esta bonita ciudad está rodeada casi por completo de agua.*

**Esta plaza está en Praga,** *la capital y la ciudad más grande de la República Checa. Sus edificios históricos atraen a numerosos visitantes.*

**La marcha de bandas militares** *es tradicional en las ceremonias de Gran Bretaña. Estos soldados llevan "sombreros de piel de oso".*

**La vendimia** *es muy importante para los vinicultores de Francia, Italia, España y otros países del sur de Europa. Antiguamente se pisaban las uvas para extraer su zumo, pero ahora suelen hacerlo máquinas.*

# Asia

**Asia es, con diferencia, el continente más extenso. Es más grande que América del Norte y del Sur juntas.**

Los paisajes de Asia van desde los inmensos bosques fríos del norte de Rusia hasta las cálidas selvas húmedas de las islas del sudeste asiático. Las montañas más altas del planeta también se encuentran en Asia.

Rusia es el país más grande del mundo. El ferrocarril transiberiano lo cruza desde Moscú hasta Vladivostok. De ahí, los trenes continúan hasta Pekín, en China.

**La Gran Muralla China** *se construyó para frenar a los invasores del norte. Se empezó hacia el año 200 a.C.*

**El Himalaya** *es una cordillera montañosa situada al norte de la India que cuenta con muchas de las montañas más altas del mundo. El pico más alto, el Everest, mide 8.848 m. Está entre Nepal y el Tíbet. Se escaló por primera vez en 1953.*

**Hong Kong** *es una ciudad y puerto importante de la costa de China. Esta antigua colonia británica se devolvió a China en 1997.*

**Japón** *(a la derecha del mapa) tiene más de 3.900 islas. Una leyenda cuenta que un antiguo dios sumergió su lanza en el océano y formó las islas con las gotas de agua iluminadas por el sol.*

OCÉANO ÁRTICO
Mar de Bering
OCÉANO PACÍFICO
EUROPA
ÁFRICA
AUSTRALIA
Indigirka
Lena
Tunguska
R U S I A
Obi
Yenisei
Yekaterinburg
Amur
Lago Baikal
Novosibirsk
Mar Negro
Ankara
TURQUÍA
GEORGIA
ARMENIA
AZERBAIYÁN
CHIPRE
LÍBANO
SIRIA
ISRAEL
JORDANIA
Eufrates
Tigris
Mar Caspio
Aqmola
Irtyš
KAZAJSTÁN
Syr Daria
UZBEKISTÁN
Ulan Bator
MONGOLIA
Shenyang
COREA DEL NORTE
Tokio
JAPÓN
Almaty
TURKMENISTÁN
Teherán
Bagdad
IRAQ
KIRGUISTÁN
Pekín
COREA DEL SUR
TAYIKISTÁN
IRÁN
ARABIA SAUDÍ
KUWAIT
Huang Ho (río amarillo)
AFGANISTÁN
Islamabad
CHINA
Mar Rojo
La Meca
BAHRÉIN
Riad
QATAR
EMIRATOS ÁRABES UNIDOS
PAKISTÁN
Indo
Chang Jiang (Yangtsé)
Nueva Delhi
NEPAL
Mascate
Sanaa
YEMEN
OMÁN
Mar Arábigo
BUTÁN
Ganges
BANGLADESH
Kolkata (Calcuta)
TAIWAN
Hong Kong
Macao
INDIA
Mumbai (Bombay)
Godavari
MYANMAR (BIRMANIA)
LAOS
Rangún
TAILANDIA
Manila
CAMBOYA
VIETNAM
FILIPINAS
Chennai (Madrás)
Colombo
SRI LANKA
BRUNÉI
Irian Jaya
MALASIA
SINGAPURA
Borneo
Célebes
Sumatra
INDONESIA
Yakarta
Java

**El arroz** *es un importante alimento en Asia. Se cultiva en arrozales inundados, como éste de Tailandia. A veces los campos se drenan para facilitar la cosecha.*

# Gente de Asia

**Más de la mitad de la población mundial vive en Asia, donde está el país más poblado del mundo: China.**

Las primeras civilizaciones se desarrollaron en el sudoeste de Asia, en una región fértil entre dos grandes ríos, el Tigris y el Éufrates. Allí empezó la agricultura y se formaron las primeras ciudades.

En Indonesia, en la isla de Borneo, muchas familias dayak viven juntas en casas comunales de madera.

Brunéi es un pequeño país de la isla Borneo. El sultán de Brunéi es una de las personas más ricas del mundo. Su palacio tiene ¡1.788 habitaciones!

**Los mongoles** *del norte de China y Mongolia son expertos jinetes. Siguen a sus rebaños de cabras y ganado por los prados, y viven en tiendas de fieltro conocidas como yurtas.*

**Muy pocas personas** *viven en el árido y caluroso desierto Arábigo. Algunos nómadas beduinos viven en tiendas en sus márgenes, cuidando del ganado y los camellos.*

BELLEZA JAPONESA

**PROYECTO**

Haz un bonito ornamento floral japonés. Cubre la base de un recipiente transparente con arena. Añade grava, conchas y guijarros. Clava una ramita en la arena del fondo. Llena el recipiente de agua hasta la mitad. Luego decora la superficie con hojas y flores, y tendrás un sencillo y bonito ornamento japonés.

**El sumo** *es el deporte de lucha nacional del Japón. Los luchadores de sumo, gordos y muy fuertes, intentan tirar al suelo a su adversario u obligarlo a salir del ring.*

**Pescadores de Sri Lanka** *pescan en aguas marítimas poco profundas.*

**En China,** *la bicicleta es un popular medio de transporte, rápido y cómodo. En las ciudades hay grandes aparcamientos para bicicletas con vigilantes especiales.*

# África

**El Kilimanjaro** *es la montaña más alta de África, con 5.895 m. Está en Tanzania. En las praderas al pie de la montaña hace calor, pero su cumbre está cubierta de nieve.*

**África es el segundo continente más grande del mundo. Incluye 53 países independientes de diversos tamaños. El país africano más extenso, el Sudán, es más de 200 veces más grande que el más pequeño, Gambia.**

El Sahara es el desierto más grande del planeta. Ocupa más de una cuarta parte de África y se extiende a lo largo de más de 5.000 km, desde el océano Atlántico al oeste hasta el mar Rojo al este. Más al sur, la tierra es mucho más fértil en las selvas y las praderas.

En 1869 se abrió el canal de Suez, que une el mar Rojo y el mar Mediterráneo. Esto significaba que los barcos podían navegar desde Europa hasta el océano Índico sin tener que rodear África. El canal tiene 169 km de largo. Miles de embarcaciones lo cruzan cada año.

**Las espectaculares cataratas Victoria** *caen desde una altura de 108 m sobre el río Zambeze, en la frontera entre Zambia y Zimbabue. El nombre africano de estas cataratas, Mosi oa Tunya, significa "el humo que truena".*

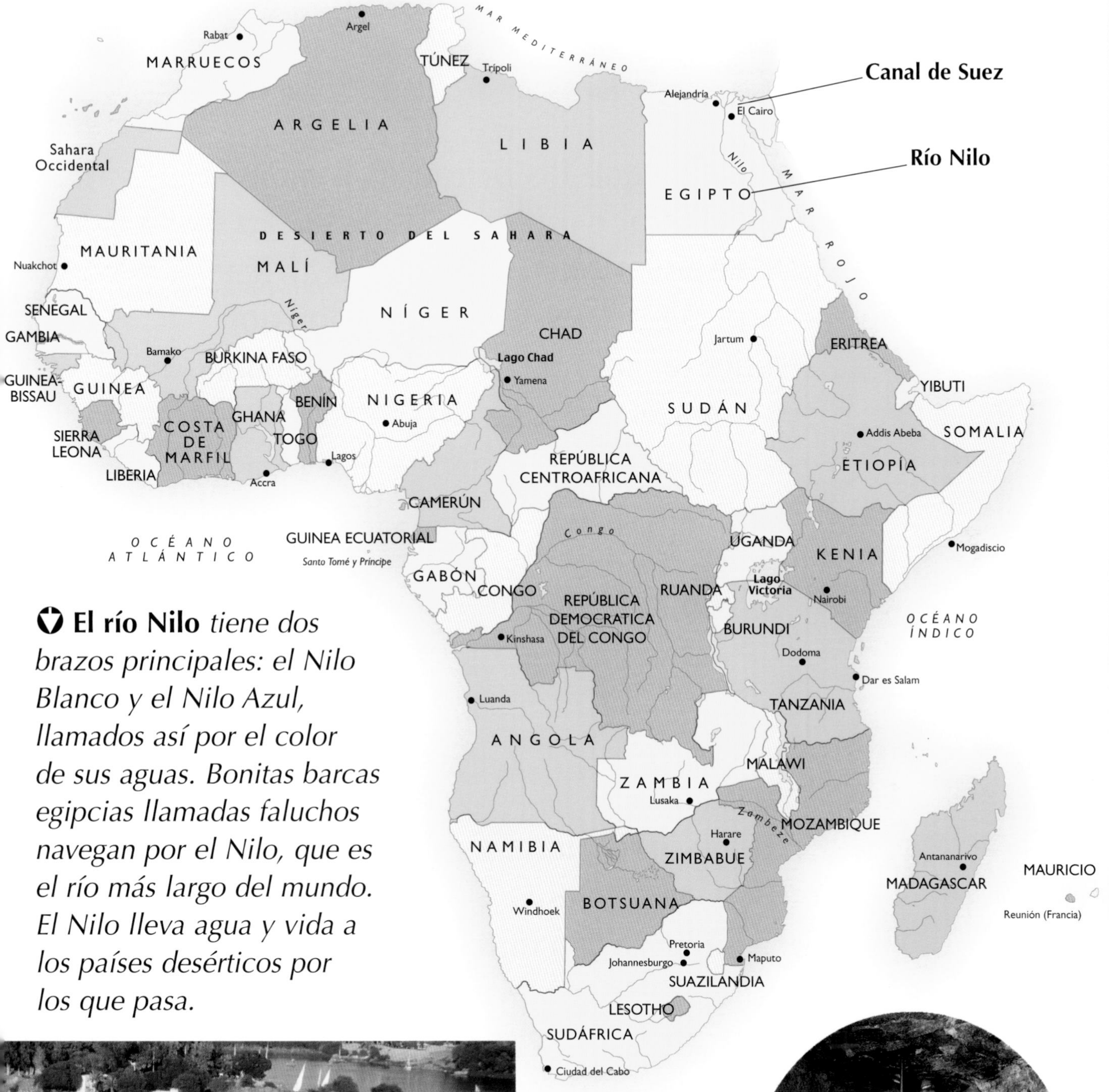

**El río Nilo** *tiene dos brazos principales: el Nilo Blanco y el Nilo Azul, llamados así por el color de sus aguas. Bonitas barcas egipcias llamadas faluchos navegan por el Nilo, que es el río más largo del mundo. El Nilo lleva agua y vida a los países desérticos por los que pasa.*

**En Sudáfrica** *hay muchas minas de oro y también de diamantes. Sudáfrica es el país que más oro produce de todo el mundo.*

# Gente de África

**Los científicos creen que los primeros humanos vivieron en África hace millones de años. En los siglos XIX y XX, muchos africanos estuvieron gobernados por colonizadores europeos.**

La mayoría de los africanos han vivido de forma tradicional en poblados y han cultivado la tierra. Pero la población de África está aumentando muy rápidamente, y se han formado grandes ciudades, con edificios y fábricas modernas, que siguen creciendo.

**Estas mujeres fulas** *del oeste de África llevan recipientes en la cabeza con facilidad. Tradicionalmente los fulas cuidaban ganado, pero algunos han ido a la ciudad en busca de trabajo.*

**Johannesburgo** *es la ciudad más grande de Sudáfrica, con 4 millones de habitantes. Hay muchos rascacielos modernos y centros comerciales.*

**Las calles** *de muchas ciudades del norte de África son bulliciosas, sobre todo cuando hay mercado. Marrakech, una gran ciudad de Marruecos, es famosa por sus productos de piel y textiles. Esto y el clima cálido atrae a los turistas.*

**Los camellos,** *o "barcos del desierto", se usan como medio de transporte en las regiones desérticas de África. Aguantan mucho sin beber agua, gracias a la grasa que almacenan en las jorobas. Pueden caminar hasta 160 km al día.*

Según se cree, los pigmeos mbuti, que viven en la República Democrática del Congo (el antiguo Zaire), son las personas más bajas del mundo. Por término medio, los hombres miden 1,45 m, y algunas mujeres mbuti tan sólo miden 1,24 m.

**Muchos africanos** *se visten según las costumbres tradicionales de su pueblo.*

# Australasia

**El continente de Australasia lo forman Australia, Nueva Zelanda, Papúa Nueva Guinea y miles de pequeñas islas del océano Pacífico Sur. Esta región a veces también se llama Oceanía.**

Australia es un país cálido y seco. Buena parte de su territorio es desierto y campos secos de matorrales. Nueva Zelanda tiene un clima más fresco. En ambos países viven plantas y animales que no se ven en ningún otro lugar del mundo.

Papúa Nueva Guinea ocupa la mitad este de Nueva Guinea. La mitad oeste, Papúa Occidental, pertenece a Indonesia.

Las islas del Pacífico, en su mayoría muy pequeñas, están esparcidas por una amplia zona.

▲ **La Gran Barrera de Arrecifes,** *formada por miles de arrecifes de coral, está frente a la costa este de Australia. Los corales parecen plantas, pero son animalitos de vistosos colores emparentados con las medusas. En estas aguas cálidas y poco profundas viven muchos tipos de peces de colores.*

▼ **La Roca Ayers** *se alza 348 m sobre la llanura que la rodea. Esta roca gigante es sagrada para los aborígenes, que la llaman Uluru, que significa "madre Tierra".*

ISLAS HAWAI (EE.UU.)
Islas Marianas del Norte (EE.UU.)
ISLAS MARSHALL
OCÉANO PACÍFICO
FILIPINAS
ESTADOS FEDERADOS DE MICRONESIA
Mar de Cébeles
PAPÚA NUEVA GUINEA
KIRIBATI
INDONESIA
ISLAS SALOMÓN
TUVALU
Tokelau (Nueva Zelanda)
Islas Cook (Nueva Zelanda)
Samoa Americana
SAMOA
Darwin
Mar del Coral
VANUATU
FIYI
TONGA
POLINESIA FRANCESA
AUSTRALIA
Alice Springs
NUEVA CALEDONIA
Brisbane
Darling
Perth
Sidney
Adelaida
Canberra
Aukland
Melbourne
Mar de Tasmania
Wellington
NUEVA ZELANDA
Tasmania

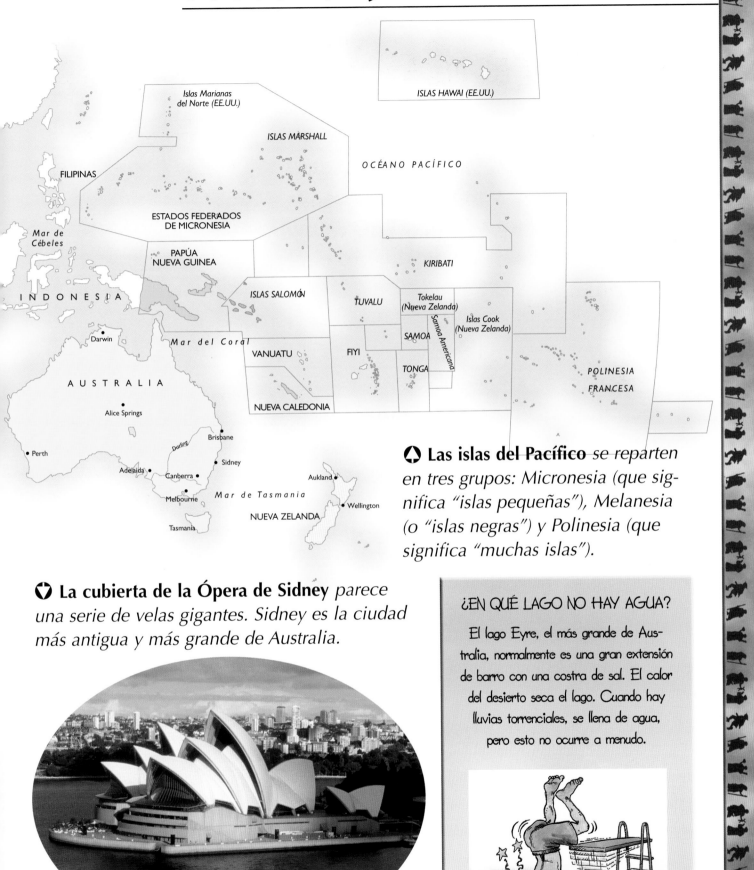

**Las islas del Pacífico** *se reparten en tres grupos: Micronesia (que significa "islas pequeñas"), Melanesia (o "islas negras") y Polinesia (que significa "muchas islas").*

**La cubierta de la Ópera de Sidney** *parece una serie de velas gigantes. Sidney es la ciudad más antigua y más grande de Australia.*

### ¿EN QUÉ LAGO NO HAY AGUA?

El lago Eyre, el más grande de Australia, normalmente es una gran extensión de barro con una costra de sal. El calor del desierto seca el lago. Cuando hay lluvias torrenciales, se llena de agua, pero esto no ocurre a menudo.

# Gente de Australasia

**Australia es el sexto país más grande del mundo, pero sólo tiene 18 millones de habitantes. Gran parte del territorio es desértico. La gente vive cerca de la costa.**

Los primeros australianos fueron los aborígenes que llegaron de Asia hace 40.000 años. Probablemente cruzaron por tierra que ahora está sumergida y vivieron en el desierto, cazando y recolectando alimentos. Los primeros pobladores europeos llegaron en 1788 y fundaron la ciudad de Sidney.

Los maoríes fueron los primeros neozelandeses. Una leyenda maorí cuenta que zarparon de Polinesia en sólo siete canoas.

**El cricket** *es un deporte muy popular en Australia y en Nueva Zelanda. Muchos jugadores famosos proceden de estos países.*

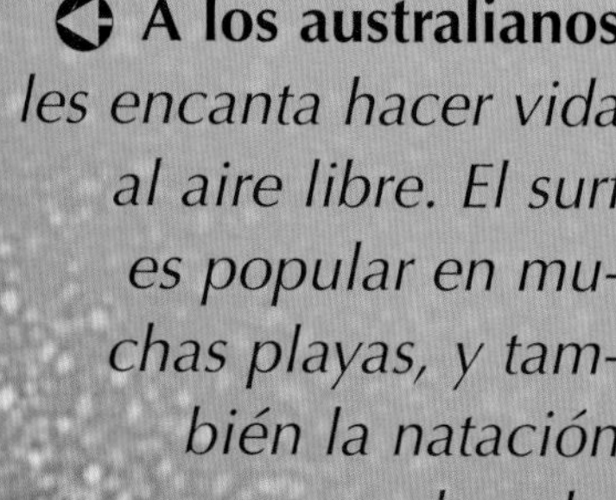

**A los australianos** *les encanta hacer vida al aire libre. El surf es popular en muchas playas, y también la natación y la vela.*

**La talla de madera** *es una artesanía tradicional de los maoríes de Nueva Zelanda. Elaboradas tallas decoran los templos maoríes. Hoy en día muchas de las obras se venden a los turistas.*

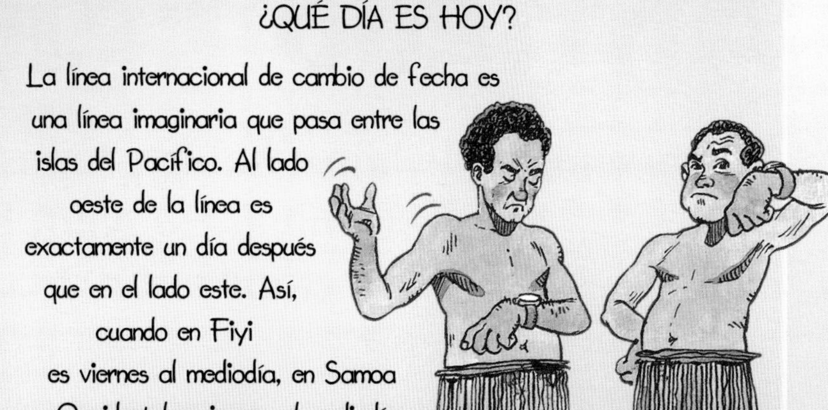

¿QUÉ DÍA ES HOY?
La línea internacional de cambio de fecha es una línea imaginaria que pasa entre las islas del Pacífico. Al lado oeste de la línea es exactamente un día después que en el lado este. Así, cuando en Fiyi es viernes al mediodía, en Samoa Occidental es jueves al mediodía.


**Los "hombres de barro"** *de Nueva Guinea llevan máscaras de arcilla en las ceremonias especiales. Su intención es causar miedo. En Papúa Nueva Guinea se hablan más de 700 lenguas. Las más comunes son el inglés pidgin y el motu.*

**Los aborígenes australianos** *cuentan historias en sus pinturas rupestres. Muchas de ellas tienen miles de años de antigüedad.*

**Los aborígenes** *tocan una pipa de madera larga y gruesa que se llama "didgeridoo". Emite una nota profunda y, si el músico acerca el extremo de la pipa a un agujero del suelo, puede sonar más alto. El bumerán es otro objeto tradicional.*

# Antiguo Egipto

**Hace miles de años, había grupos de gente que cazaban en torno al río Nilo. Después se asentaron y empezaron a cultivar la tierra.**

El antiguo Egipto estaba gobernado por reyes, llamados faraones. Los egipcios creían que el espíritu de su dios halcón, Horus, entraba en cada nuevo faraón y lo convertía también en dios. Asimismo, creían en la vida después de la muerte. A los faraones se les momificaba antes de enterrarlos con las cosas que querían llevarse al otro mundo. Al momificar un cuerpo, se extraían los órganos internos del difunto (hígado, pulmones, estómago e intestinos) y se almacenaban en tarros especiales. En el antiguo Egipto, los gatos eran sagrados y también se les momificaba.

**Las pirámides** *eran tumbas para los faraones del antiguo Egipto. Estos tres monumentos de piedra aún se conservan en Guiza, cerca de El Cairo, la capital de Egipto.*

**La Gran Esfinge** *es un monumento de piedra con cabeza de hombre y cuerpo de león. Mide 20 m de alto y está cerca de las pirámides de Guiza. La esfinge se talló hace 4.500 años.*

**Los nobles egipcios** *cazaban en los pantanos cerca del Nilo. Para cazar pájaros, usaban bumeranes.*

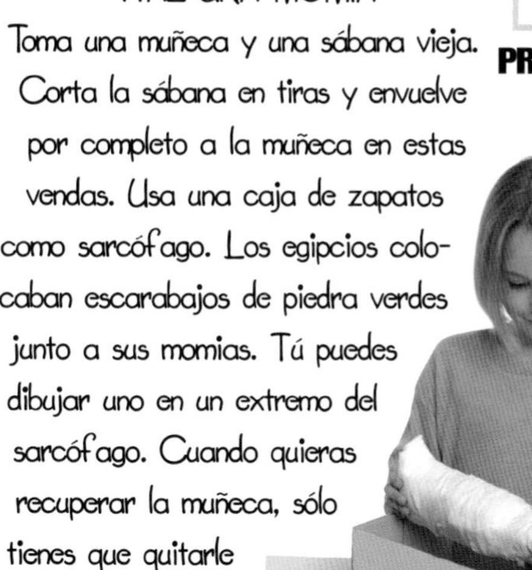

HAZ UNA MOMIA

PROYECTO

Toma una muñeca y una sábana vieja. Corta la sábana en tiras y envuelve por completo a la muñeca en estas vendas. Usa una caja de zapatos como sarcófago. Los egipcios colocaban escarabajos de piedra verdes junto a sus momias. Tú puedes dibujar uno en un extremo del sarcófago. Cuando quieras recuperar la muñeca, sólo tienes que quitarle las vendas a tu momia egipcia.

**Posiblemente se necesitaron** *unos 100.000 hombres y más de 20 años para construir la Gran Pirámide. Se usaron más de 2 millones de bloques de piedra. La cámara funeraria del faraón estaba dentro de la pirámide.*

**Las pinturas murales** *descubiertas en las tumbas nos explican muchas cosas sobre cómo vivían los antiguos egipcios.*

**El rey Tutankhamón** *falleció a la edad de 18 años. Fue enterrado en una tumba en el valle de los Reyes, cerca de la antigua ciudad de Tebas. Esta máscara de oro se halló entre los tesoros de su cámara funeraria.*

# Antigua Grecia

**Hace unos 2.800 años, una nueva civilización empezó en Grecia.**

Los antiguos griegos construyeron magníficas edificaciones y ciudades. Escribieron obras de teatro, estudiaron música y crearon un sistema de gobierno en el que la gente podía intervenir en la marcha del Estado.

Atenas fue la ciudad estado más grande y rica de la antigua Grecia, con un ejército disciplinado y una poderosa flota.

**Los griegos** *fueron los primeros en construir teatros permanentes de piedra. Antiguamente todos los actores eran hombres. Llevaban máscaras para mostrar cuál era su personaje.*

**El Partenón** *era un templo dedicado a la diosa Atenea. Sus ruinas están en la Acrópolis, una colina rocosa de Atenas. El estilo de estas columnas es dórico. El estilo jónico es posterior y más decorado.*

Hermes Afrodita Zeus Hera Deméter Hades

**Zeus** *era el rey de los dioses griegos y estaba casado con Hera. Hermes era el mensajero de los dioses, Afrodita era la diosa del amor, Deméter era la diosa de la agricultura y Hades era el dios de los muertos.*

## ¿CUÁLES FUERON LOS PRIMEROS JUEGOS OLÍMPICOS?

Los primeros Juegos Olímpicos se celebraron el año 776 a.C. en Olimpia, un lugar dedicado al dios Zeus. Los primeros atletas llevaban escudos y cascos, ¡pero iban desnudos!

Esparta controlaba el sur de Grecia. Todos los buenos espartanos tenían que ser guerreros, por lo que se enseñaba a pelear a los niños a partir de los siete años.

Los muchachos griegos ricos tenían su propio esclavo. Éste debía cuidar del muchacho, acompañarlo a la escuela y ayudarle con los deberes.

## MÁSCARAS TEATRALES

**PROYECTO**

Usa un plato grande como plantilla para dibujar un círculo en una cartulina. Recórtalo. Sujeta el círculo delante de tu cara y pide a alguien que marque la posición de tus ojos. Luego recorta dos agujeros para los ojos. Dibuja una cara feliz o triste. Pega un palo de polo para sujetar la máscara. Por último, añade unas orejas de cartulina y cintas para el pelo.

**Los birremes y los trirremes** *eran dos tipos de barcos de guerra griegos. Un birreme tenía dos órdenes de remos a cada lado, y un trirreme tenía tres. Los griegos usaban sus rápidas naves para atacar a los barcos enemigos.*

# Antigua Roma

**Según la leyenda, la gran ciudad de Roma la fundaron los gemelos Rómulo y Remo. Cuando eran bebés, fueron abandonados; los encontró una loba, que los alimentó con su leche, y, finalmente, los adoptó un pastor.**

**Julio César** *fue un gran general romano que vivió antes del primer emperador. Murió apuñalado en el año 44 a.C.*

Desde sus orígenes como pueblo hace 2.700 años, Roma fue creciendo hasta convertirse en una poderosa ciudad. Los romanos conquistaron otros pueblos, primero en Italia y luego en el extranjero. El ejército romano creó un imperio que se extendía por el Mediterráneo y que llegaba hasta las islas británicas. Los soldados romanos construyeron miles de kilómetros de carreteras. El agua llegaba a las ciudades por los acueductos.

**El Coliseo** *fue el anfiteatro más grande de la antigua Roma. Tenía capacidad para 50.000 espectadores.*

**Los centuriones** *eran oficiales del ejército romano. Cada uno era jefe de un grupo de cien soldados, que se llamaba centuria. El ejército era muy disciplinado y sumamente poderoso.*

**El foro** *era una plaza pública al aire libre. En la antigua Roma, los ciudadanos iban allí a comentar las cuestiones importantes del día.*

**El primer emperador** *del Imperio Romano fue Augusto. Este gran líder, coronado en el año 27 a.C., marcó el estilo de los emperadores posteriores.*

**En el año 79 d.C.,** *el Vesubio entró súbitamente en erupción y cubrió de ceniza volcánica la cercana Pompeya. Esta ciudad italiana quedó sepultada y murieron miles de personas.*

# La Edad Media

**Vidrieras** *como ésta decoraban las iglesias medievales y a menudo mostraban relatos de la Biblia. Las pequeñas piezas de vidrio de colores se unían con tiras de plomo.*

**Edad Media es el nombre que se da a un período de la historia de unos mil años, a partir del año 500 d.C. aproximadamente. En Europa, esta época es el paso de la Antigüedad a la Edad Moderna.**

En la Edad Media, los países europeos estaban gobernados por un rey o un emperador, que solía ser el dueño de todas las tierras. Estas tierras las repartía entre sus

**Los caballeros** *participaban en torneos, donde peleaban montados en sus caballos. Intentaban tirar al suelo a su contrincante golpeándolo con la lanza.*

hombres más importantes, los nobles. Los nobles contaban con el apoyo de caballeros, entrenados para luchar. Los campesinos vivían y trabajaban en las tierras de los nobles y los caballeros, cultivando alimentos para ellos y para su señor.

**La imprenta** *no se había inventado todavía. Los monjes copiaban los libros a mano y a menudo los decoraban con hermosos colores.*

**Los reyes y los nobles** *mandaban construir grandes castillos de piedra para proteger sus tierras. También eran sus casas. En el gran salón, los señores y sus amigos disfrutaban de espectáculos mientras comían.*

**En las ciudades medievales,** *la gente tiraba la basura a la calle, donde había alcantarillas abiertas. Malabaristas, actores y otros artistas callejeros entretenían a la gente en los bulliciosos mercados.*

# Lenguas del mundo

**Una lengua se compone de las palabras que pronunciamos o escribimos. Las palabras nos ayudan a comunicarnos, a explicarnos cosas unos a otros.**

Existen muchas lenguas distintas que se escriben usando alfabetos distintos. Los bebés suelen aprender una sola lengua. Luego, en la escuela, los niños aprenden una o dos lenguas más.

**Los antiguos egipcios** *usaban un sistema de escritura pictográfica. Sus símbolos se llaman jeroglíficos.*

**Éstas son** *diferentes maneras de decir "hola". De izquierda a derecha: en inglés, chino, español, hindi y polaco.*

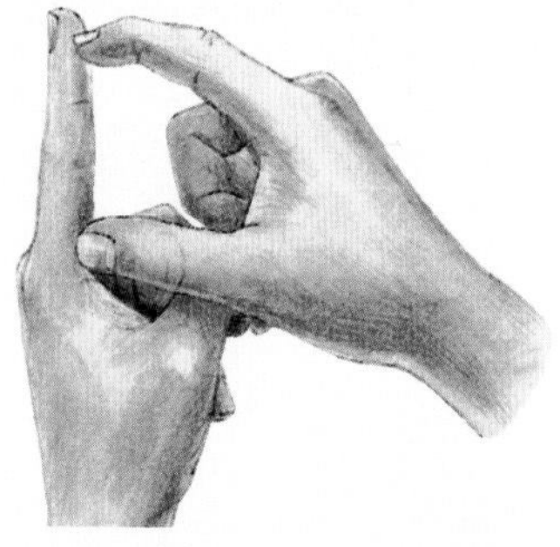

**Todos los nativos americanos** *no compartían la misma lengua oral, por lo que los diferentes pueblos se comunicaban mediante signos.*

**Este gráfico muestra** *el número de personas que habla las principales lenguas del mundo. El chino es la lengua hablada por más millones de personas.*

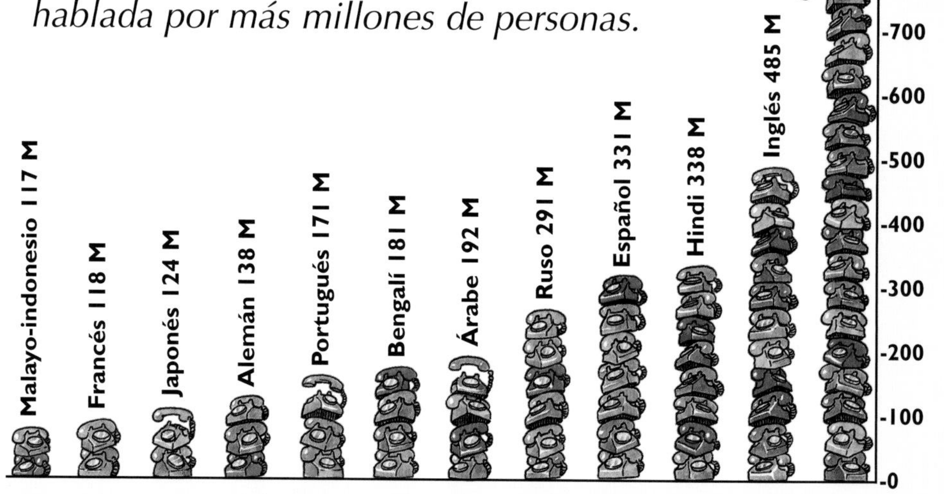

АБВГДЕЖЗИ
ЙКЛМНОПР
СТУФХЦЧШ
ЩЪЫЬЭЮЯ

賊奪取王
王是玉的
象是玉的

अ आ इ ई उ ऊ ऋ
ए ऐ ओ औ क ख
ग घ ङ च छ ज
झ ञ ट ठ ड ढ ण
त थ द ध न प फ
ब भ म य र ल व
श ष स ह

**El alfabeto ruso** *tiene 33 letras, que derivan del alfabeto griego. El ruso está relacionado con el polaco y el checo.*

**El chino escrito** *consta de unos 50.000 símbolos ideográficos. Cada símbolo o carácter representa una palabra o parte de una palabra.*

**El hindi** *es la principal lengua oficial de la India (donde hay otras 15 lenguas importantes). Las palabras se unen por arriba con una línea horizontal.*

¿LAS BANDERAS HABLAN?

Las banderas se pueden usar para enviar mensajes. En el código de banderas internacional, hay una bandera distinta para cada una de las 26 letras del alfabeto inglés. Los marineros aún las usan a veces para hablar con otros barcos.

**El árabe** *es la lengua principal de muchas naciones de Oriente Medio y del norte de África. El alfabeto árabe tiene 28 símbolos y se escribe de derecha a izquierda.*

ساحة المهد
MANGER SQUARE

**La escritura japonesa** *evolucionó a partir de los antiguos caracteres chinos. Los niños japoneses aprenden caligrafía con un pincel y tinta.*

# Religiones del mundo

**Las principales religiones del mundo existen desde hace miles de años. En este tiempo, han intentado explicar el mundo y el significado de la vida a sus creyentes.**

**Jerusalén** *es una ciudad sagrada para los musulmanes (los seguidores del islamismo), pero también para los judíos y los cristianos. La Cúpula de la Roca, desde donde Mahoma ascendió al Cielo, es también sagrada para los musulmanes.*

Se cree que más del 75% de la población mundial tiene alguna religión. La religión ha sido una gran fuerza que ha moldeado nuestra historia y ha inspirado magníficos edificios, cuadros, obras musicales...

**La religión sij** *empezó en la India hace más de 500 años. Los hombres sijs no se cortan el pelo y se lo recogen en un turbante. Los sijs siguen las enseñanzas de maestros llamados gurús.*

**El budismo** *se basa en las enseñanzas de un príncipe indio que vivió hace más de 2.500 años. Abandonó sus riquezas y se le conoció como Buda, o "el Iluminado".*

**El río Ganges** *es sagrado para los hinduistas. Se bañan en el río para lavar sus pecados.*

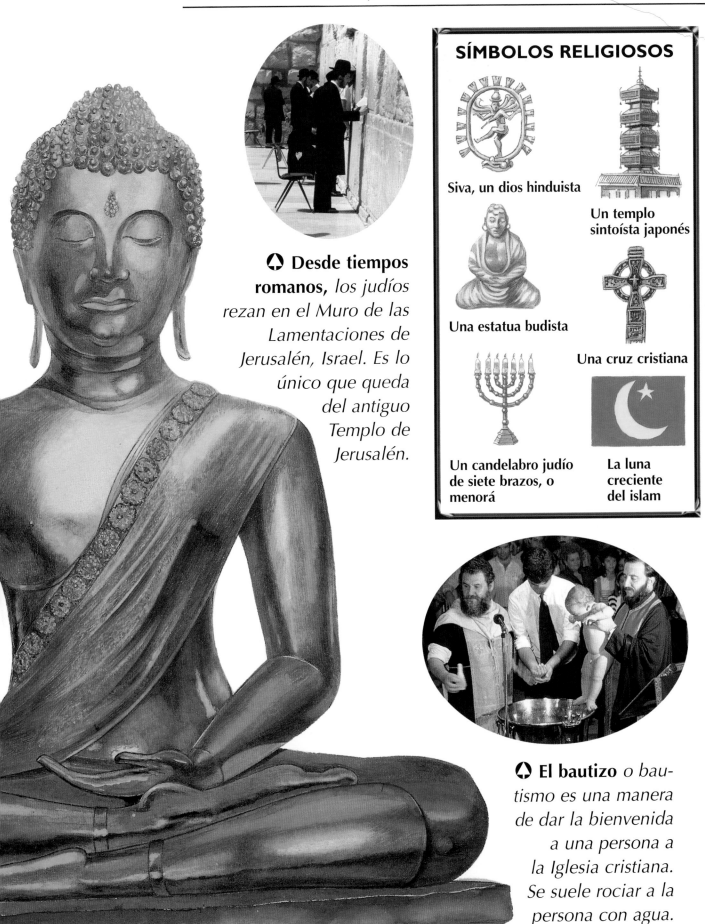

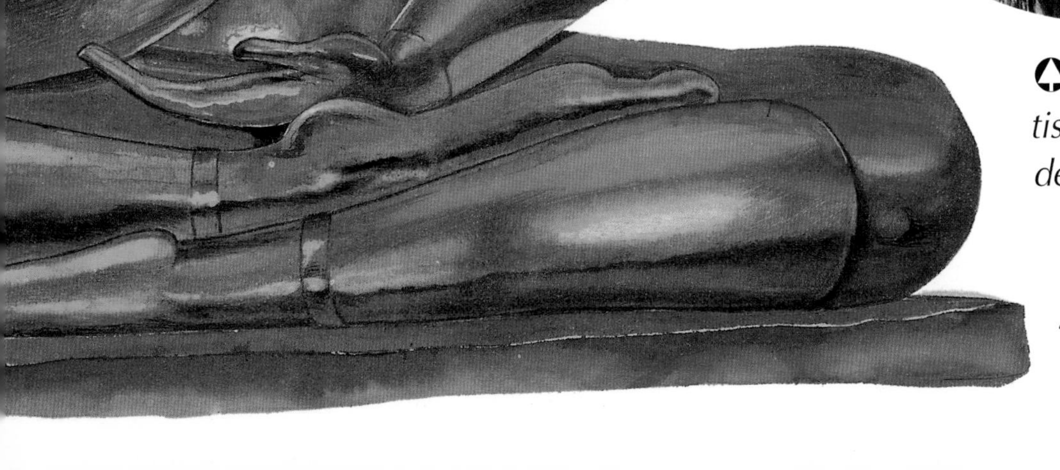

**Desde tiempos romanos,** *los judíos rezan en el Muro de las Lamentaciones de Jerusalén, Israel. Es lo único que queda del antiguo Templo de Jerusalén.*

## SÍMBOLOS RELIGIOSOS

Siva, un dios hinduista

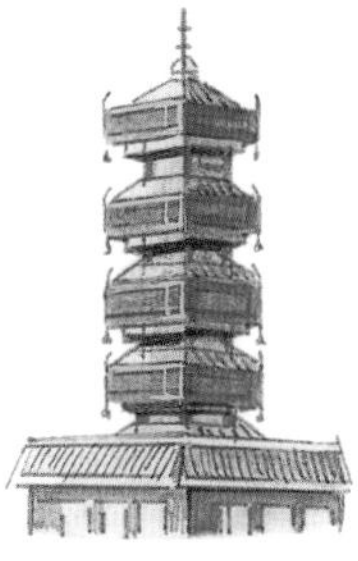

Un templo sintoísta japonés

Una estatua budista

Una cruz cristiana

Un candelabro judío de siete brazos, o menorá

La luna creciente del islam

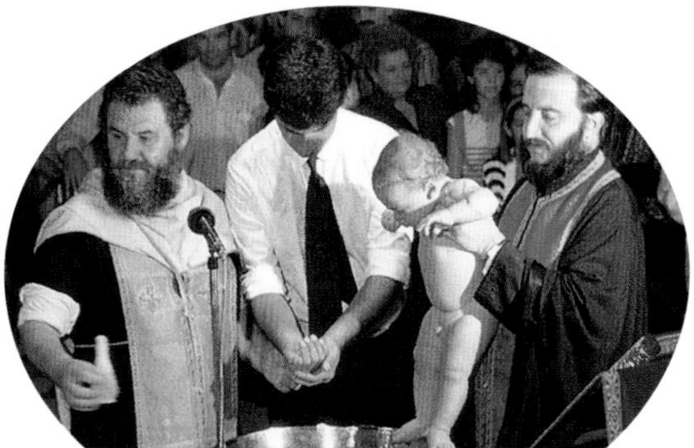

**El bautizo** *o bautismo es una manera de dar la bienvenida a una persona a la Iglesia cristiana. Se suele rociar a la persona con agua.*

# Costumbres y fiestas

**Hay muchas fiestas distintas en todo el mundo. Suelen conmemorar algún evento o recordar a alguna persona. Muchas tienen lugar una vez al año en días festivos especiales.**

Las fiestas son alegres; la gente a menudo viste trajes especiales para la ocasión y baila. Como las fiestas, las costumbres y las tradiciones pasan de generación en generación y se repiten año tras año.

**El carnaval más famoso** *del mundo es el de Río de Janeiro, en Brasil. Durante cuatro días, hay desfiles callejeros, fiestas de disfraces y bailes.*

**Papá Noel** *trae regalos a los niños en Navidad. Este personaje se basa en San Nicolás, un obispo real que vivió hace más de 1.600 años.*

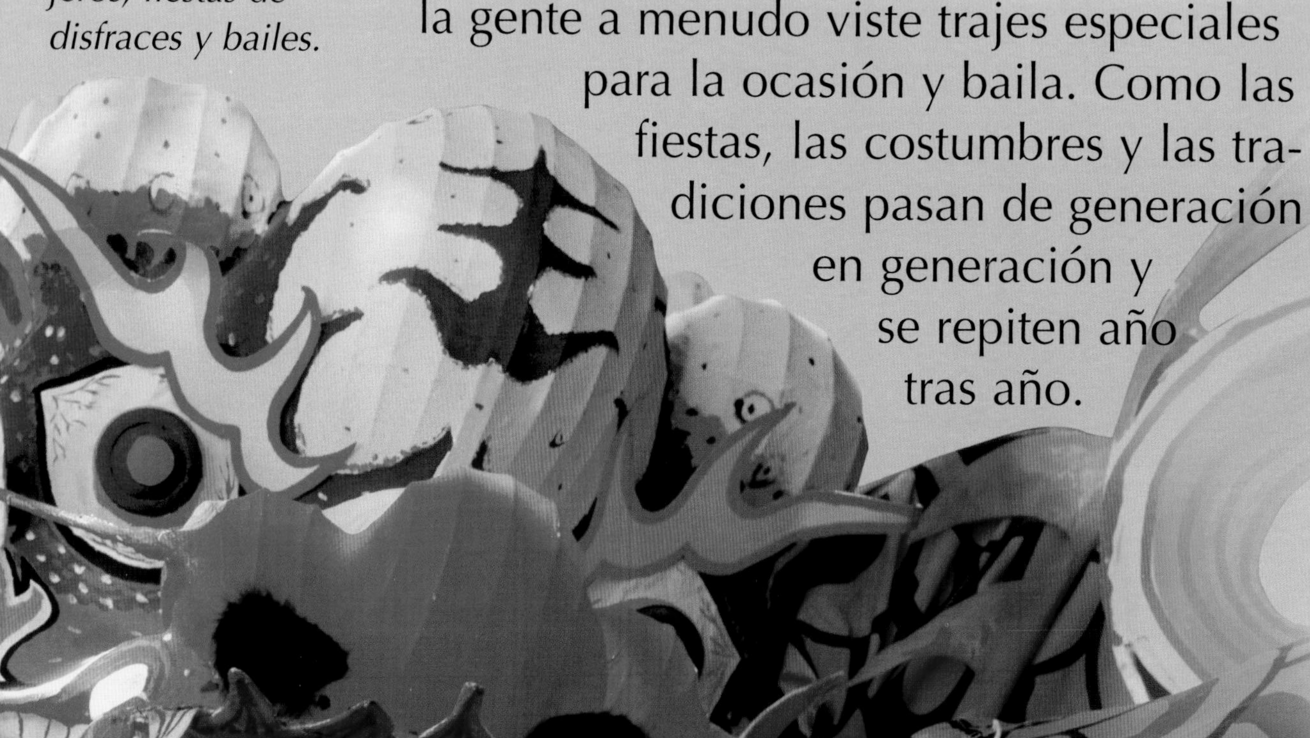

## COLLAGE DE HALLOWEEN

**PROYECTO**

Dibuja las siluetas de una bruja, una luna, un murciélago, un búho y otros elementos fantasmales en papel de colores. Recórtalas. Decora las siluetas y pégalas en una hoja de papel o una cartulina. Termina tu obra de arte con un poco de purpurina. Puedes colgarla en tu habitación.

**En Halloween** *(31 de octubre), los niños de algunos países se ponen disfraces fantasmales, hacen farolillos de calabaza y piden caramelos. Se cuentan historias de fantasmas y brujas.*

**En México,** *el Día de los Muertos se celebra una fiesta especial para recordar a los seres queridos que han fallecido.*

## ¿HAY FIESTAS DE MUÑECAS?

En el Japón hay dos fiestas de muñecas, una el 3 de marzo para las niñas y otra el 5 de mayo para los niños. Las niñas y los niños muestran las muñecas especiales de emperadores y héroes que les han regalado sus padres y abuelos.

**Dragones danzantes** *celebran en las calles el Año Nuevo Chino. Es una época de fiestas familiares. La celebración del Año Nuevo culmina con la Fiesta de las Linternas.*

# Cuestionario

1. ¿Cómo se llama el desfiladero más grande del mundo? (p. 210)
2. ¿Cuál es el Estado más grande de EE.UU.? (p. 211)
3. ¿Qué significa el nombre del pueblo inuit? (p. 212)
4. ¿En qué año se terminó el ferrocarril que atravesaba EE.UU. de costa a costa? (p.213)
5. ¿Cuál es el país más grande de América del Sur? (p. 214)
6. ¿Cuánto mide de largo la cordillera de los Andes? (p. 215)
7. ¿Cuál es la principal lengua de América del Sur? (p. 216)
8. ¿Quiénes son los gauchos? (p. 217)
9. ¿Qué países forman Escandinavia? (p. 218)
10. ¿En qué país europeo podrías ver géiseres? (p. 218)
11. ¿Cómo se llama un baile típico español? (p. 220)
12. ¿En qué ciudad podrías ver gondoleros? (p. 221)
13. ¿Cuál es el continente más grande del mundo? (p. 222)
14. ¿Para qué se construyó la Gran Muralla China? (p. 222)
15. ¿Cuál es el país con más habitantes del mundo? (p. 224)
16. ¿Cómo se llama la forma tradicional de lucha del Japón? (p. 225)
17. ¿Qué dos mares une el canal de Suez? (p. 226)
18. ¿Qué hay en la cumbre del monte Kilimanjaro? (p. 226)
19. ¿Dónde creen los científicos que vivieron los primeros humanos? (p. 228)
20. ¿Qué son los "barcos del desierto"? (p. 229)
21. ¿Dónde está la Gran Barrera de Arrecifes? (p. 230)
22. ¿Cómo se llaman los tres grupos de islas del Pacífico? (p. 231)
23. ¿Quiénes fueron los primeros australianos? (p. 232)
24. ¿Qué es la línea internacional del cambio de fecha? (p. 233)
25. ¿Para qué se usaban las pirámides? (p. 234)
26. ¿Qué famoso rey del antiguo Egipto falleció con 18 años? (p. 235)
27. ¿Quién era el rey de los dioses de la antigua Grecia? (p. 237)
28. ¿Qué llevaban los primeros atletas olímpicos? (p. 237)
29. ¿Quién fue el primer emperador romano? (p. 239)
30. ¿En qué antigua ciudad había un foro? (p. 239)
31. ¿A qué años corresponde la Edad Media? (p. 240)
32. ¿Qué arma llevaban los caballeros en los torneos? (p. 240)
33. ¿Cómo se dice "hola" en inglés? (p. 242)
34. ¿Cuántas letras tiene el alfabeto ruso? (p. 243)
35. ¿De dónde era Buda? (p. 244)
36. ¿Qué río es sagrado para los hinduistas? (p. 244)
37. ¿Dónde se celebra el carnaval más famoso el mundo? (p. 246)
38. ¿Qué día se celebra Halloween? (p. 247)

A

**aborígenes** Habitantes originales de un país.
**acueducto** Puente estrecho para transportar agua.
**aerodinámico** De forma suave para correr más.
**alga** Planta que crece en el mar, sin verdaderos tallos, hojas ni raíces.
**anfiteatro** Gran estadio del mundo antiguo.
**animal de sangre caliente** Siempre con la misma temperatura corporal.
**animal de sangre fría** Con una temperatura corporal que varía según la temperatura del exterior.
**antena** 1. Órgano sensorial de los insectos. 2. Artefacto metálico para transmitir señales de televisión y radio.
**arrecife** Rocas submarinas.
**astrónomo** Persona que estudia las estrellas, los planetas y el espacio.

B

**bacteria** Pequeño microorganismo o germen.
**brújula** Aparato con una aguja magnética que apunta al Norte.

C

**carnívoro** Animal que come carne.
**cartílago** Tejido flexible que forma el esqueleto de los tiburones y las rayas.
**casquete polar** Cubierta permanente de hielo.
**cerebro** Centro de control del cuerpo.
**clima** Tiempo meteorológico de una región.
**colonia** Grupo grande de animales que viven juntos.
**combustible** Energía almacenada para impulsar máquinas.
**cometa** Bola de hielo y polvo que viaja alrededor del Sol.
**contaminación** Daño causado por residuos y sustancias nocivas.
**continente** Enorme masa de tierra.
**cordillera** Serie de montañas.
**cordón umbilical** Tubo por el que un bebé recibe alimento y oxígeno mientras está en el útero de la madre.
**corteza** Capa exterior de la Tierra.
**cráter** Agujero redondo de la superficie de un planeta.

D

**decibelio** Unidad que se usa para medir la intensidad de los sonidos.
**diámetro** Anchura de un círculo o una esfera.
**disquete** Pequeña pieza de plástico para almacenar datos informáticos.

E

**ecuador** Línea imaginaria que rodea el centro de la Tierra.
**Edad Media** Período de la historia entre los años 500 y 1500 d.C.
**energía** Capacidad para hacer un trabajo.
**erupción** Emisión de rocas, gases y otros materiales.
**Estado** País o parte de un país.
**estetoscopio** Instrumento que usa un médico para escuchar sonidos.
**evaporar** Convertirse en un vapor o gas.
**evolución** Desarrollo gradual de la vida a lo largo de millones de años.
**extinguido** Desaparecido, que ya no existe.

F

**folículo** Orificio de la piel donde nace un pelo.
**fósil** Restos de un animal o una planta que se han conservado entre las rocas.
**fricción** Fuerza de rozamiento que frena las fuerzas de deslizamiento.

G

**galaxia** Conjunto muy grande de estrellas.
**generador** Máquina que produce electricidad.
**gravedad** Fuerza que atrae a todas las cosas.

H

**herbívoro** Animal vegetariano que sólo come plantas.

I

**imperio** Gran región dirigida por un soberano o un gobierno.

L

**lanza** Arma punzante larga.
**latín** Lengua que hablaban los antiguos romanos.
**lava** Rocas fundidas que fluyen de un volcán.
**lente** Trozo curvado de vidrio o plástico que desvía los rayos de luz.
**leyenda** Relato antiguo que se transmite de generación en generación.

M

**mamífero** Animal de sangre caliente; sus crías se alimentan con leche de la madre.
**meteorito** Especie de roca del espacio.
**microscopio** Instrumento que nos permite ver detalles minúsculos de cerca.
**mineral** Sustancia dura que se suele encontrar en el suelo en forma de roca.
**momia** Cadáver tratado para que no se descomponga.

N

**néctar** Sustancia dulce de las plantas.
**nómadas** Personas que van de un lugar a otro en busca de alimento.
**Nuevo Mundo** América del Norte y del Sur, según los exploradores europeos.
**nutriente** Sustancia beneficiosa que aporta alimento al cuerpo.

O

**oasis** Lugar en el desierto donde hay agua.
**observatorio** Edificio con un telescopio para mirar las estrellas.
**órbita** Trayectoria alrededor de algo.

P

**palanca** Barra que se apoya en un punto y que nos ayuda a levantar o abrir cosas.
**pampa** Llanura de hierba de Argentina.
**paralizar** Hacer que un ser vivo no se pueda mover.
**partícula** Una parte pequeñísima de algo.
**placa** Pieza que forma la corteza de la Tierra.
**plástico** Sustancia fabricada por el hombre que se puede moldear.
**polen** Polvo generado por las partes masculinas de una flor y que contiene las células masculinas para producir semillas.
**prehistórico** Relativo a los tiempos antiguos, antes de que se inventase la escritura.
**presa** Animal que otro caza para comer.

R

**reciclar** Volver a utilizar materiales usados.
**robot** Máquina programada para funcionar de forma parecida a un ser humano.

S

**saco vocal** Pliegues de piel de las ranas macho que pueden llenarse de aire para producir sonidos.
**señal** Serie de ondas de radio que pueden formar imágenes y sonidos.
**soldar** Unir piezas.

T

**tejido** Grupos de células similares unidas para formar partes del cuerpo.
**tentáculo** Especie de brazo largo y flexible.
**tratado** Acuerdo entre países.
**trópicos** Regiones cálidas cercanas al ecuador.

V

**vértebras** Huesos que forman la columna vertebral.
**vibrar** Mover rápidamente hacia delante y hacia atrás.

# Agradecimientos

La editorial desea dar las gracias a los siguientes artistas por su colaboración en este libro:
**Julie Banyard, Martin Camm, Mike Foster (The Maltings Partnership), Ron Hayward, Gary Hincks, Richard Hook, Rob Jakeway, Steve Kirk, Janos Marffy, Mel Pickering (Contour Publishing), Gillian Platt (Illustration Ltd.), Terry Riley, Mike Saunders, Guy Smith (Mainline Design), Roger Stewart, Michael Welply, Michael White (Temple Rogers)** y **Michael Woods.**

Todas las fotografías son de los **archivos de Miles Kelly,** excepto:
**AKG** Página 239 (ar.d.);
**Chris Bonington Library** 24 (ab.)/Doug Scott;
**Susanne Bull** 86 (ab.d.);
**Corbis** 172, 198 (ar.), 201 (ar.), 206 (ar.d.);
**E.T. Archive** 242 (ar.i.);
**Coche solar Honda Dream** 71 (ab.);
**Gerard Kelly** 85 (ab.);
**Natural Science Photos** 178 (ar., ab.i.), 186 (ar.d.), 188 (ar.d.), 191 (ar.), 201 (c.i.), 207 (c., ar.d.);
**Panos** 229 (ar.d., c.d.);
**PhotoDisc** 10 (i.), 11 (d.), 20 (ab.), 22, 23 (ab., ar.d.), 26;
**Rex Features** 28, 29, 44-45 (ab.)/Greenpeace/Tim Baker, 46 (ar.d., ab.d.), 47 (ab.i.);
78-79 (c.)/The Times/Simon Walker;
**Sega Rally** 77 (c.d.);
**Science Photo Library** 76 Geoff Tomkinson, 115 (d.);
**Patrick Spillane (Creative Vision)** 100, 109 (c.d.), 115 (ar.);
**The Stock Market** 20 (c.), 21 (ar.d.), 35 (c.), 42-43 (ab.), 47 (ab.d.), 51 (ar.i., c., ab.), 51 (ab.d.), 54 (c.), 63 (ab.), 104 (ar.i.), 111 (ab.d.), 117 (ar.), 121 (c.), 126 (ar.d.), 232 (ab.), 233 (ar.), 244 (c.i.), 245 (ab.d.);
**Tony Stone Images** 93 (ar.i.).

Todas las fotografías con modelos han sido realizadas por **Mike Perry en David Lipson Photography Ltd.**

**Modelos de esta serie:**
Lisa Anness, Sophie Clark, Alison Cobb, Edward Delaney, Elizabeth Fallas, Ryan French, Luke Gilder, Lauren May Headley, Christie Hooper, Caroline Kelly, Alice McGhee, Daniel Melling, Ryan Oyeyemi, Aaron Phipps, Eriko Sato y Jack Wallace.
**El vestuario para los modelos de las fotografías ha sido proporcionado por:**
Adams Children's Wear